Bernd H Decker   05M
789 Night Owl Lane
Winter Springs FL 32708

D1027200

Schweigen ist Schuld

Ein Lesebuch der Verlagsinitiative gegen Gewalt und Fremdenhaß

Großzügige Unterstützung gewährten:
Papierfabrik Mochenwangen
Clausen & Bosse, Leck

Schweigen ist Schuld
Ein Lesebuch
Herausgegeben von der Verlagsinitiative gegen Gewalt und Fremdenhaß
Auswahl und Redaktion:
Klaus Humann, Luchterhand Literaturverlag, Hamburg
Redaktionelle Mitarbeit: Stefanie Viereck
Herstellung: S. Fischer Verlag GmbH, Frankfurt am Main
Vertrieb: R. Piper Verlag, München
Auslieferung: KVA Verlagsauslieferung, Kiel
Verantwortlich im Sinne des Presserechts:
Klaus Humann, c/o Verlagsinitiative gegen Gewalt und Fremdenhaß,
Börsenverein des Deutschen Buchhandels e. V.,
Großer Hirschgraben 17–21, 6000 Frankfurt am Main 1
Gesamtherstellung: Clausen & Bosse, Leck
Printed in Germany 1993
ISBN 3-492-04000-4

Jeglicher, auch teilweiser Nach- und Abdruck oder sonstige Verwertungen
der in dieser Anthologie enthaltenen Texte und Zeichnungen ist unzulässig.
Die Rechte an den Texten und Zeichnungen liegen ausschließlich bei den im
Quellenvermerk genannten Verlagen oder Personen.

Artikel 1 des Grundgesetzes

(1) Die Würde des Menschen ist unantastbar. Sie zu achten und zu schützen, ist Verpflichtung aller staatlichen Gewalt.

(2) Das Deutsche Volk bekennt sich darum zu unverletzlichen und unveräußerlichen Menschenrechten als Grundlage jeder menschlichen Gemeinschaft, des Friedens und der Gerechtigkeit in der Welt.

Artikel 16 des Grundgesetzes

(2) Kein Deutscher darf an das Ausland ausgeliefert werden. Politisch Verfolgte genießen Asylrecht.

Inhalt

Das Fremde

Gewalt und Haß

Zivilcourage

Redaktionelle Vorbemerkung

Bereits Ende August 1992, nach den Gewalttaten von Rostock, haben deutsche Buchverlage bundesweit mit Plakaten und Inseraten Stellung bezogen gegen die Gewalttäter, gegen jene, die Beifall geklatscht haben, und gegen die Untätigkeit der Politiker. Zahlreiche Buchhändler schlossen sich unserem Appell gegen Fremdenhaß und Gewalt an.

Der nächste Schritt der an der Initiative beteiligten Verlage war die Herausgabe dieses gemeinsamen Buches. Fast fünfzig Verlage schickten Beiträge – Erzählungen, Gedichte, Romanauszüge und Zeichnungen, aus denen dann die Auswahl für »Schweigen ist Schuld« getroffen wurde. Es galt einerseits die besten Beiträge auszuwählen, andererseits aber auch, möglichst alle Verlage mit wenigstens einem Beitrag an diesem Lesebuch zu beteiligen. So finden Sie Beiträge, die von Gewalt erzählen, damals wie heute, von dem Gefühl, fremd zu sein, ausgegrenzt zu werden. Dieses Lesebuch will aber auch einen Eindruck von dem Abenteuer vermitteln, sich auf Fremdes, nicht Vertrautes einzulassen, eigene Vorurteile in Frage zu stellen.

Wir danken allen Verlagen, die sich an diesem Lesebuch beteiligt haben, den Lektoratskolleginnen und -kollegen, die die Bücher ihres Verlages auf passende Texte durchgesehen haben, wir danken den Kollegen, die die Herstellung, den Vertrieb, die Werbung und die Pressearbeit unentgeltlich übernommen haben, dem Papierfabrikanten, der Druckerei und der Auslieferung. Ohne ihre großzügige Unterstützung hätte dieses Buch nicht so und nicht so schnell erscheinen können.

Die Verlagsinitiative gegen Gewalt und Fremdenhaß wird von mehr als achtzig Verlagen [siehe Seite 379 f.] getragen.

Hamburg / Frankfurt, im Dezember 1992

Wie es anfängt

Für uns
sind die Andern anders.

Für die Andern
sind wir anders.

Anders sind wir,
anders die Andern,
wir alle Andern.

[Hans Manz]

Brigitte Schär
Der Hirte

Am Himmel, die Wolken, die waren nicht mehr wie bisher. Doch nur einer hatte die langsame Veränderung wahrgenommen. Nur er sah die Wölfe.

Seht doch, sagte er und zeigte zum Himmel hinauf. Es wird nicht mehr lange dauern, und sie werden herfallen über uns.

Wolken, sagten die Leute. Nichts als Wolken, Schäfchenwolken, ein friedlicher Himmel.

Wölfe, sagte der Mann. Die Schafe sind wir. Uns werden sie holen kommen. Seht doch, wie fürchterlich sie die Zähne fletschen, hört doch ihr schauerliches Geheul.

Der Himmel ist dunkler geworden, sagten die Leute. Es wird bald zu regnen beginnen. Machen wir, daß wir nach Hause kommen.

Am nächsten Morgen, als der Mann erwachte, dachte er sofort: Die Wölfe, die Wölfe sind mitten unter uns, die verschonen uns nicht.

Er sprang aus dem Bett und lief auf den Platz.

Die Wölfe sind unter uns, rief er den Leuten zu. Gebt acht. Verschließt die Tore, verrammelt die Türen, vergeßt die Fenster nicht.

Die Leute schüttelten die Köpfe.

Er lief durch alle Straßen, er schaute in die Treppenhäuser, in die Estriche und Keller, er suchte in den Höfen, er suchte in den Parks, er durchstreifte die Wälder um die Stadt herum.

Er schlief nicht mehr. Oft lag er da, mit dem Kissen über dem Kopf, oder er stand am Fenster und schaute ins Dunkle hinaus, wenn alle anderen schliefen.

Er war der Hirte, er wachte über sie. Keinem der Schafe sollte ein Leid geschehen. Die schwarzen Schatten schlichen um das Gehege herum. Er war ein guter Hirte, er hatte die Wölfe gesehen.

Sein Gewehr stand bereit.

Er wollte nicht mehr alleine wachen. Er kaufte sich einen Hund. Er kaufte viele Hunde. Er stellte Männer ein und gab jedem von ihnen ein Gewehr. Zusammen durchstreiften sie die nächtliche Stadt, die nächtlichen Parks, die nächtlichen Wälder und immer wieder die Straßen zwischen den Häusern, in denen die Menschen schliefen.

Es ist nicht möglich, sagte der Mann. Irgendwo müssen die Wölfe sein.

Manchmal, wenn die Hunde plötzlich stehenblieben, die Ohren zurücklegten und zu knurren anfingen, ließen die Männer sie von den Leinen los. Faßt! riefen sie. Doch die Hunde blieben stehen, winselten nur.

Es geht nicht mit rechten Dingen zu, sagten die Männer. Jemand hält uns zum Narren.

Sie schlichen in die Gärten und horchten, ob die Leute in den Häusern tatsächlich schliefen. Sie merkten, hinter vielen Fensterläden brannte Licht, mitten in der Nacht.

Die wissen was, sagten die Männer. Wieso schlafen die nicht? Wieso wachen sie mitten in der Nacht? In den Wäldern sind die Wölfe nicht, nicht in den Parks, nicht in den Straßen. Sie können nur in den Häusern sein. Aber sie sind nicht in den Kellern, nicht in den Fluren, nicht in den Estrichen. Sie müssen in den Wohnungen sein.

Die Männer umstellten die Häuser mit den Hunden. Schlugen die Türen ein.

Kommt heraus, mit erhobenen Händen, riefen sie, alle, oder es ergeht euch schlecht.

Die Menschen kamen zögernd aus den Häusern.

Wo sind die Wölfe, riefen die Männer.

Die Hunde bellten, Menschen schrien, Kinder weinten.

Wo haltet ihr die Wölfe versteckt? Sagt es, oder es ergeht euch schlecht.

Die zitternden Menschen wußten nichts.

Geht doch hinein und überzeugt euch selbst, sagten die mutigsten unter ihnen.

Wo sollen denn dort Wölfe sein?

Die Männer stürmten in die Wohnungen. Sie schlugen alles kurz und klein.

Ihr wißt, wo die Wölfe sind, schrien sie die Menschen an. Sagt es jetzt, bald wird es zu spät sein.

Am Himmel, die Wolken, die waren nicht mehr wie bisher. Einer hatte die langsame Veränderung wahrgenommen. Er stand am Fenster und schaute in den Himmel hinauf, tagelang, später auch in der Nacht. Er schlief nicht mehr. Er hatte die Wölfe gesehen.

An einem Morgen war der Himmel leer.

Die Menschen kamen dem Mann seltsam verändert vor. Er ging durch die Straßen, er ging an vielen Menschen vorbei. Er schaute in die Gesichter. Da war etwas in ihnen, das hatte er nie zuvor darin gesehen.

Die Wölfe sind mitten unter uns, flüsterte er. Sie verschonen uns nicht.

Er schloß sich ein.

Er lag da, mit dem Kissen über dem Kopf, die Hand auf den Mund gepreßt.

Ihn fanden die Wölfe nicht. Die anderen Häuser waren leer. Es wohnte niemand mehr darin.

Gert Hofmann
Empfindungen auf dem Lande

Nachdem ich am 3., bei gräßlichem Wetter, nach Einbruch der Dunkelheit die Wirtschaft »Zum Hirschen« von allen Seiten, besonders vom alten Feuerwehrturm her, mehrere Stunden beobachtet und mir einige der ein- und ausgehenden Gäste notiert habe und gegen Mitternacht auch zweimal – alles ohne Ergebnis – um die Wirtschaft herumgegangen bin, bin ich, um mir eine Wiederholung dieser Quälereien zu ersparen, am nächsten Tag nach sechs einfach in den »Hirschen« hinein und habe mich nach einem lauten guten Abend mit dem Rücken gegen das Fenster, gegen das schlechte Wetter, gesetzt, von wo aus ich alle Vorgänge und Gespräche in der Gaststube gut überhören und überschauen konnte. Und habe mir, noch war alles still und leer, ein Bier und ein Stück Käse bestellt und mich, die Arme auf der Lehne, auf meiner Bank zurückgelehnt. Dann habe ich die Kellnerin, ein festes junges Ding, das mir gleich gefallen hat und das, wie ich, in der Gegend neu war, nach ihrem Namen gefragt. Marie, sie hieß Marie. Und ich, habe ich sie gefragt, weißt du, wer ich bin, Marie? Denn ich hatte, obwohl ich im Dienst war und natürlich auch meine Dienstwaffe bei mir trug, keine Uniform an. Ja, sagte sie, das weiß ich. Gut, sage ich, also reden wir, da wir uns ja nun kennen. Wohnst du im Haus? Ja, sagt sie und zeigt zur Decke, oben. Nach hinten raus, frage ich. Nein, sagt sie, nach vorne. Da siehst du also, wer hier aus- und eingeht, wenn du dich ans Fenster stellst, frage ich. Ich stell mich nicht ans Fenster, sagt Marie. Nicht wahr, sage ich, du legst dich lieber ins Bett und wartest auf deinen Freund. Aber das hätte ich nicht sagen sollen, denn sie dreht sich weg und schweigt. Und ich sage: Bring mir jetzt das Bier und den Käse, dann werden wir weitersehen. Und ziehe, während Marie, die rot geworden ist, in die Küche läuft, meinen Briefblock aus meiner Aktenmappe, um meiner Frau, die ich schon eine Woche nicht gesehen habe, endlich den lange versprochenen Brief zu schreiben. Den Blick aus dem Gaststubenfenster, damit ich sehe, was draußen vorgeht, die Mappe als Unterlage, schreibe ich, daß, wie Du der Tagespresse vielleicht entnommen hast, die Asylsuchenden im Laufe des morgigen Sonntags bei uns eintreffen und verteilt werden. Wenn Du diesen Brief in den Händen hältst, sind sie untergebracht, schreibe ich. Falls ihre Unterbringung in dem leerstehenden und von uns angemieteten »Riegel« und dem alten Feuerwehrturm, die bis auf den heutigen Tag nicht um- oder ausgebaut worden sind, gelingt, ist die Aktion dann abgeschlossen, und ich kann ein paar Tage Urlaub nehmen und zu Dir kommen, schreibe ich. Andererseits ist, selbst wenn es uns gelingt, die vierundsiebzig Leute über die sieben Dörfer zu verteilen, nicht viel gewonnen, weil sie ja hier *leben* sollen, und das ist immer ein ausgedehnter Prozeß. Und nun zu Dir, schreibe ich. Wie geht es Dir in meiner Abwesenheit, was treibst Du die ganze Zeit? Besucht Klemm Dich noch so häufig, oder besuchst Du jetzt ihn? Oder habt ihr euch gestritten und seht euch gar nicht mehr? Verbieten kann ich Dir diesen Umgang, so zuwider er mir ist, ja aus der Ferne nicht, und ich bin nun einmal vorübergehend hierher verlegt worden, warum, weiß ich nicht. Jedenfalls verlange ich, daß von euren Beziehungen in der Stadt nichts ruchbar wird, das ist das Wichtigste, schreibe ich und unterstreiche das Wort *ruchbar*. Auch daß er mein Haus betritt, verbitte ich mir. Geht raus aus der Stadt, von mir aus in den Wald oder in die Kläranlage. Was ihr dort treibt, ist mir egal, ich kann ja sowieso nichts daran ändern, schreibe ich und schaue zum Gasthoffenster hinaus. Übrigens würde Dir die Gegend hier gefallen, schreibe ich dann noch und charakterisiere meiner naturversessenen Frau mit Wörtern wie *Idylle* und *Spätfrühlingswiesen* das Land, in das ich durch eine falsche Beurteilung der Bezirksinspektion vorübergehend geraten bin. Als ich den Brief abschließen will, kommt Marie mit dem Bier und dem Käse, den sie mir viel zu nahe an meine Mappe schiebt. Ich sage: Vorsicht, keine Flecke, Marie, hier sind wichtige Dokumente. Und ziehe aus der Seitentasche meiner Aktenmappe, was ich wahrscheinlich nicht hätte tun sollen, den anonymen Brief, der gestern bei uns eingegangen ist, hervor und halte ihn Marie einen Moment vors Gesicht. Und sage: Schwere, wenn auch noch nicht erhärtete Anschuldigungen gegen den »Hirschen«, wo gegen vierundsiebzig hier erwartete Asylsuchende angeblich Attentats-, ja Mordpläne geschmiedet worden sind, letzte Woche, gegen elf, an der Theke. Ist dir davon etwas bekannt, Marie, frage ich und will sie fixieren, aber sie läßt sich nicht, sondern schaut auf das Geweih, das über mir an der Wand hängt. Und sagt: Nein, davon ist mir nichts bekannt. Und wenn es dir bekannt wäre, würdest du es mir nicht sagen, nicht, frage ich. Nein, sagt sie, ich würde es nicht sagen. Nun, das ist strafbar, sage ich und stecke den Brief wieder weg. Und fasse sie an ihrem festen Arm und frage: Hast du einen Geliebten, Marie? Schnell, sag mir, wer der Glückliche ist. Doch da treten unter großem Fußgetöse, weil es schon auf sieben geht, die ersten Samstagabendgäste in die Gaststube, und Marie macht sich los und läuft hinter die Theke, und ich schließe meine Aktenmappe. Beende dann auch den Brief, indem ich »herzlich Dein Hans« darunterschreibe, damit ich mich, während ich langsam meinen Käse esse und mein Bier trinke, ganz auf die Gespräche der Gäste konzentrieren kann. Alles Bauern und Bauernsöhne und kleine Häusler aus der Gegend, die hier ihr Bier trinken und miteinander reden, an diesem Samstagabend aber nur über das Wetter und die Aussaat und das nächste Woche in Dorfel stattfindende Fußballspiel, nicht über unsere Asylsuchenden, was ich dem Kommissar, der am nächsten Morgen mit hochrotem Kopf an seinem Schreibtisch sitzt, dann auch melde. Die in dem Brief erwähnten Gespräche und Umtriebe im »Hirschen« kann ich nicht bestätigen, jedenfalls sind in meinem Beisein keine solchen Gespräche geführt worden, sage ich, aber der Kommissar winkt ab. Er hat, weil er eine halbe Stunde vor mir auf dem Revier war, eine schlechte Nachricht erhalten.

In der Morgendämmerung, während wir alle noch schliefen – ich mit Marie im Kopf –, soll der seit einem Jahr leerstehende Gasthof »Riegel«, der letzte Woche von der Bezirksregierung auf unbefristete Zeit angemietet worden war, angezündet und niedergebrannt worden sein und soll nun als Ruine daliegen, wie aus einem Telephonanruf hervorgeht, erzählt mir der Kommissar, während wir, nachdem wir schnell einen Schluck Kaffee getrunken haben, auf dem Fahrrad unterwegs zum »Riegel« sind. Schon von weitem sehen wir: Das »Riegel«, ein baufälliges und, zugegeben, menschenunwürdiges Gebäude, das wir letzte Woche noch inspiziert und in einem Bericht an das Landratsamt in R. für »zweckdienlich und brauchbar« erklärt hatten und das in seinen acht winzigen Räumen vierzig Asylsuchende aufnehmen sollte, ist nicht mehr. Und um dessen qualmende Reste der Kommissar und ich nun immer wieder kopfschüttelnd herumgehen, weil wir nun gleich einen neuen Bericht über die Unmöglichkeit, das »Riegel« mit Asylsuchenden zu füllen, schreiben müssen. Geh ordentlich, sagt der Kommissar zu mir und stößt mich in die Rippen, weil ich von letzter Nacht – ich bin bis zur Sperrstunde im »Hirschen« geblieben und habe unzählige Gläser Bier getrunken, aber trotzdem hat mich Marie nicht mit auf ihr Zimmer genommen – noch müde bin. Und weil nun auch die ersten Dorfeler kommen, um sich, noch vor der Kirche, das niedergebrannte »Riegel« anzuschauen und sich an unserer Ratlosigkeit zu weiden. Wir tun, als sähen wir sie nicht, und machen uns Notizen über die plötzliche Unverwendbarkeit des »Riegel« für die Asylsuchenden, die, wie wir inzwischen wissen, hauptsächlich aus Ghana, Äthiopien und dem früheren Ceylon stammen und deren Zahl noch *aufgestockt* worden ist. Nicht vierundsiebzig, wie es noch gestern hieß, sondern siebenundachtzig sind uns zugeteilt und sollen über unsere sieben Dörfer, vor allem in Dorfel, Bogen, Winkeln und Schöndorf, verteilt werden. Wobei es nicht unmöglich ist, daß man noch weitere fünf oder zehn Asylsuchende, die anderswo abgelehnt worden sind, in unsere Fuhre hineinsteckt und am Ende hundert oder mehr bei uns ablädt. Während sich unsere für ihre Sturheit bekannten Bauern geschworen haben, nur fünf (!) aufzunehmen. Mein Gott, sagt der Kommissar und möchte sich, weil er so schwitzt, die Mütze, die auf seiner Stirn eine rote Narbe gezogen hat, aus der Stirn schieben, darf wegen der Dorfeler, die feiertäglich, stumm und verbissen um das rauchende »Riegel« herumstehen, aber nicht, sie beobachten ihn. Sag ihnen, sie sollen verschwinden, sagt er zu mir, aber sei höflich. Ich muß noch neuneinhalb Jahre mit ihnen auskommen, vierundzwanzig Stunden am Tag. Und ich sage: Eine lange Zeit, Herr Schumpeter. Eine Ewigkeit, sagt er. Ich stecke meinen Block also weg und gehe auf die sonntäglich gekleideten Dorfeler zu, die, ehe sie in die Kirche gehen, schnell noch das rauchende »Riegel« haben sehen wollen und vor lauter Verachtung an mir vorbei- oder durch mich hindurchschauen. Ich sage: Nun habt ihr genug gesehen, geht nach Hause, die Vorstellung ist zu Ende. Und treibe die, die um die Ruinen herumstehen, mit ausgebreiteten Armen und unter einem kleinen, aber beständigen Zischen von der Brandstelle weg durch den Straßengraben auf die Hauptstraße und ein Stück die Hauptstraße hinauf. Und habe den Eindruck, daß ich dabei vom obersten Stockwerk des »Hirschen« hinter einer Gardine hervor von einem Menschen beobachtet werde, vielleicht von einer Frau, von Marie. Einmal winke ich sogar zu ihr hinauf, doch statt zurückzuwinken, verschwindet die Person, Marie, falls sie es ist. Während die Dorfeler auf der Straße, unter einem Ahornbaum, sobald ich sage: So, hier könnt ihr bleiben! und ihnen den Rücken zukehre, sich umdrehen und wiederkommen, an die Ruine zurück. Verschwindet, oder ich muß wegen Widersetzlichkeit zur Verhaftung schreiten, rufe ich und greife vielleicht sogar an meine Pistolentasche, aber da lachen sie nur. Während Herr Schumpeter in seiner von seiner herzkranken Frau Gretel frischgewaschenen Uniformhose hinter mir in der Asche kniet, um die Spuren zu sichern, wo wir die Brandursache doch alle kennen. Und wissen, daß das wieder so ein Fall ist, in dem kein Staatsanwalt ermitteln wird, weil das die Aufsässigkeit der Dorfeler nur verstärken würde. Und als mich die Dorfeler über die Hauptstraße weg im »Namen des Dorffriedens« fragen, ob »die Neger« trotz des niedergebrannten »Riegel« kommen, sage ich, das weiß ich nicht, wenn sie kommen, sind sie da. Der Kommissar, als ich wieder vor ihm stehe, sagt: Ein Dilemma, siehst du's?, und schüttelt bedenklich den Kopf. Und bittet mich, weil ich flüssiger formuliere, in einem neuen Bericht den Herren in R. die Empfindungen der Dorfeler noch einmal so eindrucksvoll wie möglich darzulegen, und wenn es mich den ganzen Vormittag kostet. Empfindungen, sagt der Kommissar und schaut mich entschuldigend an, die ich bis zu einem gewissen Grad ja teile. Wie könnte ich nicht, ich bin ja hier geboren und aufgewachsen, verstehst du? Verstehe, sage ich und lasse den dicken alten Mann vor mir durch die Asche kriechen und fahre zum Revier zurück, spanne einen frischen Bogen in meine Maschine und fange zu schreiben an.

Schreibe dann aber, wie ich mir hätte denken können, den überzeugenden Bericht für das Landratsamt gar nicht, sondern schreibe rasch noch ein paar Zeilen an meine Frau, von der ich nun – ich habe gezählt – seit neun Tagen kein Wort gehört habe. Wer weiß, ob sie zu Hause ist, denke ich. Und daß unsere Kinderlosigkeit ein Unglück ist, so hält sie zu Hause nichts fest. Und schreibe also, daß ich von guten Freunden über alles, was sie in meiner Abwesenheit treibt, bis in die Einzelheiten hinein unterrichtet und sie, vielleicht schon nächstes Wochenende, darüber zur Rede stellen werde. Wenn Du Dich auch in Schweigen hüllst, schreibe ich auf meiner neuen elektrischen Büromaschine, mir entgeht nichts, Du und Klemm seid immer vor mir. Und dann, weil mir zu Klemm nichts einfällt, daß es heute in Dorfel mit Sicherheit zu dem Zusammenstoß kommt. Der Bürgermeister ist schon zu seinem Vetter gefahren und nicht mehr erreichbar, weil er die Asylsuchenden nicht persönlich empfangen und sich bei seinen Wählern unbeliebt machen will. Nur Herr Schumpeter und ich können nicht zu unseren Vettern fahren, wir müssen sie empfangen. Im Laufe des späten Sonntagnachmittags, wenn die moderne Völkerwanderung mit dem Bus hier eintrifft und zweiunddreißig Personen bei uns absetzt und der Rest unter unserem Schutz nach Bogen, Schöndorf, Winkeln undsofort weitergeleitet wird, schreibe ich. Nur im »Riegel« können wir keine mehr absetzen, weil das inzwischen abgebrannt ist. Die Asylsuchenden sind eben unerwünscht und schon vor ihrem Auftauchen mit dem Tode bedroht worden, aber das wissen sie nicht. Sie denken, die Kleinbauern und Häusler hier, die von der Hand in den Mund leben, haben mit weit ausgebreiteten Armen auf sie gewartet. Also denk dran, mir entgeht nichts, schreibe ich und ziehe den Brief aus der Maschine und schreibe in meiner gut lesbaren, wenn vielleicht auch kindlichen Handschrift darunter: Liebst Du mich noch, Elisabeth, oder liebst Du mich nicht mehr? Das muß wissen Dein H. Dann falte ich den Brief, stecke ihn in einen Umschlag, verschließe und frankiere ihn, stecke ihn zu mir und rufe rasch im »Hirschen« an, aber die Kellnerin Marie ist nicht da, und wo sie ist, weiß keiner, oder es will mir keiner sagen. Macht nichts, sage ich. Und als sie fragen, wer spricht denn da, sage ich: Ein Freund, und lege auf.

Und denke: Und nun der Bericht. Und schreibe in zwei, drei konzentrierten Stunden, daß die hiesige Landbevölkerung, »von denen inzwischen jeder Fünfte arbeitslos ist, aus möglicherweise mißverstandener Heimatliebe um den Dorffrieden fürchtet«, und daß,

»wie die Dinge liegen, Zusammenstöße, auch blutige, nicht auszuschließen sind«. Nach der Vernichtung des »Riegel« bliebe für die Asylsuchenden nur noch der aufgelassene Feuerwehrturm, der bis jetzt für unbewohnbar gegolten hätte. »So wie sich die Lage hier darstellt, ist von einer zwangsweisen Einweisung von siebenundachtzig Asylsuchenden nach Dorfel und Umgebung also abzuraten«, schreibe ich und lege den Bericht in dreifacher Ausfertigung zum Unterschreiben auf den Schreibtisch des Kommissars. Und gehe, weil inzwischen Mittag ist und der Kommissar, statt zurück ins Revier, vom »Riegel« wahrscheinlich gleich zum Essen nach Hause gefahren ist und uns nur noch ein paar Stunden von der Ankunft der Asylsuchenden trennen, rasch in den unserem Revier gegenüber gelegenen Gasthof »Mühle«, wo ich im obersten Stockwerk ein Zimmer gemietet habe und wo man nun seit einer Woche auch nicht mehr mit mir spricht. In dem Zimmer sehe ich, meine Frau hat geschrieben, ein Brief von ihr liegt auf meinem Bett. Ohne ihn zu öffnen, stecke ich ihn in meine Jackentasche zu meinem Brief an sie und gehe in die Gaststube, wo mir der Wirt schweigend und unversöhnlich meinen Schweinebraten und mein Bier über den langen Tisch zuschiebt. Auf meine Frage, wie das Wetter wird, gibt er keine Antwort, und als ich ihn frage, warum er mich etwas auslöffeln läßt, das ich nicht eingebrockt habe, sagt er: Mahlzeit! und verschwindet in der Küche. Ich schneide mein Fleisch in sechs gleich große Stücke, die ich mir, unter vier kalt starrenden Greisenaugenpaaren, in den Mund schiebe, und trinke nach dem ersten Bier noch ein zweites und ein drittes, um meine Wut über meine zeitweilige Versetzung unter diese haßerfüllten Menschen hinunterzuspülen. Öffnest du ihren Brief nun, denke ich, ja oder nein? Nein, denke ich, warte noch ein wenig. Dann lege ich das Geld für meine Biere auf den Tisch – ich will es dem Wirt nicht in die Hand geben –, laufe zurück ins Revier, rufe noch einmal im »Hirschen« an, aber Marie läßt sich anscheinend verleugnen, denn sie ist immer noch nicht da, und wo sollte sie sein? Denn einen Geliebten hat sie nicht, das hat sie mir gesagt. Fast gleichzeitig mit dem Kommissar, der meinen Bericht rasch überfliegt und unterschreibt, kommt der lange erwartete Anruf aus R., der uns das Eintreffen des Busses mit den monatelang überprüften, schließlich unser würdig befundenen und mit allen behördlichen Stempeln gestempelten, wenn natürlich auch erschöpften Asylsuchenden in Dorfel, am Wasserturm, für fünfzehn Uhr dreißig anmeldet.

Fünfzehn Uhr fünfzehn sind wir dort und parken unseren Wagen hinter dem eigenartigen Gebäude. Als wir um den Turm herumgehen, sehen wir, daß sich eine größere Menschenmenge, vielleicht achtzig oder hundert, an der Bushaltestelle angesammelt hat. Dieselben wie schon heute morgen, nur eben ein paar mehr. Da, sage ich, woher wissen die, daß der Bus jetzt kommt? Denn wann die siebenundachtzig Asylsuchenden nach Dorfel hineingefahren werden, ist geheim, selbst wir haben es eben erst erfahren. Aber zufällig stehen die Leute bestimmt nicht hier, jemand muß sie benachrichtigt haben. Wieder ein Vertrauensbruch, denke ich, peinlich. Da noch Zeit ist, gehen wir mit unseren Regenmänteln über dem Arm hinter der Menge auf und nieder. Keiner grüßt uns, doch auch wir grüßen keinen, sondern blicken auf die Dorfeler Erde hinab. In der Hoffnung, daß, wenn wir die Dorfeler ignorieren, sie von selbst verschwinden, was aber ein Irrtum ist. Je weniger wir hinüberschauen, um so mehr von ihnen stehen da. Und spucken, wenn wir uns ihnen nähern, vor uns auf den Boden und treten es in die Erde hinein, wenn wir bei ihnen sind. Ich sehe, wie der Kommissar rot anläuft, und sage: Nur ruhig, Herr Schumpeter!, und fasse ihn beim Ellenbogen und tätschele seine Hand und führe ihn an seinen Mitbürgern und Nachbarn vorbei.

Halb vier sehen wir den Bus, wie er sich unter Stöhnen mühsam den Erlenhügel hochzieht. In fünf Minuten ist er hier. Schauen Sie, sogar am Bus haben sie gespart, sage ich zum Kommissar. Wahrscheinlich haben sie stundenlang mit der Bahn und der Post und den freien Unternehmern verhandelt, wer es ihnen am billigsten macht, bis die Bahn diesen Urbus hervorgeholt hat, für den sie sich, weil er so viel wie nichts kostet, dann gleich entschieden haben. Halt dich nur immer ordentlich, sagt der Kommissar zu mir. Stumm, die Uniformröcke fest zugeknöpft, bahnen wir uns ohne Blumen (Der Kommissar: Ist einer mit Blumen da? Ich: Nein, keiner) einen Weg durch die Dorfeler und stellen uns an der Haltestelle auf. Zitternd, das Dach bis zu den Zweigen der Alleebäume hoch mit Koffern, Kisten und Kartons beladen, kriecht der Bus ins Dorf, kommt vor uns unter Quietschen zum Stehen. Ein Blick durch die Busfenster, und ich sehe, daß man sie in Zirndorf zwar in neue, meist viel zu weite Jacken und Blusen und Kleider gesteckt und sie frisch gewaschen und geschneuzt und frisiert hat, aber trotzdem: Alles Schwarze! Also dann, denke ich und will mir noch vor dem Kommissar den Weg zur Bustür bahnen, aber da werde ich von der Menschenmenge erfaßt und beiseite geschoben. Moment mal, rufe ich und dränge zur Tür, werde von den Dorfelern, die mir alle den Rücken zukehren – ich soll wohl ihre Gesichter nicht sehen – und die gemeinsam natürlich viel stärker sind als ich, aber weggedrängt in die Richtung zum Straßengraben. Bitte, die Leute aussteigen lassen, rufe ich und sehe, wie die Asylsuchenden über mir das Gedränge nicht begreifen und ihre Gesichter an die Scheiben drücken und, Augen und Münder weit aufgerissen, entsetzt auf uns herunterschauen. Von den siebenundachtzig sollen den Akten nach dreißig aus den berühmten Sterbestädten Äthiopiens kommen und dauergeschädigt sein. Während die anderen angeblich politisch verfolgt, zum Teil verkrüppelt sind. Und tatsächlich glaube ich, aus meinem Graben heraus, an den Gesichtern und den Armen der uns zugewiesenen Asylsuchenden Verstümmelungen, das Fehlen von Augen, Ohren, Gliedern, zu erkennen. Ich rufe: Platz da!, und will zur Tür, doch die Dorfeler lassen mich nicht. Hier kommt keiner raus, rufen sie. Und klopfen auf die Motorhaube, weil der Fahrer inzwischen den Motor abgestellt und das Seitenfenster heruntergelassen hat und zu uns in den Graben schaut, er will wissen, was soll er tun. Schalt den Motor an und verschwinde mit deinen Mohrenköpfen, rufen die Dorfeler und schlagen mit den flachen Händen an den Bus, wo die Kinder der Asylsuchenden bereits am Heulen sind. Moment mal, rufe ich und will zur Tür, doch sie lassen mich einfach nicht. Auch den Kommissar, der an die hintere Tür möchte, lassen sie nicht. Er ist über fünfzig und hat sich durch den täglichen Umgang mit den Dorfelern die Nerven ruiniert. Herz, Blutdruck, Vorder- und Hinterkopf sind in einer Lage wie dieser untauglich, er kann sie wegwerfen. Bei mir liegt die Sache anders. Daß ich nichts in die Hand nehme, ist natürlich, ich bin noch zu jung dafür. Es entspricht weder meinem Alter noch meiner Stellung, etwas in die Hand zu nehmen. Trotzdem, wenn es dir gelänge, die Dorfeler zum Nachhausegehen zu bewegen, wäre das schön, denke ich.

Nach einer Stunde Hin und Her – wir müssen mit ihnen verhandeln, ruft der Kommissar immer wieder, verhandelt dann aber gar nicht – wollen die Dorfeler sieben Asylsuchende aufnehmen. Erst wollten sie sogar nur fünf. Der Feuerwehrturm hat aber sieben Pritschen, da gehen sie hinein. Und die anderen, fragen wir. Die anderen, rufen sie, müssen weiter. Ja, aber wohin, fragen wir. Nun, in die anderen sechs Dörfer natürlich, sagen sie, nach Bogen, Winkeln, Schöndorf undsofort. Und fangen an, den Bus entlangzugehen und sich aus unseren siebenundachtzig Asylsuchenden, die alle durch die Fenster starren, die sieben besten auszusuchen. Aber in Bogen, Winkeln, Schöndorf undsofort ist für die anderen ja kein Platz, ruft Herr Schumpeter. Hier auch nicht, sagen die Dorfeler. Und lassen die sieben – zwei Männer, zwei Frauen und drei Kinder – aussteigen, ein Bursche klettert auf das Dach und reicht ihnen Kisten und Kartons herunter. Dann sehen wir die sieben, ein dunkler Knäuel, in Begleitung von einigen Dorfelern an dem Wasserturm vorbei ins Dorfinnere ziehen, die Frauen mit den Kisten auf den Köpfen. Einem der Männer, einem zahnlosen Tamilen, haben sie einen Trachtenhut aufgesetzt, er soll jodeln, kann aber nicht. Immer wieder stoßen sie ihn in die Rippen und sagen: Jetzt jodle, Inder, jodle!, aber der Tamile kann nicht jodeln, er hat es nicht gelernt. In der Ferne wird der Knäuel unerheblich, schließlich verschwindet er ganz. Und die anderen, denke ich.

Die Dorfeler sagen: Wir machen das so. Der Bus bringt die anderen nach Bogen, Schöndorf, Winkeln undsofort und setzt sie, damit die auch was kriegen, dort ab. Und damit euer Fahrer, der sich hier wohl nicht auskennt, Bogen, Winkeln undsofort findet, fahrt ihr ihnen voraus, während wir nun wieder nach Hause gehen. Na schön, wenn sie nach Hause gehen, denken wir und setzen unsere Mützen gerade und klettern aus unserem Graben heraus, und Herr Schumpeter ist mit allem einverstanden. Sie helfen uns auf die Straße zurück, ziehen unsere Röcke gerade und setzen uns in unseren Wagen, und wir fahren los in Richtung des sechs Kilometer entfernten Bogen, der Bus humpelt hinter uns her. Und müssen, weil dem Bus der Kraftstoff ausgeht, unterwegs noch tanken, und Herr Schumpeter muß, weil der Fahrer das Geld nicht auslegen will (mit dem Landratsamt hat er zu schlechte Erfahrungen gemacht, sagt er), in seine Tasche greifen und, damit alles weitergeht, das Geld für den Kraftstoff gegen Quittung vorschießen. Das Wetter hat sich immer noch nicht entschieden, die Felder liegen verdrossen da, und ich sitze am Steuer und brauche meinen Fuß gar nicht aufs Gaspedal zu setzen, weil der Bus nicht so schnell kann, und der Kommissar sitzt neben mir und zerbricht sich den Kopf, wie er vor den Leuten in R. seine nachgiebige Haltung rechtfertigen soll, aber mit Gewalt gegen die über hundert Köpfe zählenden, im Grunde ordnungs- und friedliebenden Dorfeler vorgehen, war nicht möglich. Und eine Strafanzeige wegen Nötigung kommt auch nicht in Frage, weil es sich bei ihnen um Nachbarn handelt, die den Dorffrieden erhalten wollen. Oder nicht, fragt mich der Kommissar immer wieder. Jawohl, Herr Kommissar, sage ich.

In Bogen wiederholt sich, was wir von Dorfel her kennen und was wir auch in Schöndorf, Winkeln undsoweiter erleben werden: Ein Menschenauflauf, diesmal mit zwei Schildern, auf denen »Raus aus Bogen« und »Weiterfahren, weiterfahren« steht. Im Nu sind wir umringt. Man fragt uns, warum wir »unsere Neger nicht unterwegs verscharrt« hätten, in Bogen hätten sie ihre eigenen Arbeitslosen. Und als wir ihnen die Einweisung erläutern wollen, klopfen sie auf unser Dach und rufen im Chor: »Aufhören«, oder: »Weiterfahren!« oder: »Bei uns ist alles voll.« Immerhin wollen sie uns »aus Gnade« dann drei (!), ein Ehepaar und eine Witwe, abnehmen. Wieviel, ruft Herr Schumpeter. Drei sagen sie. Und führen die drei, die, um nach Bogen zu kommen, teilweise Jahre gebraucht und über zehntausend Kilometer zurückgelegt haben, durch die Hauptstraße, die gerade von einer Kuhherde überquert wird, in die Richtung des aufgelassenen Hühnerschlachthofs davon. Während es in Winkeln, das von unseren sieben Dörfern das menschenärmste ist, einen Hühnerschlachthof, den man aufwischen und in den man jemand hineinlegen könnte, gar nicht gibt. Als wir auf dem Dorfplatz vorfahren, erschrecken wir, wie viele Menschen Winkeln hat, um uns weiterzuwinken. Schließlich, nachdem der Kommissar seinen Kopf immer wieder aus dem Wagenfenster hinausgeschoben und nach Vernunft geschrien hat, willigen die Winkelner ein, uns einen (!) Flüchtling abzunehmen, einen einäugigen Libanesen. Fürs Sägewerk, ruft ein Winkelner, zum Verheizen.

Nachdem wir mit unseren Asylsuchenden durch alle sieben Dörfer hindurchgewinkt worden sind, haben wir, als es dunkel wird, von den siebenundachtzig noch zweiundsiebzig in unserem Bus. Dazu einen, der keine Papiere hat und wahrscheinlich im falschen Bus sitzt, also dreiundsiebzig. Zweimal hält der Fahrer an, weil viele sich entleeren müssen. Sie grinsen und verschwinden in den Büschen, die anderen stampfen um den Bus herum. Ich stelle mich zu ihnen, reiße den Brief meiner Frau auf, halte ihn in das Scheinwerferlicht, kann mich wegen der Unruhe um mich herum aber nicht darauf konzentrieren. Statt dessen muß ich durch die Büsche, um sie wieder einzufangen, damit wir ja keinen verlieren. Einsteigen, es geht weiter, rufe ich in den Wald und klatsche in die Hände. Müde und erschöpft, bei dunklem Himmel, fahren wir zum zweiten Mal in die Ortschaft Dorfel hinein. Und fragen uns: Wohin mit ihnen? Und antworten: Natürlich in den Feuerwehrturm mit den sieben Pritschen, wenn sie auch schon belegt sind, wohin sonst? Der nach der Verwüstung des »Riegel« ja die einzige hier überhaupt in Frage kommende Baulichkeit ist. Und als wir – am Ortseingang wären wir um ein Haar noch in einen Rehbock gefahren – endlich bei dem Feuerwehrturm ankommen, können wir, da die Dorfeler nun alle betrunken auf ihren Höfen hocken, die Kisten und Koffer und Kleiderballen ungestört vom Dach holen, die dreiundsiebzig Asylsuchenden aussteigen und in den alten Turm ziehen lassen. Und du, sage ich zu dem Asylsuchenden ohne Papiere, einem gewaltigen und unversehrten und selbst in unserer ländlichen Nacht noch wie besonnten Neger, einem rechten Prinzen, der, grinst er, aus Ghana stammt und unter seinen neuen weißen und viel zu engen Caritashosen einen gewaltigen Geschlechtsapparat trägt, du kommst mit mir. Denn wie schnell geht ein Neger nachts im Wald nicht zwischen den Bäumen verloren. Aber er versteht mich nicht. Wir haben's oben, und die haben's unten, sagt der Kommissar und teilt die Asylsuchenden in Männlein und Weiblein ein, zum Schlafen, in die rechts und die links. Du kommen, Sambo, sage ich und lege meinem Prinzen die Hand auf den Arm und schiebe ihn über die Straße und in den »Hirschen« hinein, der wieder leer ist, und stelle ihn an der Türe ab. Ach, da ist ja auch Marie! Wo steckst du denn die ganze Zeit, frage ich sie und lege ihr im Vorbeigehen die Hand auf die Schulter, berühre vielleicht auch ihre Brust, und sie stößt mich weg und sagt etwas Grobes, wahrscheinlich soll ich weitergehen. Gut, denke ich, dieses Mal gehe ich noch weiter. Und rufe dem Wirt durch die Gaststube laut zu, daß ich eine Überraschung für ihn habe. Die Überraschung, rufe ich, steht draußen. Und daß wir noch in dieser Nacht »für ungefähr siebzig Exoten Wasser und einfache Verpflegung, Brot, Schmalz und gekochten Reis, auf Kredit«, sage ich, brauchen. Sie ziehen nun nämlich doch ein, da, schauen Sie, Herr Stief, rufe ich und zeige durch das niedrige Gaststubenfenster auf die von den Busscheinwerfern, wie bei einem nächtlichen Unfall, gespenstisch erhellte Hauptstraße, über die mit steifen Knien und ohne Musik zweiundsiebzig verstörte Asylsuchende aus acht oder neun verschiedenen Ländern aus ihrem Bus hinaus- und in unseren Feuerwehrturm hineinsteigen. Und da das Licht über der Theke, an der ich lehne, hell ist – an der Tür, bei Marie, ist kein Licht –, dränge ich die Asylsuchenden in meinem Kopf einen Augenblick beiseite, ziehe rasch den Brief meiner Frau – nicht den *an* meine Frau – aus meiner Rocktasche und lese, daß sie Anfang der Woche bei Rechtsanwalt Dr. Linde die Scheidung eingereicht hat und zu Klemm gezogen ist und sich übers Wochenende, wie sie sich ausdrückt, »an die Auflösung unseres verflossenen Liebesnests« machen wird. Mehr lese ich dann erst einmal nicht. Denn da sehe ich durch das Gaststubenfenster die ersten Dorfeler die Hauptstraße herabkommen, die unsere Asylsuchenden natürlich für Banditen halten, die ihnen den Dorffrieden stehlen wollen, und nun wütend, wahrscheinlich mit Knüppeln, auf sie zulaufen, um sie totzuschlagen. Ich hebe die Hand und rufe: Halt!, und laufe zur Eingangstür, vorbei an Marie, die mit glänzenden Augen dicht bei meinem Prinzen steht. Und rufe im Laufen: Was soll das, Marie?, und: Weg da! Nicht so nah!, und stoße sie an, doch sie lacht nur, und ich rufe: Du bist eine Schlampe, du Luder! und drohe ihr mit der Faust und stürze auf die Straße, in die Menschen hinein, in die schwarzen und die weißen. Und sage mir, daß die Autorität des Kommissars, der, weil er vor lauter Heiserkeit nicht mehr schreien kann, von einem zum anderen läuft und sie anfleht, *vernünftig* zu sein, nun endgültig zusammengebrochen ist, daß ich, ob ich will oder nicht, nun alles in die Hand nehmen muß. Und ziehe meine Pistole, an die ich in den letzten

Wochen merkwürdigerweise auch in anderen Zusammenhängen gedacht und die ich manchmal auch herausgenommen und gestreichelt habe, aus dem Halfter und entsichere sie, um irgendwohin, am besten natürlich in die Luft, zu schießen, muß dann aber, ich weiß nicht wie, in eine andere Richtung geschossen haben. Denn plötzlich liegt mein Prinz, der vielleicht Hand in Hand mit Marie vor den »Hirschen« getreten ist, auf der Erde, und Blut, ziemlich weit unten, vielleicht am Schenkel, aber mehr in der Mitte, läuft aus ihm heraus. Natürlich sind alle Asylsuchenden und alle Dorfeler sofort still. Marie, in ihrer Serviererinnenschürze, kniet neben meinem Prinzen. Während der Herr Schumpeter neben mir gestanden und mir die Pistole weggenommen hat. Und sie, so wie er es wahrscheinlich in unzähligen Kriminalfilmen gesehen hat, in ein weißes Tuch einschlägt und wegsteckt. Dann schiebt er mich ein Stück. Ich sehe, wie sie meinen schwarzen Prinzen in den »Hirschen« tragen, wie seine weiße Hose nun ganz rot ist. Und wie wir – nun hat der Herr Schumpeter seine Hand auf meinem Arm – lange nach unserem Wagen suchen, den Wagen aber schließlich finden.

Gerhard Roth
Die Juden müssen Straßen waschen

Kurz darauf, am 14. März, zog Hitler in Wien ein. Überall, von Gebäuden und aus Fenstern hingen Hakenkreuzfahnen, die Straßen waren voll mit Menschen. Unmittelbar nach der Kundgebung auf dem Heldenplatz, bei der Hitler vom Balkon der Hofburg zur Menge gesprochen hatte, mußten Juden die Kruckenkreuze vom Asphalt und den Mauern wegwaschen. Ich hielt es zu Hause nicht aus und ging in die Stadt. Ich sehe nicht besonders jüdisch aus, außerdem trug ich meine Lederhose. Als ich an der Schwedenbrücke vorbeikam, sah ich einen Menschenauflauf. Ich trat näher und erkannte, daß die Passanten einen Kreis bildeten. Auf der freien Fläche knieten jüdische Männer und Frauen, die Männer zum Teil im Kaftan, aber auch in gewöhnlicher Straßenkleidung. Sie waren damit beschäftigt, unter den schadenfrohen Zurufen der Umstehenden die Kruckenkreuze mit Lauge und Handbürste wegzureiben. Man stieß auch Fußgänger, die jüdisch aussahen, in den Kreis hinein und zwang sie, »mitzuarbeiten«. Das war für die Zuschauer »eine Hetz«. Die Polizei war nicht zu sehen, dafür Uniformierte mit Hakenkreuz-Armbinden. Höhnische Bemerkungen fielen. Ich hätte mich nicht getraut zu widersprechen. Vorbeikommende, die von den Vorgängen abgestoßen waren, gingen rasch weiter und schauten weg.

Regina Scheer
AHAWAH. Das vergessene Haus

Im Frühsommer 1990 ging ich in die Marienkirche zu einer Foto-
ausstellung mit Texten von Simone Weil. Erst kurze Zeit davor
hatte ich Simone Weil für mich entdeckt, die als Jüdin geboren
wurde, als Katholikin lebte, ohne sich je taufen zu lassen, die, wie
jemand sagte, »aus dem feuergefährlichen Stoff der großen Heiligen« gemacht war. Eine der bedeutendsten Denkerinnen des zwanzigsten Jahrhunderts war sie, aber auch einfach eine Frau, eine den-
kende, fühlende Frau, Lehrerin, Fabrikarbeiterin. Sie starb 1943,
erst 34 Jahre alt. Die Ausstellung mit ihren Texten hieß »Die Gefährlichste Krankheit«. Das ist nicht Krebs, nicht Aids, es ist die
Entwurzelung. Simone Weil sagt:
»Die Entwurzelung ist bei weitem die gefährlichste Krankheit der
menschlichen Gesellschaft.
Wer entwurzelt ist, entwurzelt.
Wer verwurzelt ist, entwurzelt nicht.
Die Verwurzelung ist vielleicht das wichtigste und meistverkannte
Bedürfnis der menschlichen Seele.«
Es war ein heller, warmer Tag. Ich hatte Wochen voller angestreng-
ter Schreibtischarbeit hinter mir und war schon auf dem Weg zur
Marienkirche erstaunt über die veränderte Stadt. Die Öffnung der
Mauer war erst ein paar Monate her, seit einer Woche gab es die
D-Mark, an allen Ecken boten Händler bunte, westliche Waren feil,
Kaufhallen und Läden wurden fieberhaft umgebaut zu Supermärk-
ten und Bankfilialen, es roch anders als noch vor ein paar Wochen,
nach anderem Benzin, nach anderem Parfüm, anderen Früchten,
nach Döner Kebap und Weichspüler. Ich blieb stehen und ließ mir
bei einem türkischen Händler das Netz voller Nektarinen füllen,
noch nie hatte ich solche Früchte gegessen. In den Gesichtern der
Menschen lag ein unbekannter Ausdruck, Hoffnung und Angst ver-
mischten sich auf verwirrende Weise, alle bewegten sich, als wären

sie gehetzt. Ganz andere Autos als noch vor Monaten waren auf der Straße zu sehen, die Frauen trugen eine andere Art von Kleidern, die gewohnten Zeichen begannen sich zu verwischen, über allem lag ein mir fremder Ton.

Zum erstenmal sah ich Bettler. Zwar hatte ich schon oft beobachtet, wie arme Rentnerinnen oder alte Trinker verschämt in Mülltonnen nach Pfandflaschen suchten, zwar hatte mich schon einmal eine fremde Greisin mit leiser Stimme um zwei Mark gebeten, für die sie Brot und Milch kaufen wollte, weil sie sich mit ihrer Rente um drei Tage vertan hatte, aber noch nie hatte ich in Berlin gesehen, daß Menschen am Straßenrand bettelten, offen und mit ausgestreckter Hand. Die meisten waren offenbar Roma, braunhäutige Zigeuner aus Rumänien, aus Jugoslawien, auch aus dem Süden Deutschlands, die durch die offenen Grenzen in die reiche Stadt Berlin gekommen waren.

Man solle ihnen nichts geben, hatte ich im Radio gehört. Sie hätten Geld, seien manchmal reich, das Betteln gehöre einfach zu ihrer Kultur. Und die Frauen müßten das Geld den Männern abgeben, die es versaufen und verspielen würden, und die Kinder ständen unter Drogen, damit sie ruhig blieben.

Vor der Kirchentür lag eine dunkle Frau in bunten Röcken, die ein solches schlafendes Kind im Arm hielt, zwei noch kleine Kinder drängten sich an ihre Knie. Alle hielten mir ihre Hände entgegen und sagten leiernd etwas in ihrer mir fremden Sprache. Schnell stieg ich über sie hinweg in die Ausstellung.

Ein etwa dreizehnjähriges Mädchen, der Kleidung und dem Gesicht nach zu denen da draußen gehörend, ging in dem kühlen Kirchenraum wie ich von Bild zu Bild, betrachtete stumm die Fotografien, lesen konnte sie sicher nicht, was ich las.

»Die menschliche Seele bedarf des persönlichen und des kollektiven Eigentums... Die Seele fühlt sich vereinzelt, verloren, wenn sie sich nicht von Dingen umgeben sieht, die für sie gleichsam eine Verlängerung der Körperglieder sind...«

Von der Seite betrachtete ich das ernste Gesicht des Mädchens, das sehr lange vor den Tafeln stand, als könne sie so hinter den Sinn der Buchstaben kommen.

»Verantwortlichkeit, das Gefühl, daß man nützlich, ja daß man

unentbehrlich sei, sind Lebensbedürfnisse der menschlichen Seele ...
Jede Gemeinschaft, gleichviel, welcher Art, die ihren Mitgliedern
diese Befriedigung nicht gewährt, ist verdorben und muß umgewandelt werden.«

Von draußen hörte ich den Singsang der fremden Frau, immer die
gleichen Worte, die von den Stimmchen der Kinder aufgenommen
wurden. Das Mädchen neben mir betrachtete die Bilder der Entwurzelung so nachdenklich, daß mich ein Schreck durchfuhr. Sie
betrachtete ihr eigenes Elend. Was betrachtete ich, was las ich da?

»...niemand wird einen Menschen für unschuldig halten, der, selber
Nahrung im Überfluß besitzend, auf seiner Schwelle einen fast zu
Tode verhungerten findet und vorbeigeht, ohne ihm etwas zu geben... Wer, um die Probleme zu vereinfachen, gewisse Verpflichtungen leugnet, hat in seinem Herzen einen Bund mit dem Verbrechen geschlossen...«

Von der Tür kam Unruhe, der Singsang der Frau brach ab, statt
dessen hörte ich einen älteren Mann auf sächsisch schimpfen. Er
wollte in die Marienkirche, das Totentanzfresko aus dem 15. Jahrhundert besichtigen, und fühlte sich durch die Frau und ihre Kinder
belästigt. Nicht einmal die Kirche sei sicher vor diesen Parasiten,
zeterte er, und seine Stimme überschlug sich vor Wut, bis eine Kirchenmitarbeiterin verständnisvoll und beruhigend auf ihn einredete. Ich hörte die fremde Frau nicht antworten. Das Mädchen hob
den Kopf und lauschte. Dann zog sie ihr Kopftuch fester um das
klare Gesicht und ging langsam, sehr gerade aus dem Raum.

Das berühmte Fresko kannte ich gut, der Tod führt dort den Kaiser
und den Narren, den Papst und den Kirchendiener gleichermaßen
zum Reigen. Kann die Gleichheit vor dem Tod nicht auch die
Gleichheit im Leben bedeuten? Ich ging hinaus, um den Mann zu
sehen, der auf dem Wege zum Totentanzfresko nicht den Anblick
einer Bettlerin ertrug, er war nicht zu sehen. Die Frau war zwei
Meter weiter gerückt, das Kind in ihrem Arm war aufgewacht und
sah mich mit wachen, blanken Augen an. Schon streckte die Frau,
streckten die Kinder ihre Hände nach mir aus, sie flehten in ihrer
Sprache um etwas, ich nahm das Netz mit den Nektarinen und
schüttete sie der Frau in den Schoß. Noch im Flug erhaschte sie eine
Frucht und steckte sie sich in den Mund, schnell griff sie nach den

anderen, auch die Kinder grabschten und bissen in die Nektarinen, da war auch das größere Mädchen mit einem Sprung bei den anderen, aber mitten in der Bewegung verharrte sie, als sie den Blick der Mutter sah, der ihr verwehrte, nach den Früchten zu greifen. Sie blickte mich an, stumm.

Ich hatte keine Nektarinen mehr, ich wies auf den Schoß der Mutter, die, sehr langsam, der großen Tochter eine Nektarine reichte. Mit gemessenen Bewegungen nahm das Mädchen sie, aber als sie hineinbiß, sah ich, daß sie Hunger hatte, richtigen Hunger, wie ich ihn nicht kannte. Ich begriff, daß diese Menschen lange nichts gegessen hatten, und ich schämte mich meiner satten Kleinlichkeit. Und trotzdem gab ich ihnen kein Geld, ich wußte doch, daß der Hunger wiederkommen würde, immer wieder, und ich zögerte und dachte, ich sollte ihnen doch Geld geben, dann fand ich, das sei eine verlogene, sentimentale Geste, und in dieser Verwirrung, die die Begegnung mit elementarer Gier nach Nahrung, die Begegnung mit meiner eigenen Unzulänglichkeit in mir ausgelöst hatte, ging ich die paar Schritte bis zum Fernsehturm und setzte mich dort auf eine Bank, dicht vor einem Imbißwagen. Da standen Männer mit müden, verbrauchten Gesichtern, sie sprachen laut und mit schweren Stimmen im Berliner Jargon.

Ein paar Meter weiter bewachten zwei Männer einen Haufen Bündel und Pakete, müde und unrasiert auch sie, einer rief einem Dritten etwas zu, der in einer Reihe nach Bier anstand, sie waren Polen. Plötzlich gab es Streit in der Reihe, ein Mann stieß den Polen in den Rücken, behauptete, er hätte sich vorgedrängt. Der Pole wich nicht von seinem Platz, die Männer beschimpften ihn. Da kam ein anderer Mann, der mit seinem Bierglas abseits gestanden hatte, ein Großer, Kräftiger mit dunklem Schnurrbart, er ließ das Bierglas nicht aus der Hand, als der den Polen mit der Kante der anderen Hand kurz und scharf ins Gesicht schlug. Der Pole taumelte und stolperte, fing sich wieder und ging wortlos zu seinen Kameraden zurück. Ich sah genau sein Gesicht, das Gesicht eines geschlagenen Menschen, der Angst hat, sich zu wehren. Die Scham in mir brannte.

Die deutschen Männer lachten, der Schläger stand unter ihnen wie ein Sieger, mit betrunkener Stimme beschimpfte er die Polen, die in Deutschland nichts zu suchen hätten.

Zu den Polen waren jetzt zwei Frauen gekommen, die ihre Männer aufgeregt zu beschwichtigen versuchten.

Ich sah den Schläger an, und eine Erinnerung stieg in mir auf. An dem Punkt unter dem Auge glaubte ich ihn zu erkennen.

»Du bist doch selber ein Pole«, sagte einer der Männer am Bierstand frozzelnd zu dem Schläger, der daraufhin brüllte: »Ich ein Pole? Sag das noch mal, du Arsch, dann schlage ich dir die Fresse blau. Ich bin Deutscher. Ich laß mir meine Heimat nicht wegnehmen von denen da. Die drängen sich überall vor, die wollen doch bloß abstauben, die sind scharf auf unser Geld, aber für die haben wir die Revolution nicht gemacht, für die nicht.«

»Wo hast du denn die Revolution gemacht, du Deutscher? Im Knast?«

Die Männer lachten.

Der Schläger antwortete undeutlich und leise. Ich verstand ihn nicht. Ich trat näher an ihn heran, sah, wie seine Hand sich um das leere Bierglas krampfte, das er langsam auf einen Blechtisch stellte.

Er ging. Aber mir war, als hätte ich die Tätowierung gesehen, die Insel, krakelig wie eine Kinderzeichnung, die Insel mit der Palme. Die griechische Insel.

Wolfgang Bittner
Belagerungszustand

Früher gab es bei uns vor der Stadt ein Barackenlager, das allgemein nur Klein Moskau genannt wurde. Es lag mitten im Feld. Vor dem Krieg hatte es den Arbeitsdienst beherbergt, zu Anfang des Krieges ausländische Zwangsarbeiter, Ende des Krieges diente es als Lazarett, und nach dem Krieg wohnten dort Flüchtlinge. Wie es zu dem Namen Klein Moskau kam, ist mir nicht bekannt. Da diese Bezeichnung jedoch erst nach 1945 aufkam, liegt die Vermutung nahe, daß sie mit den Flüchtlingen zusammenhing, von denen viele vom Balkan und aus dem Baltikum stammten. Das bleibt aber eine Vermutung. Fest steht nur, daß nicht die Flüchtlinge ihrem Lager den Namen gaben, sondern die Einheimischen. Daher wäre es auch denkbar, daß der Name als sinnbildlicher Begriff für russische Unsauberkeit und Schlamperei – natürlich gegenüber deutscher Sauberkeit und Ordnung – stehen sollte. Denn in den Augen der Einheimischen wohnten in Klein Moskau lauter Schmutzfinken und Untermenschen.

Ich kann mich erinnern, daß etwa ein Drittel unserer Klasse aus diesem Lager kam und daß es mit ihnen ständig Reibereien gab. Wen wundert das, wo sich schon die Erwachsenen nicht vertrugen. Kaum ein Tag verging, an dem die Flüchtlingskinder nicht einen von uns auf dem Schulweg abfingen und verprügelten oder wir einen von ihnen grün und blau schlugen. Obwohl diese Zeit jetzt schon weit zurückliegt, sind mir verschiedene Vorfälle von damals, besonders aber die Geschehnisse eines bestimmten Tages, noch in lebhafter Erinnerung.

Mein Freund war Franz Lampe. Die Lampes besaßen außerhalb der Kleinstadt, in der wir wohnten, ein Haus. Eigentlich war es kein richtiges Haus, sondern so ein Mittelding zwischen Haus und Baracke: Nämlich ein mit Teerpappe abgedecktes flaches Holzgebäude, das auf einem etwa 1,20 Meter hohen Sockel aus Steinen stand. Von einer wackeligen Veranda aus ging die Eingangstreppe zur Südseite in den Hof hinunter, der von zwei oder drei Bretterschuppen, einem Pferdestall, mehreren großen Haufen rostigen Blechs, einigen Autowracks und Stapeln von Alteisen umgeben war. Im Osten, in Richtung auf die Stadt, befand sich ein zwei Meter hoher Erdwall, dahinter ein Kleingartengelände. Wenn man bei den Lampes aus dem Küchenfenster blickte, konnte man die Häuser der Siedlung erkennen, in der ich wohnte. Auf der Nordseite des Lampeschen Hauses war ein kleiner von Büschen und Bäumen umstandener Teich, der bis auf drei Meter an das Haus heranreichte. Im Westen lagen durch Stacheldraht abgezäunte Felder und Wiesen. Fast einen Kilometer weiter sah man die Dächer eines Barackenlagers, das war Klein Moskau.

Eines Tages hatten wir nach der Schule zwei der Flüchtlingskinder abgefangen und verprügelt (weil sie einen von uns verprügelt hatten, weil wir einen von ihnen verprügelt hatten und so weiter). Dabei waren die Schultaschen der beiden in einem Wassergraben gelandet. Sie zogen weinend ab nach Hause, und wir fühlten uns als siegreiche Ritter ohne Furcht und Tadel. In der Nähe des Lampeschen Hauses hatten wir uns am Rande des Kleingartengeländes in einem Schlehdorngebüsch eine Bretterhütte gebaut. Das war unsere Burg. Und in deren Nähe vertrieben wir uns nachmittags die Zeit, indem wir mit Zwillen auf Frösche schossen, bis Rudi Janssen plötzlich brüllte:

»Sie kommen, sie kommen! Mindestens dreißig Mann!«

Schleunigst sammelten wir noch einige Kieselsteine als Munition, liefen dann zu unserer Burg und empfingen aus dem Gestrüpp heraus die Angreifer mit einem Hagel von Steinen. Aber die ließen sich nicht abschrecken, sondern versuchten sogar uns einzukreisen. Daraufhin bekamen wir es dann doch mit der Angst zu tun, denn die aus Klein Moskau machten einen derart grimmigen und entschlossenen Eindruck wie nie zuvor. Daher liefen wir, noch ehe sie uns in den Rücken kamen, hinüber zum Haus von Lampes, wo wir uns sicher glaubten. Doch weit gefehlt – unsere Feinde kamen einfach hinterher und schossen mit ihren Zwillen, was das Zeug hielt. Schließlich blieb uns nichts anderes übrig, als in das Haus zu flüchten, um von dort aus ihren Angriff abzuwehren. Zwar versuchte

Frau Lampe mehrmals, sich durchzusetzen, indem sie vor die Tür ging und heftig schimpfte. Aber nachdem sie mit Kartoffeln beworfen worden war, gab sie es auf und zog sich resignierend in ihre Küche zurück.

Wir hatten uns auf der Veranda und hinter den Flurfenstern verschanzt. Damit waren wir im Vorteil, in Deckung zu sein, während unsere Gegner, um an uns heranzukommen, über den Hof mußten. Als sie merkten, daß sie uns so nicht beikommen konnten, zogen sie sich erst einmal zurück und hielten Kriegsrat. Da wir nicht wußten, von welcher Seite sie das nächstemal angreifen würden, verteilten wir im Hause Wachtposten. Rudi und Gerd mußten in der Küche aufpassen, Franz und ich gingen an die Wohnzimmerfenster, die anderen blieben im Flur. Da lagen wir dann auf der Lauer. Aber es tat sich vorerst nichts, außer feindlichen Spähern war niemand zu sehen. Wir waren gezwungen zu warten.

Als wäre es heute, habe ich noch das Lampesche Wohnzimmer vor Augen. Ich sehe mich neben dem Fenster auf der Kante einer Truhe hocken, den etwa fünfzehn Meter entfernten Stacheldrahtzaun und mehrere Schrotthaufen in meinem Blickwinkel. Am anderen Ende der Truhe saß Franz. Er putzte an seiner neusten Erwerbung, einem Fallschirmjägermesser, herum. Das hatte er – soweit ich mich erinnern kann – gegen ein Bajonett und zehn Schuß Pistolenmunition eingetauscht. Die Klinge ließ sich in den Griff hineinschieben, was sehr praktisch war, weil man so das Messer in die Hosentasche stecken konnte. Die Fenster hatten wir angelehnt, um sie bei einem Angriff möglichst schnell öffnen zu können. Durch die halboffene Küchentür konnte ich sehen, wie Frau Lampe Schmalzbrote schmierte.

»Dieses Packzeug!« schimpfte sie vor sich hin. »Diese Banditen! Wenn mein Mann nach Hause kommt, dann können die was erleben.«

Ich nahm zwei Schmalzbrote für uns entgegen. Aber wir hatten kaum den ersten Bissen getan, als Rudi und Gerd aus der Küche schrien: »Sie greifen an! Sie kommen auf unserer Seite!«

Ich weiß nicht mehr, was wir uns damals dabei gedacht haben, als wir das Haus von Lampes gegen die Übermacht feindlicher Flüchtlingskinder verteidigten. Erst recht weiß ich nicht, was sich unsere

Gegner dachten. Überhaupt ist es fraglich, ob sie wirklich ins Haus eingedrungen wären, falls sie gekonnt hätten, und ob sie uns wirklich herausgeholt und verprügelt hätten. Das wäre dann wohl doch zu weit gegangen, auch für ihre Begriffe. Dagegen war so eine zünftige Belagerung mit allem Drum und Dran natürlich etwas anderes; wenngleich sich auch dabei die Situation später sehr stark zuspitzte.

Als unsere Gegner das zweitemal angriffen, hatten wir kaum noch Munition, obwohl Franz Lampes älterer Bruder Karl alle seine Knicker geopfert hatte, mit denen sich wirklich prima schießen ließ. Ich hatte mir eine Präzisionszwille gebastelt. Deren Gabel war nicht aus Holz geschnitzt, wie bei gewöhnlichen Zwillen. Vielmehr hatte ich sie aus einem dicken Stück Stahldraht gebogen. Und die Gummis stammten von einem Autoschlauch. Sie waren aus einem besonders guten Stück herausgeschnitten. Man mußte da schon aufpassen, weil die Schläuche nämlich oft porös waren und das Gummi dann bei der erstbesten Gelegenheit, meistens wenn es gerade darauf ankam, abriß. Das war bei meiner Zwille nicht zu befürchten. Damit konnte man glatt eine Dohle vom Dach herunterholen.

Rudi und Gerd hatten die beiden Küchenfenster geöffnet und schossen, was die Zwillen hergaben. Franz und ich sowie vier Mann Verstärkung von der Südseite halfen ihnen. Eines der Flurfenster ging ebenfalls zur Ostseite hinaus, und da hockten die übrigen. Immerhin waren wir mehr als zehn Mann. Ein paar unserer Feinde hatten den Wall überklettert und versuchten, in den toten Winkel unterhalb der Fenster zu gelangen, während die anderen ihnen Feuerschutz gaben, das heißt uns aus der Deckung heraus unter Beschuß nahmen. Aber einer nach dem anderen mußte sich wieder zurückziehen. Gegen mehr als zehn Zwillen war nicht so leicht anzukommen.

»Daß ihr denen bloß kein Auge ausschießt!« rief Frau Lampe aufgeregt. »Paßt um Himmels willen auf, Jungs, daß nichts passiert.«

Wir zielten auf die Beine und auf den Körper. Aber die anderen schossen garantiert richtig auf die Fenster, denn ab und zu klatschte ein Kieselstein an die gegenüberliegende Zimmerwand. Man konnte auch hören, wie die Geschosse gegen die Außenwand prasselten. Gerd hatte sogar einen Streifschuß an der Stirn abgekriegt. Er mußte von Frau Lampe mit einem Stück Tuch verbunden werden, weil ihm sonst das Blut auf sein Hemd getropft wäre. Frau Lampe hatte sich in eine Ecke der Küche verzogen und machte einen ziemlich ratlosen Eindruck.

»Diese verdammten Pollacken! Dieses Rucksackgesindel!« schrie sie aufgebracht, als eine der Fensterscheiben von einem Abpraller getroffen in Scherben ging. »Die sollen doch bloß wieder dahin gehen, wo sie herkommen!«

Ihr ältester Sohn, Karl, beruhigte sie: »Das bringen wir nachher in Ordnung,« sagte er, »reg dich mal nicht auf.«

Glücklicherweise gingen die Küchenfenster nach innen auf, sonst wären mit Sicherheit sämtliche Scheiben entzweigegangen.

Nach ihrem zweiten mißlungenen Angriff zogen sich unsere Gegner, zum Teil heulend, wieder hinter den Wall zurück. Sobald sich einer von ihnen zeigte, schickten wir einen Stein hinüber. Aber nach einer Weile ließ sich niemand mehr blicken, außer zwei Spähern, die in sicherer Entfernung auf einen Baum geklettert waren. Von draußen wehte kalt der Herbstwind herein, und wir machten die Fenster lieber wieder zu. Die eine fehlende Scheibe wurde provisorisch durch ein Stück Pappkarton ersetzt.

»Papa wird ganz schön wettern, wenn er nach Hause kommt«, sagte Frau Lampe, und fing an, das Abendbrot vorzubereiten.

»Wenn der heute überhaupt noch kommt«, meinte Karl grinsend und erntete einen mißbilligenden Blick seiner Mutter. Herr Lampe war von Beruf Schrotthändler. Daß er gern Alkohol trank, wußte nicht nur seine Familie. Dennoch war er eine Respektsperson.

Leider kam Herr Lampe an diesem Tag tatsächlich nicht nach Hause. Gegen sieben Uhr berieten wir darüber, ob wir einen Ausfall wagen sollten, weil die meisten von uns dringend heim mußten. Aber bei einer Übermacht von dreißig Leuten hatte ein Ausfall keinen Zweck. Die hätten uns ganz schön verprügelt. So warteten wir bis acht und sogar bis halb neun, ohne daß unsere Feinde abzogen. Schließlich – die Sonne ging bereits unter – kam Karl auf eine Idee. Aus einem Feuerlöschteich am Stadtrand hatten wir einige Tage zuvor zwei Karabiner einschließlich Munition herausgeholt. Die lagen gereinigt und geölt bei Lampes im Keller. Ohne daß Frau

Lampe etwas davon merkte, holten wir die Dinger herauf, zogen die Läufe durch und drückten ein paar Patronen in die Magazine.

»Wenn die Ruskis merken, daß wir ernst machen, kriegen sie ganz bestimmt soviel Angst, daß sie abhauen«, sagte Karl.

Vorsichtig stiegen er und Rudi durch eine kleine Luke im Flur auf das Dach. Als ich durch die Öffnung nach ihnen schaute, sah ich sie hinter einem Schornstein versteckt auf der Teerpappe liegen, die Gewehre im Anschlag. Dieses Bild sehe ich noch heute genau vor mir. Und noch weniger als damals ist mir heute wohl dabei. Ich meine, mich auch noch daran erinnern zu können, daß ich ursprünglich gegen diese Aktion gewesen war und noch mehrere der anderen mit mir, aber wir hatten uns wohl nicht durchsetzen können. Die meisten waren wahrscheinlich dafür gewesen, weil sie nach Hause mußten.

Dann krachten kurz hintereinander zwei Schüsse, denen irgendwo hinter dem Wall in Richtung auf die Stadt ein erbärmliches Geheul und Gewimmer folgten. Wie wir es vorher abgesprochen hatten, stürmten wir alle aus dem Haus auf den Wall zu. Niemand hielt uns auf. Als wir hinübersprangen, waren unsere Feinde bereits auf der Flucht. Man sah in der Nähe des Schlehdorngebüsches nur noch ein kleines Feuer brennen, in dem sie Kartoffeln geröstet hatten. Und daneben saß Hugo Grabowski, der Anführer von denen aus Klein Moskau, in seinem Rollstuhl. Hugo war schon etwas älter, vielleicht sechzehn oder siebzehn. Er konnte nicht laufen, weil ihm beim Schrottsammeln durch die Explosion einer Granate aus dem Zweiten Weltkrieg beide Beine abgerissen worden waren. Er hatte einen riesig großen schwarzen Schäferhund, ein wunderschönes Tier, das ihm aufs Wort gehorchte. An diesem Hund hatte er sehr gehangen. Der lag nun neben ihm wie ein nasser Sack. Karl und Rudi waren mit Abstand unsere besten Schützen, sie hatten gut getroffen. Aber obwohl das so geplant war, merkten wir in dem Augenblick, als wir Hugo regungslos dasitzen sahen, was wir angerichtet hatten. Wir schämten uns.

Erst viele Jahre später wurde das Barackenlager Klein Moskau dann abgerissen, nachdem seine Bewohner teils fortgezogen, teils in der Stadt untergekommen waren. Sie werden schon lange nicht mehr Flüchtlinge genannt. Manche von ihnen haben Geschäfte, ein paar sind bei Behörden oder bei der Sparkasse angestellt. Viele der Jungen, mit denen wir uns früher so oft geschlagen haben, heirateten später Töchter von Einheimischen, beispielsweise auch Hugo Grabowski. Er trägt inzwischen Prothesen und ist Angestellter bei der Stadtverwaltung. Wir sind miteinander befreundet. Neulich haben wir gemeinsam einen Arbeitskreis zur Unterstützung von Emigranten aus Südamerika gegründet.

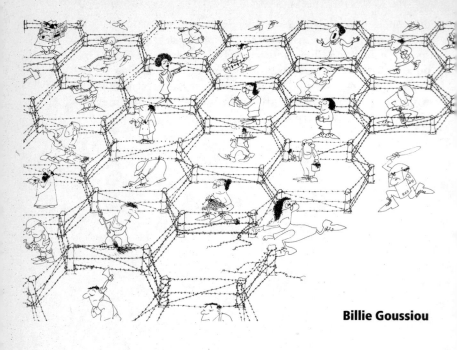

Billie Goussiou

Eddie Benton-Banai
Als Indianer aufwachsen

Ich bin Vollblutindianer. Mein wirklicher Name ist *Bawdway Wi Dun*, das heißt ›Bote‹ und hat mit den Donnerwesen zu tun. Ich wurde in einem Wigwam geboren und in der traditionellen Lebensweise der Ojibway erzogen. Ich habe viele der alten traditionellen und spirituellen Lehren und Rituale unverfälscht aus erster Hand bekommen. Ich fastete das erste Mal mit fünf Jahren, dann mit sieben, neun, elf und dreizehn. Bis zum Alter von zehn Jahren sprach ich kein Englisch. Ich wurde zum *Midewiwin*-Lehrer bestimmt und ausgebildet. Derzeit bin ich Priester der vierten Stufe in der *Midewiwin*-Religion der Ojibway und Hüter und Träger der heiligen Wassertrommel und der Pfeife des ewigen Gebets. Aber nennt mich nicht ›Ältester‹ – das ist ein Ehrentitel, den mir nur mein Volk verleihen kann.

Meine Mutter war eine Heilerin, deshalb war sie viel unterwegs, um Wurzeln und Kräuter und andere Dinge für ihre ›Apotheke‹ zu sammeln. Mein Vater war Holzfäller, Fallensteller und Sklavenarbeiter beim Schienenbau. Ich erinnere mich, wie wir, sobald ich laufen gelernt hatte, bei einem Farmer Kohlrüben und Kartoffeln für ein oder zwei Penny pro Sack ernteten. Wir gingen jeden Tag zu Fuß die vielleicht zehn Meilen zu der Farm, arbeiteten den ganzen Tag, bekamen unsere paar Pennys und gingen wieder nach Hause. Mein Vater kaufte mit diesem Geld Essen für die Familie. Gemessen an heutigen Maßstäben war das ein hartes Leben. Aber ich fand mein Zuhause wunderbar. Es war warm. Alle Leute dort sprachen miteinander, in unserer eigenen Sprache. Alle im Wigwam liebten einander. Ich kam also aus einem sehr, sehr reichen Heim, und ich bin stolz darauf.

Einen nicht unbeträchtlichen Teil meines Lebens habe ich in der weißen Welt zugebracht. Ich wurde gezwungen, auf eine katholische Missionsschule und ein BIA-Internat zu gehen. Ich weiß nicht, an welche dieser beiden Schulen ich süßere Erinnerungen habe. In der katholischen Konfessionsschule mußten wir mit dem Gesicht nach vorne still dasitzen, und die gute, freundliche, liebevolle Schwester stand dort und lehrte, was immer sie lehrte – ich habe es selten verstanden. Dann wurde abgefragt, und sie sagte: ›Edward, steh auf und sag mir, wer 1492 der König von Spanien war?‹ Und ich stand auf und sagte: ›Ich weiß nicht.‹ Allerdings auf *Anishinabe*, nicht Englisch – woraufhin ich an den Ohren zur Tafel gezogen wurde und meine Hände mit der Handfläche nach unten ausstrekken mußte, und die gute, freundliche, liebevolle Schwester schlug mir zwölfmal mit ihrem Meterstab auf die Handrücken. So ging das fast täglich. Ich habe nie gelernt, wer zum Teufel der König von Spanien war. Vielleicht hätte ich's lernen sollen. Vielleicht wäre dann mein kleiner Finger jetzt noch gerade.

An eine Sache erinnere ich mich ziemlich genau. Weil ich mich weigerte, ausschließlich Englisch zu reden, beschloß man, mich zum Ministranten zu machen. Ich war beeindruckt, ich hielt das für einen echten Aufstieg in der Welt. Das einzige Problem war, so sagten sie, daß ich eine Sprache lernen mußte, um Ministrant zu sein: Latein. Ich lernte also ein bißchen Latein. Was die Worte bedeuten, wußte ich nicht, aber mit etwas Übung konnte ich sie aufsagen. Ich weiß noch heute alles, was ein Ministrant zu tun hat. Ein Grund für meinen Wunsch, Ministrant zu sein, war, daß wir jeden Sonntag nach der Messe eine Schale Wackelpudding mit Schlagsahne bekamen. Mensch, war das gut! Es war so ungefähr das einzig Gute, was ich je in dieser Schule bekommen habe.

Dann also das BIA-Internat. Wie's der Zufall wollte, war ich in einer überaus reizenden Institution namens *Pipestone Indian Training School*. Ich werde nie meinen ersten Tag dort vergessen. Wir waren fast einen Tag lang mit dem Schulbus von Wisconsin ins südwestliche Minnesota gefahren und kamen um Mitternacht herum in Pipestone an. Ich dachte, wir bekämen jetzt sicher was zu essen – aber nichts dergleichen. Sie ließen uns alle, Mädchen und Jungen getrennt, losmarschieren, und der erste Halt war ein kleiner Raum mit vier Stühlen. Und da schnitten sie uns allen die Haare ab. Ich weiß noch, wie ich geweint habe. Meine Mutter hatte mir immer die Zöpfe geflochten, und an jenem Tag hatte sie mir eine Adlerfeder in die Haare gebunden. Sie sagte: ›Ich möchte, daß du nett aussiehst, wenn du dort hinkommst.‹ Und: ›Achte immer auf deine Haare. Flechte sie, wenn du kannst, in jedem Fall aber halte sie sauber, kämme sie, binde sie hinten zusammen. Und vergiß nicht, daß sie immer geflochten sein müssen, wenn du beten gehst. Und ich will, daß du diese Adlerfeder behältst, bis wir wieder zusammen sind.‹ In jener Nacht hackten sie also meine Haare ab. Schnitten sie ab bis zur Kopfhaut. Und auf dem Boden lagen meine hübsche Adlerfeder und die Zöpfe, mit denen sich meine Mutter soviel Mühe gegeben hatte. Danach ließ man uns zur Dusche marschieren und schüttete irgendein Zeug über uns, um uns zu ›entlausen‹, wie es hieß. Dann nahm man uns unsere Kleidung weg und steckte uns in blaue Overalls. Wer Mokassins hatte, mußte sie hergeben und statt dessen schwarze Schuhe aus Regierungsbeständen anziehen. Soviel zum ersten Tag im BIA-Internat. Jetzt dürft ihr raten, welche dieser Internatsschulen ich am meisten geliebt habe.

[Aus dem Amerikanischen von Ursula Wolf]

Christine Nöstlinger
Auszählreime

Einer ist reich
und einer ist arm,
einer erfriert,
und einer hat's warm.

Einer stiehlt
und einer kauft,
einer schwimmt oben
und einer ersauft.

Einer springt
und einer hinkt,
einer fährt weg
und einer winkt.

Einer stinkt
und einer duftet,
einer ist faul
und einer schuftet.

Einer hat Hunger
und einer hat Brot,
einer lebt noch
und einer ist tot.

Einer hat's lustig
und einer hat Sorgen,
einer kann schenken
und einer muß borgen.

Zu den einen zählst du,
zu den andern zähl ich,
ich hab's lustig und warm,
also pfeif ich auf dich!

Ich bin lebendig
und faul und reich,
und ob du schon tot bist,
ist mir doch ganz gleich!

Inge Deutschkron
Der rote Ball

Da waren sie wieder, die Augen, die mir in den vergangenen vierzig Jahren so oft im Traum erschienen sind. Dieses Mal sah ich sie auf dem Bildschirm. Den Ausdruck ihrer Augen vergaß ich nie. Er gehörte zu denen, die uns »Judenpack« nachriefen und vor Freude gackerten, wenn sie uns gezeichnet oder geprügelt sahen. Hörte ich die Alte nicht wieder »Judenpack« schreien? Ach nein, es gab ja auch dank ihr kaum Juden in ihrem Umfeld. Sie hatte nun andere Opfer, die ihren Begriffen von deutschem Recht und deutscher Ordnung entgegenstanden. Über die hängenden Züge des Alters huschte ein Lächeln, ein zufriedenes, ein triumphierendes, als sie die Schläge verfolgte, die »deutsche« Jungen den »Fidschis« verabreichten. Mir aber schien die Fratze der kaltblütigen Mörderin, die in folgendem authentischen Bericht dargestellt wird, nur eine kleine Bewegung entfernt.

»Jetzt zieht euch schön aus und faltet eure Kleider ordentlich zusammen, damit jeder seine Sachen nachher wiederfindet. Und dann gehen wir gleich unter die Dusche.« Die Kinder fingen an, sich auszuziehen. Da warf ein fünfjähriges Mädchen plötzlich einen großen roten Ball. Die anderen liefen ihm nach, fingen ihn auf, warfen ihn in die Luft und spielten so eine Weile in der warmen Septembersonne. »Genug gespielt, laßt den Ball liegen. Jetzt beeilen wir uns, ins Bad zu kommen.« Die Kinder gehorchten und stürmten die Treppen zur Gaskammer hinunter. Ein Zweijähriger kroch ihnen auf seinen unbeholfenen Beinen nach. Die KZ-Aufseherin sah das, übergab ihren Hund einem SS-Wächter und nahm das Kind auf den Arm. Die Stufen zur Gaskammer waren zu hoch für die kleinen Beinchen gewesen. Der kleine Mann spielte mit ihrem blonden Haar und streichelte das Zeichen an der Mütze. Er fühlte sich sichtlich wohl auf dem Arm der gutaussehenden Frau und lachte vor Vergnügen. Nach einem Augenblick waren die Feldmütze, das blonde Haar der KZ-

Aufseherin und das kleine Köpfchen daneben unseren Blicken entzogen. Noch einmal sahen wir die Frau, als sie aus dem Krematorium herauskam, den Hund abholte und ruhig mit ihm ins Lager zurückging. Vor dem Krematorium lagen die Höschen, die schleifengeschmückten Kleidchen – ja, auch der rote Ball.

Şadi Dinççağ

Unter Deutschen

Haben wir in der Zeit, bevor uns die Macht dazu genommen wurde, genug getan, um das Schicksal zu wenden? Ich glaube nicht. Zu wenig und zu spät, so scheint es mir, war das, was wir, die deutschen Intellektuellen dieser Zeit [am Ende der Weimarer Republik], versucht haben. Ein großer Teil der Deutschen verfiel der Scharlatanerie und der Gewaltherrschaft, nur allzu gern bereit, sich unter der »Nationalen Erhebung« eine echte und wahre Erneuerung, die Abkehr von Parteienfehden, den sozialen Ausgleich zu erträumen.

[Carl Zuckmayer]

Walter Hörmann
Nur Massel

Wer etwas davon versteht, wundert sich wohl kaum über die Huldigungen der Damen und Herren Sprachforscher: Besonders ursprünglich soll es sein, das Altbayerische, farbig, klangvoll und facettenreich – wenn man das Abgewetzte, Entgleiste, Verschmierte abzieht, das erst in den vergangenen fünfzig Jahren seinen schönen Sprachkörper ›verunstaltet‹ hat. An ihm haben, seit vor etwa hunderttausend Jahren die ersten Menschen aus dem Mittelmeerraum ins Alpeninnere vordrangen, ganze Heerscharen modelliert: etliche vorgeschichtliche Volksgruppen, dann die Kelten, die Römer, auch Slawen, auch Juden; nicht zu vergessen amerikanische Besatzer, Gastarbeiter und Touristenschwärme.

Von der grauen Theorie in medias res, ins Eingemachte. Die alten Römer bezeichneten den gebrannten Ton als ›tegula‹, im Oberland sagen die Bauern zu einem Tongefäß noch heute ›Degel‹. Ihre Ochsen und Pferde bringen sie mit einem kräftigen ›Wiahh‹ auf den rechten Weg, der Lateinschüler lernt, daß die Straße ›via‹ heißt. Ortsnamen, die mit einem ›-pfunzen‹ enden, liegen immer an einem Bach oder Fluß – Hinweis auf eine Römerbrücke, eine ›pons‹.

Bei jeder Fahrt übers Land stößt man auf das Erbe der Kelten, das sich im Altbayerischen wie im Englischen erhalten hat. Die zahlreichen Ortschaften, deren Namen auf ›ham‹ enden, spiegeln es wider: das keltische ›ham‹ wird im Bayerischen ›hoam‹ ausgesprochen und heißt im Englischen ›home‹, also Heim. Beim ›Anzünden‹ spricht der Altbayer von ›Kentn‹, was auf das angelsächsische ›candle‹ verweist. Und die ›Goaß‹, die ›Geiß‹, klingt auf englisch ›goat‹, was auf eine ebenso nahe Verwandtschaft schließen läßt wie der englische ›moon‹ mit dem altbayerischen ›Muu‹, dem Mond.

Von den Romanen haben die Bayern das lautmalerische ›Stuzzn‹ übernommen, mit dem ein kleingewachsener Mensch bedacht wird. Schauen Sie doch einmal auf eine italienische Zahnstocher-Pakkung: da steht ›stuzzicadenti‹ drauf. Und das schöne ›Stranizn‹, das von unseren Freunden im Süden kommt, nehmen wir auch lieber in den Mund als die schnöde ›Tüte‹. Von ihren gemeinsamen Feldzügen mit Napoleon haben die Bayern das Trottoir (Gehsteig), das Portemonnaie (Geldbörse), das ›Potschamperl‹ (pot de chambre, Nachttopf) und das ›Budei‹ (bouteille), die kleine Flasche, mitgebracht, und, nicht zuletzt, die ›Klawusterbirl‹, die Kotzotteln am Hinterteil der Kühe (éclabousser: mit Kot bespritzen).

Das angeblich so urbayerische ›Massel‹, das unverdiente Glück, stammt aus dem Hebräischen, ebenso wie der ›Baaz‹, mit dem der Bayer das Schmierige – übrigens auch das Geld – bezeichnet; das hebräische Stammwort heißt ›boz‹, und damit war lehmige Erde gemeint.

Aufschlußreich sind auch die Bergnamen: Jeder bayerische ›Bukkel‹ entspricht dem römischen ›buccula‹ und jeder ›Kogel‹ dem lateinischen ›col‹ für Hügel. Am Schliersee ragt der ›Waxensteiner‹ auf; den hat jemand so getauft, der barfuß die steinigen Wege zum Gipfel genommen hat, denn die Pfade sind ›wax‹, rauh, oder auch ›vaxus‹, wie der Lateiner zu sagen pflegte. Selbst so ›deutsche‹ Bergnamen wie ›Staufen‹ oder ›Tauern‹ verdanken wir den angeblich so Fremden; die Italiener besteigen keine Treppe, sondern eine ›scala‹, und die ›Tauern‹ kommen vom slawischen ›tur‹, das etwas Aufgebrochenes, Krustiges meint.

Ja, die Sprach- und sonstigen Rassisten seien dringend davor gewarnt, sich selber und ihre ererbte Sprache für sonderlich rein oder echt oder unverfälscht oder sonstwas zu halten. Selbst den ›Radi‹ und die ›Brezn‹, die sich der Bayer zum Bier schmecken läßt, kannten schon die alten Römer, und zwar als ›radix‹ (Wurzel) und ›brachiolum‹ (kleines Ärmchen).

Nein, das Altbayerische ist eine wunderbar gelungene Mischung, die davon zeugt, daß die so häufig von völlig unautorisierter Seite zitierte ›Liberalitas Bavariae‹ im Sprachgebrauch der einfachen Leut' Eingang gefunden und ihn geprägt hat. Ein letzter Beleg: Die ›urbayerische‹ Bezeichnung ›Gungerer‹, die für eine beliebte Kuhglocken-Art steht, geht auf die persisch-pakistanische Ursprache namens ›Gutscherati‹ zurück; dort trägt eine Kuhglocke den klangvollen Namen ›gungara‹.

Meyer Levin
Die Geschichte der Eva Korngold

»Vielleicht wirst du die einzige sein, die es überlebt, sagte meine Mutter. Aber wenn du es überlebst, mußt du aufschreiben, wie es war, alles genauso, wie es sich ereignete. Dann ist es bezeugt.« So beginnt die Geschichte der Eva Korngold, die Geschichte eines jüdischen Mädchens, das aus dem besetzten Polen in die Höhle des Löwen flieht und mit einer falschen Identität im ›angeschlossenen Österreich‹ mitten unter den Nazis lebt – entschlossen, alle Listen anzuwenden, um zu entkommen, zu leben.

Wer ist Eva? Das junge Mädchen, das sich in einem Land versteckt, wo es den Tod bedeutet, Jüdin zu sein, muß nicht nur so aussehen wie das ukrainische Bauernmädchen Katja, für die sie sich ausgibt. Sie muß lernen, wie Katja zu denken und zu fühlen, wie Katja zu sein. Mit jedem Wort, mit jeder Geste könnte sie sich sonst verraten. Aber während sie für die Gestapo, für die Frauen in der Munitionsfabrik, in der sie als Fremdarbeiterin eingestellt wird, für das Ehepaar, in dessen Haus sie als Dienstmädchen arbeitet, und für die Männer, die ihr Avancen machen, Katja sein muß, ist ihr immer bewußt, daß sie – wenn sie überleben will – für sich selbst Eva bleiben muß.

›Die Geschichte der Eva Korngold‹ erzählt die Lebensgeschichte von Ida Löw, nach langen Gesprächen von Meyer Levin aufgezeichnet. Ida Löw (geb. 1924), die seit 1948 mit ihrer Familie in Tel Aviv lebte, ist in den ersten Tagen des Golfkriegs an Herzversagen gestorben.

Der Abend kam heran und mit ihm ein Dutzend Gäste. Die Eberhardts hatten ihre allerfeinsten Bekannten eingeladen: jedermann war wenigstens eine Exzellenz, und es gab einen richtigen General im Ruhestand, einen kleinen apfelwangigen Großpapa. Er hatte eine Vorliebe für mich gefaßt und wollte sich nie hinsetzen, wenn ich nicht einen Stuhl brachte und mich neben ihm niederließ.

Der Wein floß in Strömen, es wurden unzählige Heils und Toaste auf die Naziführer ausgebracht. Als die Gäste sich ins Speisezimmer begaben, erklärte mein General, daß er ohne mich nicht Platz nehmen würde. So wurde noch ein Stuhl gebracht, und wenn ich nicht gerade servierte, saß ich neben ihm, und meine Gegenwart war ein beliebtes Objekt der Unterhaltung. Was für ein ruhiges Mädchen ich sei, wie ich dauernd Bücher lese und was für eine glänzende Köchin ich geworden sei – ich war ein prachtvoller Beweis dafür, zu was allem man ein Mädchen aus jenen primitiven Ländern erziehen könne. Und eine der Damen neckte Frau Eberhardt: »Wo haben Sie nur dieses Juwel gefunden? Ich werde es Ihnen stehlen!«

All das Gerede über mich, all diese Fragen brachten mich an den Rand meiner Nervenkraft. Endlich empfahlen sich die Gäste. Als ich an der Tür stand, sagte Herr Eberhardt: »Hilf ihnen doch mit den Mänteln.« Ich tat es, einer der Herren drückte mir Geld in die Hand. Da gaben meine Nerven nach, ich warf das Geld auf den Boden, stürzte in die Küche und brach hemmungslos weinend zusammen. Der General war der erste, der mir nachstürzte: »Aber Katarina, es war doch nicht bös gemeint, nur ein bissel Geld für Weihnachten.«

Er strich mir übers Haar, neben ihm stand Frau Eberhardt, sie war richtig betrübt: »Katarina, was war denn los mit dir?« Und jetzt kam auch noch Herr Eberhardt. Ich stand auf und sagte, es täte mir leid, meine Nerven hätten ausgesetzt, ich sei übermüdet. Als ich den andern in ihre Mäntel half, hörte ich, wie Frau Eberhardt erklärte, alles komme daher, daß ich für sie mehr eine Tochter als eine Haushilfe sei. Immer wieder betonte sie, daß sie mich wie eine Tochter liebten.

Jeder wünschte mir frohe Weihnachten, und ich wünschte allen das gleiche.

Seltsam, der Gedanke, daß ich für sie beinah eine Tochter war, schien sie nicht mehr loszulassen, sie müssen oft darüber gesprochen haben, denn plötzlich kamen sie mit einem ganz außergewöhnlichen Vorschlag. So seltsam, daß ich zuerst nicht glaubte, sie meinten es im Ernst.

Als wir eines Spätnachmittags in der Küche zusammensaßen, begann Frau Eberhardt davon zu sprechen: »Katarina, mein Mann und ich haben lang über deine Zukunft nachgedacht. Wir haben dich sehr lieb gewonnen und würden dich sehr gern für immer bei uns behalten. Was würdest du davon halten, unsere Tochter zu werden?«

Ich antwortete, ich sei tief gerührt, daß sie in dieser Weise an mich dächten, aber das sei doch wohl nur so dahingesagt.

»Nein«, antwortete sie, »es ist ernst gemeint.«

Ein so feinfühliges junges Mädchen wie ich müsse jemanden haben, der die Verantwortung für sie trage. Und vielleicht sei es möglich, wenn der Krieg vorbei sei, daß ich mein Studium fortsetzen könne, da ich doch so sehr darauf aus war, zu lernen. Ich sah ihr in die Augen, sie meinte es ernst. Ich fühlte, wie Tränen in mir hochstiegen, Tränen über die hoffnungslose Unsinnigkeit dieser verrückten Welt.

Ich dankte ihr nochmals, sagte aber, ich könne so etwas nicht tun, weil ich ja noch immer die Hoffnung habe, daß meine Eltern eines Tages lebend aus Sibirien zurückkommen würden. Natürlich, antwortete sie, wenn meine Eltern jemals zurückkehren sollten und ich wieder zu ihnen heimkehren wollte... Aber die Fähigkeiten eines jungen Mädchens, Fähigkeiten, wie ich sie besitze, sollten nicht vertan werden. War ich mir denn nicht klar darüber, welche Vorteile es für mich habe, wenn sie mich adoptierten? Ich würde das Bürgerrecht erhalten, ich wäre dann eine Bürgerin des Großdeutschen Reiches, und – die Hauptsache – meine Kinder würden auch Deutsche sein. Ganz und gar. Ich sollte doch alles noch einmal überlegen, sehr ernsthaft überlegen, nicht nur meinetwegen, sondern auch wegen meiner Kinder. Ich sagte, ich wolle es mir überlegen.

Und natürlich dachte ich sehr darüber nach, viel ernsthafter noch, als sie es sich vorstellen konnten. Denn ihre gute Absicht barg für mich die größte Gefahr in sich. Um eine Adoption zu ermöglichen, würden meine Vorfahren beiderseits bis in die dritte Generation zurück genau durchforscht werden. Und das Dorf, aus dem Katarina stammte, war in deutschen Händen. So brauchten die Behörden nur dorthin zu schreiben, um sich die Papiere der Familie Leszczyszyn kommen zu lassen, und dann würden sie erfahren, daß die besagte Katarina Leszczyszyn schon 1939 gestorben war. [...]

Eine ganze Woche lang war nicht mehr von dem Adoptionsgedanken gesprochen worden, und ich begann bereits zu hoffen, es sei vorüber. Aber dann wurde er wieder aufgegriffen.

Die Eberhardts saßen beim Abendessen: »Also Katarina, hast du über unseren Vorschlag nachgedacht?«

Nachgedacht? Wenn die ahnten, welch fürchterliche Gedanken ich gehabt hatte!

Frau Eberhardt sagte: »Katarina, wir wollen ja wirklich deine Gefühle schonen, aber wer kehrt denn schon aus Sibirien zurück! Die Russen sind doch alle Mörder ohne jegliches Gewissen.«

Herr Eberhardt unterstützte sie: »Und wenn sie durch ein Wunder zurückkommen sollten, was für ein Leben würden sie dann führen? Sie wären dann alte und gebrochene Leute, die in einem geknechteten Land leben. Wir dürfen uns doch nicht vormachen, daß nach Kriegsende alles gut sein wird. Und wenn du unsere Adoptivtochter wärest, dann wärest du sogar als Deutsche imstande, deinen Eltern zu helfen.«

»Was soll das heißen?« fragte ich. »Ich bin doch Ukrainerin.«

Ja, würde ich denn das nicht ändern wollen, wenn ich Deutsche werden könnte, fragten beide. Ich entgegnete, wie es denn möglich sein sollte, etwas anderes zu werden als das, was man ist.

Jetzt erklärte mir Herr Eberhardt, daß es in Spezialfällen die Möglichkeit gab, Deutscher zu werden. Bevor die Adoption genehmigt würde, hätte ich mich einer Prüfung zu unterziehen, ob ich die Eignung habe, ins deutsche Volk aufgenommen zu werden. Da ich ja aus der Ukraine stammte und nicht aus den weiter entfernten russischen Bezirken, wo Tataren und Mongolen lebten, war ich zweifellos arisch. Die Grundbedingung war somit erfüllt. Wenn es mir recht sei, wäre er bereit, eine solche Untersuchung für mich einzuleiten. Dazu war es nicht nötig, die Ankunft meiner Familienpapiere abzuwarten, wir würden so viel Zeit gewinnen. Inzwischen müsse ich an meine Heimatbehörde wegen dieser Papiere schreiben.

Also einverstanden? Beide lächelten mich an. Würde ich heute noch wegen der Papiere schreiben? Gleichzeitig würde Herr Eberhardt sich nach Wien wenden, um die notwendige Untersuchung zu beantragen.

Konnte ich ablehnen? Wollten sie mich prüfen? Waren sie trotz der warmen Beziehung, die sich zwischen uns entwickelt hatte, doch mißtrauisch? War das Ganze nur ein Weg für sie, meine Vergangenheit zu durchprüfen, ohne ihre wertvolle Haushilfe zu verlieren?

Auch diese Nacht lag ich schlaflos, aber ich vermochte klar zu denken. Und ich kam zu zwei Entschlüssen. Erstens gab es keine Möglichkeit, ihren Vorschlag zurückzuweisen. Ich mußte mich zu dieser Untersuchung bereit erklären. Zweitens aber mußte ich alles mögliche tun, um dem Adoptionsgedanken zu entkommen, bevor meine Familienpapiere aus Werchrata mich in eine schlimme Situation brächten. Das bedeutete, daß ich mich längstens innerhalb Monatsfrist – denn dann würden die Papiere hier sein – von den Eberhardts lösen mußte. Ich mußte meine Stellung bei ihnen aufgeben. Doch wie? Ich hatte kein Recht, meine Stellung einfach zu verlassen. Vielleicht konnte Nina mir helfen. Aber ich wußte, daß sie mir keine andere Stelle verschaffen konnte, außer wenn die Eberhardts mit mir unzufrieden waren. Wie konnte ich das erreichen?

Die Schmerzen in meinen Armen gaben mir jetzt einen beruhigenden Gedanken ein. Angenommen, ich konnte wegen dieser Schmerzen meine Arbeit nicht mehr länger richtig ausführen, und angenommen, die Schmerzen verschlimmerten sich? So war mir klar, was ich zu tun hatte. Zuerst den Einverstandenen spielen. Sie erwarteten von mir, daß ich nach Hause schrieb wegen meiner Papiere – diesen Brief sollten sie am nächsten Morgen schon haben.

Und ich schrieb ihn, unmittelbar an unsere polnischen Freunde. Ich schrieb, daß ich längere Zeit von meiner Tante nichts gehört habe: aus ihrem letzten Brief müsse ich ersehen, daß sie leidend sei, und da ich ihren Zustand kenne, so fürchte ich das Schlimmste. Sie sollten nicht versuchen, meine Gefühle zu schonen, da es mir lieber sei, die Wahrheit zu wissen. Sollte meiner Tante etwas zugestoßen sein, so bäte ich, es mir doch mitzuteilen.

Meine Fingerspitzen konnten den Federhalter nicht fühlen, aber sie brannten unerträglich.

Am nächsten Morgen bemerkte Herr Eberhardt selbst, daß etwas mit mir nicht stimmte, denn die Kaffeekanne zitterte in meiner Hand. »Katarina, fehlt dir etwas?«

Ich zeigte ihm meine Hände. Seitdem ich die Hausarbeit angefangen hatte, waren meine Finger eingeschrumpelt und bleich von dem dauernden Arbeiten mit Wasser. Herr Eberhardt berührte meine Finger, drückte sie, aber selbst dann fühlte ich nichts. »Du hast schlechte Blutzirkulation«, sagte er. »Du mußt sofort zum Arzt.«

»Nein, nein«, sagte ich, das sei doch unnötig.

Herr Eberhardt rief seine Frau, auch sie untersuchte meine Hände und bestand darauf, ich müsse zu ihrem Hausarzt gehen. Ihr Mann fügte hinzu, jetzt müsse ich doch wirklich einsehen, daß ich jemand brauche, der sich um mich kümmere. Hatte ich mir jetzt ihren Vorschlag endgültig überlegt? Hatte ich den Brief nach Hause geschrieben?

Ja, antwortete ich, an jemand in einer nahe gelegenen Stadt, der mir die Papiere besorgen müsse. Und ich gab ihm den Brief.

Der Arzt erklärte mir, daß meine Schmerzen zweifellos rheumatischer Art seien. Er empfahl Massage und gab mir eine Salbe. Außerdem dürfe ich nichts Schweres heben, bevor es mir nicht bessergehe.

An diesem Abend beratschlagten die Eberhardts wiederum, was mit mir zu tun sei. Welche Arbeit dürfe ich verrichten und welche nicht? Das Problem wurde von Herrn Eberhardt Punkt für Punkt in Angriff genommen, nach derselben Methode, mit der er auch ein Problem bei der Eisenbahnverwaltung anpackte. Wenn man einen Teilaspekt nach dem anderen aus dem Weg räume, sagte er, löse sich schließlich auch das Problem im Ganzen.

Also. Bettenmachen. Solange man die Betten nicht verrücken mußte, war das eine leichte Arbeit, die Katarina jeden Tag verrichten konnte.

Waschen. Die schweren Sachen wurden bereits in die Wäscherei gebracht, und die leichten Sachen konnte Katarina nach wie vor waschen, wenn sie die Hände nicht zu lange im Wasser ließ.

Kochen. Hier gab es keine Probleme.

Hausputz. Die Böden. Geschrubbt wurde mit Fußbürsten, und da nicht die Beine, sondern nur die Arme schmerzten, konnte weiter geschrubbt werden. Dasselbe galt fürs Wachsen.

Das Möbelrücken beim Putzen und Schrubben war allerdings schwere Arbeit. Wenn zweimal die Woche – vielleicht auch nur einmal, solange die Schmerzen akut waren – gründlich durchgeputzt wurde, mußte das genügen. Und an diesem wöchentlichen Putztag sollte jemand mithelfen, der die Möbel verrückte. Herr Eberhardt musterte seine Frau. »Du bist dafür stark genug, Liebling.«

»Nein, nein!« widersprach ich. Ich wolle nicht, daß Frau Eberhardt für mich die schwere Arbeit erledige. Immer wenn ich etwas nicht tragen konnte, würde ich sie rufen müssen. Das sei mir sehr unangenehm. Und es waren ja nicht nur die Möbel. Auch beim Aufhängen und Abnehmen der Vorhänge schmerzten mir die Arme. Nein. Und ich hörte mich selbst mit betrübter Stimme den Vorschlag machen, ob sie nicht bei dem Arbeitsamt nach einer anderen Hilfe sich umsehen wollten.

»Katarina, was für ein Unsinn!« rief Frau Eberhardt.

»Kommt gar nicht in Frage«, fügte Herr Eberhardt hinzu.

Hielt ich sie denn für völlig gefühllose Menschen? Die Schmerzen hatte ich mir in ihrem Dienst zugezogen, und es sei natürlich ihre Pflicht und Schuldigkeit, zu mir zu halten und dafür zu sorgen, daß es mir wieder gutgehe. Mit Massagen und ärztlicher Behandlung würden die Schmerzen in wenigen Wochen sicher verschwinden. Und einstweilen würde Frau Eberhardt mir die schwere Hausarbeit abnehmen.

Und das tat sie auch, einmal.

Ein paar Tage später, beim Öffnen der Post, morgens während des Frühstücks, stieß Frau Eberhardt einen kleinen Schrei der Befriedigung aus. Sie lehnte sich in ihrem Stuhl zurück und lächelte mich freundlich an: »Na also, Katarina. Die Kommission hat geantwortet. Du mußt sofort nach Wien, dich dort vorstellen. Du glaubst nicht, wie ich mich freue, Kind!«

Der Bissen blieb mir im Mund stecken. Meine Hände wurden gefühllos, und vor meinen Augen begann sich das Zimmer zu drehen. Ich wußte, was das bedeutete, und als ich trotzdem fragte: »Was ist das für eine Kommission?« erkannte ich meine Stimme fast nicht wieder. Sie schien von ganz weither zu kommen.

»Das ist das Amt, das alle Personen überprüft, die sich um die deutsche Volkszugehörigkeit bewerben. Und die meisten, die nachsuchen, werden erst gar nicht vorgeladen. Es ist ein Glücksfall – ach, wie ich mich freue.«

Ich saß stumm und fühlte, wie meine Augen sich mit Tränen füllten. Ich wußte, was mir bevorstand. Sie würden entdecken, daß ich Jüdin bin. Sie würden alles nachprüfen und dann...

Das Gesicht meiner Schwester Tauba stand vor meinen Augen. Das erschreckte, verlorene Gesicht, als die SS sie mitnahm.

Frau Eberhardt kam um den Tisch herum. Sie legte den Arm um mich.

»Sie weint vor Freude«, sagte sie zu ihrem Mann. »Das arme Kind.«

Ich ließ den Kopf auf den Tisch sinken und schluchzte.

Frau Eberhardt streichelte mir liebevoll übers Haar. Tränen der Rührung standen in ihren Augen. Ihr Mann räusperte sich verlegen und stand auf.

»Immer mit den Füßen auf der Erde bleiben«, sagte er. »Katarina muß heute noch nach Wien fahren. Je schneller, je besser.«

Ich war überzeugt, daß ich von dieser Reise niemals zurückkehren würde. Andererseits, so überlegte ich mir, was konnte man mir eigentlich anmerken? Ich hatte inzwischen schon ein rundes Dutzend körperlicher Untersuchungen überstanden. Was sollte mir also passieren?

Jedenfalls blieb mir keine Wahl, und ich fuhr nach Wien.

Das Amt befand sich in einem imposanten Gebäude am Ring. Die Eberhardts hatten mich telefonisch angemeldet, und ich wurde schon erwartet. Eine Empfangsdame führte mich in einen Raum und sagte, ich solle mich ausziehen. Wieder einmal saß ich nackt und fröstelnd auf einem Stuhl und wartete. Was stand mir wohl bevor? Ich versuchte, nicht zu denken.

Nach einiger Zeit wurde ich abgeholt und in ein großes Zimmer geführt. Zwölf Männer saßen an einem Konferenztisch und richteten ihre Blicke auf mich, als ich eintrat.

An der einen Seite des Tisches saß eine Sekretärin mit gezücktem Bleistift vor ihrem Stenogrammblock.

Ich bin hier nur ein Fall und kein menschliches Wesen, versuchte ich mir zu sagen und sah sie alle der Reihe nach an, doch so, als ob ich durch sie hindurchblickte.

Der Vorsitzende war kahlköpfig, beleibt und hatte einen Specknakken. Die anderen setzten sich aus einem Gemisch der verschiedensten Typen zusammen. Es gab seriös aussehende, mit Brille und blasser Hautfarbe, und einer von ihnen war klein, dunkel und lebhaft. Er hätte leicht ein Jude sein können. Ein anderer hatte silbernes Haar und eine pompöse Art aufzutreten. Wieder ein anderer war ganz jung und hatte schlechte Zähne. Schließlich gab es noch einen, vor dem ich Angst hatte. Er sah mich mit seinen blaßblauen Augen unverwandt an. Es schien mir, als wenn er durch meine Nacktheit hindurch auf den Grund meiner Seele sähe.

Die Prüfung begann mit der Feststellung meiner Personalien. Ich leierte sie, wie schon so oft, mechanisch herunter. Der feiste Vorsitzende stellte alle Fragen in einer schmalzigen Tonart, die gütig klingen sollte. Er hatte zwar meine Personalakten vor sich liegen, aber aus irgendeinem Grund schien es notwendig zu sein, daß ich alle Daten noch einmal aufzählte. Die Sekretärin schrieb das, was ich sagte, nieder, und ich schämte mich fast für sie – eine Frau, die eine andere Frau nackt dastehen sieht und nicht einmal einen Blick des Mitgefühls für sie übrig hat.

»Werchrata.« Eines der Komiteemitglieder wiederholte den Namen meines Heimatortes, er stand von seinem Stuhl auf und ging zu einer Landkarte, die an der Wand hing. Es war eine sehr große Landkarte, aber würde ein Dorf wie Werchrata dort verzeichnet sein?

»In der Nähe von Lwów«, sagte ich, »und die nächstgelegene Stadt ist Hrebenko«, und bei der Nennung dieses Namens überlief mich unwillkürlich ein Zittern.

»Aha, Lwów. Lemberg.«

Er wiederholte den deutschen Namen der Stadt und suchte mit dem Finger auf der Karte. Dann fand er Hrebenko. Und dann sagte er zu meiner Überraschung, daß er auch Werchrata gefunden habe. Er schien befriedigt, daß der Ort wirklich existierte, und setzte sich wieder an den Konferenztisch.

Anthropologisch gesehen, so führte er aus, habe es in der Ukraine schon seit Jahrhunderten eine germanische Bevölkerung gegeben. Jedoch seien in dieser Gegend häufig Rassenmischungen vorgekommen.

Der Weißhaarige fragte mich anzüglich: »Bist du auch sicher, Katarina, daß keine deiner Großmütter ein bißchen Rassenmischung getrieben hat?«

Die anderen lachten, nur der mit den blassen, wäßrigen Augen veränderte seinen Ausdruck nicht. Er sah mich unverwandt schweigend an.

Ich sagte, soviel ich wüßte, sei meine Familie von beiden Elternseiten her rein ukrainisch.

Ein anderer stellte Spekulationen an über den Namen Leszczyszyn und gebrauchte dabei das Wort »Etymologie«.

Ich sagte, der Name sei in unserer Gegend ziemlich häufig. Wieder ein anderer fragte, ob alle meine Angehörigen dunkelhaarig wie ich seien oder ob es unter ihnen auch blonde gäbe?

Ich erwiderte, meine Mutter sei flachsblond gewesen und ebenso die anderen ihrer Familie. Mein Vater hingegen sei brünett, und in seiner Familie gebe es Blonde und Dunkle.

Danach stand einer der Prüfer auf und näherte sich mir. Als er neben mir stand, begann er der Sekretärin zu diktieren:

»Es handelt sich um eine weibliche Person von guter Erscheinung, zweiundzwanzig Jahre alt...«

Er forderte mich auf, meinen Mund zu öffnen, betrachtete meine Zähne und beschrieb sie ausführlich. Ich habe eine Lücke zwischen den Schneidezähnen, und diese Lücke beschrieb er ganz genau.

Dann holte er ein Metermaß hervor und nahm an mir Maß, so wie es die Schneider tun. Schultern, Brust, Hüften – er sagte jede Ziffer der Sekretärin an. Auch die Schenkel, Knöchel, die Länge meiner Beine und Arme.

Er ließ mich die Arme ausstrecken und schickte sich an, die Länge der einzelnen Finger zu messen.

Dann untersuchte er meine Fingernägel und beschrieb sie genau. »Pigmentierung«, sagte er und machte eine Notiz über ihre Färbung und selbst über die Größe der Halbmonde.

Hinten im Raum befand sich eine Waage, und ich stellte mich darauf, und mein Gewicht wurde notiert.

»Jetzt noch eine Haarprobe, bitte«, sagte der Vorsitzende.

Ich riß mir ein paar Haare aus und gab sie ihm. Er legte sie unter ein Mikroskop, das auf einem kleinen Tisch vor dem Fenster stand, und untersuchte tiefernst die Strähne.

Nun trat einer der anderen auf mich zu, und zwar der kleine Dunkle, der etwas jüdisch aussah. Er schien Anthropologe zu sein, denn er hatte ein Meßinstrument, eine Art von Zirkel, bei sich. Ich mußte mich setzen, und er machte Messungen an meinem Schädel. Von vorne, von der Seite, von hinten – und jede Zahl wurde von der Sekretärin notiert. Er maß die Breite meiner Backenknochen, die

Weite und Winkel meiner Kiefer, die Tiefe der Augenhöhlen. Dann nahm er ein kleineres Instrument heraus und maß meine Nase.

Nach ihm kam der Weißhaarige an die Reihe, der offensichtlich Arzt war. Er stellte eine Reihe von Fragen persönlicher und intimster Art. Ob ich jemals schwanger gewesen sei? Er erkundigte sich, welche Kinderkrankheiten ich gehabt habe, und diktierte dann der Sekretärin Einzelheiten über meinen Leib, meine Hüften, meine Brüste und stellte fest, daß ich zum Kinderkriegen durchaus geeignet sei.

Aber das war noch nicht alles. Ein zweiter Arzt, ein schwerer Mann mit dicken Händen und Lippen, der abstoßend aus dem Mund roch, forderte mich auf, in eine kleine, in der Ecke stehende Kabine zu treten. Der Verschlag war so eng, daß ich dicht an ihn gedrückt stehen mußte.

Er nahm eine Injektionsspritze und suchte eine Vene. Die Blutprobe reichte er an einen der anderen hinaus. Mit Hilfe einer kleinen Taschenlampe leuchtete er mir in die Augen, und ich spürte seinen üblen Atem. Er untersuchte meine Ohren und die Nasenlöcher. Schließlich grunzte er, das sei alles.

Die Untersuchung hatte eine gute Stunde gedauert. Als ich hinausging, um mich anzuziehen, folgten mir die Blicke des unheimlichen Blaßäugigen. Er hatte keine Frage gestellt. Er hatte nie in die Diskussion eingegriffen.

Ich ging hinaus und zog mich an. Was immer jetzt geschehen sollte, möge geschehen.

Zu meiner Überraschung wurde ich bald wieder ins Konferenzzimmer gerufen.

Der dicke Vorsitzende erhob sich.

»Fräulein«, sagte er, »es freut mich, Ihnen folgendes mitteilen zu können: Die Untersuchung hat ergeben, daß Sie in besonderem Maß befähigt sind, ein Mitglied des deutschen Volkes zu werden. Sie sind in jeder Beziehung eine vollkommene Repräsentantin der arischen Rasse.«

Ich murmelte meinen Dank. Jetzt, da ich bekleidet war, würdigte mich der Blaßäugige keines Blickes mehr.

Als ich die Tür hinter mir schloß, erfüllte mich nur ein einziger Wunsch. Ich möchte eines Tages, wenn der Krieg zu Ende sein würde, diese Tür öffnen und in das Zimmer hineingehen und möchte den zwölf Beamten sagen: »Meine Herren, Sie haben mich als eine vollkommene Repräsentantin der arischen Rasse bezeichnet, im besonderen Maß befähigt, ein Mitglied des deutschen Volkes zu werden. Ich muß diese Ehre ablehnen. Ich bin jüdisch, meine Eltern waren beiderseits jüdisch, meine Großeltern waren beiderseits jüdisch und ebenso ihre Eltern und die Eltern ihrer Eltern bis zurück in biblische Vorzeiten.«

Dann würde ich mich umdrehen und das Zimmer verlassen.

Ach, wenn dieser Tag jemals käme!

[...]

Erdoğan Karayel

Alev Tekinay
Die Deutschprüfung

F rüher war alles viel besser«, meinte Ilhan und nahm einen Schluck von seinem heißen Tee, der im zierlichen Gläschen mit vergoldetem Rand dunkelrot schimmerte. Er saß im Schneidersitz auf dem Diwan, das Teeglas wirkte in seiner großen, knochigen Hand viel kleiner, als es war.

Gastarbeiterhände, dachte Ümit traurig.

Ilhan war ja ursprünglich kein Gastarbeiter gewesen. In den »goldenen sechziger Jahren«, wie er es selbst formulierte, war er in die Bundesrepublik gekommen, um zu studieren. Technische Universität, Physik, guter Abschluß. Während des Studiums hatte er seine Frau Tomris kennengelernt, auch TU, Architektur, auch guter Abschluß.

Beide hatten aber keine Stelle gefunden, die ihrer Ausbildung entsprach. Ilhan arbeitete nun als Fabrikarbeiter, und Tomris hatte sich zur Kindergärtnerin umschulen lassen. Da sie selbst keine Kinder hatten, gefiel sich Tomris irgendwie in ihrer Tagesmutter-Rolle. Hauptsächlich betreute sie türkische Kinder, aber es gab hin und wieder auch deutsche Eltern, die ihre Kinder Tomris anvertrauten.

»Bis Anfang der siebziger Jahre war alles viel leichter«, führte Tomris das Gespräch fort, »man konnte in dieses Land als Student oder Tourist einreisen und bald Aufenthalts- und Arbeitserlaubnis bekommen. Aber die Verhältnisse werden leider immer schlechter.«

Anfang der siebziger Jahre... Damals war Ümit noch fast ein Kind. Er besuchte die Mittelschule in einem Armenviertel in Ankara. Seine Eltern waren mit großen Hoffnungen aus der Nordosttürkei nach Ankara gekommen. Ümit und seine Geschwister waren schon in der Großstadt auf die Welt gekommen. Die Hoffnungen auf eine bessere Zukunft hatten sich aber bald zerschlagen. Die nächste Station wäre Deutschland gewesen. Ümit erinnerte sich sehr genau an jene Tage, als sein Vater jeden Morgen mit großen Träumen durch die klirrende Kristallkälte des Ankara-Winters zum Arbeitsamt eilte. Alle Papiere lagen bereit. »Nur eine kleine Untersuchung«, sagte der Vater, »wir werden von einem deutschen Arzt untersucht werden.«

Der große blonde Mann im weißen Kittel hatte minutenlang kommandiert, und eine kleine dunkelhaarige Frau mit Brille hatte alles genau übersetzt: Mund auf, Mund zu... Einatmen-Ausatmen... Die anderen Mitbewerber waren angenommen worden, während Ümits Vater den Brief bekommen hatte:

Es tut uns leid, Ihnen mitteilen zu müssen... Der Grund der Absage war die Niereninfektion, die Ümits Vater vor einiger Zeit gehabt hatte und noch nicht ganz geheilt war.

»Ich habe es nicht geschafft. Aber du mußt es schaffen, mein Sohn. Geh nach Deutschland, studiere dort und werde jemand. Wenn du fleißig bist, wissen's die Deutschen zu schätzen. Sie sind selber sehr fleißig, ehrlich und anständig.«

Das waren die Worte des alten Mannes. Ümits Vater war eigentlich nicht richtig alt, erst Mitte vierzig, aber die schweren Jahre der Armut hatten auf seinem Gesicht tausend Falten hinterlassen.

Ja, das waren seine Worte, Abend für Abend, als er am matten Feuer des Kohlenbeckens sich zu erwärmen versuchte. Jahrelang hatte er in der Großstadt als Gepäckträger gearbeitet, nun verkaufte er auf der Straße Obst und Gemüse, indem er den ganzen Tag seinen Karren vor sich her schob und schrie: Süße Bananen, saftige Quitten...

Seine heisere Stimme bebte, als er abends an einem schwachen Feuer seine Hände rieb: »Geh nach Deutschland, mein Sohn. Werde jemand und befreie uns aus dieser Armut.«

Die Mutter saß schweigend gegenüber mit einer Näharbeit in der Hand. Das Rot auf ihrem Gesicht täuschte, es kam von der Glut des Kohlenbeckens.

Ümit nahm ebenfalls einen Schluck von seinem Tee, der wirklich sehr gut schmeckte. Der Tee und überhaupt die ganze Atmosphäre bei Ilhan und Tomris waren ein Stück Heimat für ihn. Er liebte den Geruch in der kleinen Wohnung, diese Mischung aus Wärme, Zimt und Thymian. Hier vergaß er manchmal sein Heimweh und seine Leiden. Oft hatte er aber ein schlechtes Gewissen, wenn er hierher kam, weil er dachte, daß er Ilhan und Tomris zur Last falle. »So ein Unsinn«, pflegte Ilhan jedoch zu sagen, wenn Ümit davon sprach, und Tomris schüttelte heftig mit dem Kopf: »Ich werde richtig böse, wenn du so etwas noch einmal sagst.«

»War es wirklich so, Bruder Ilhan? Hätte ich damals in den goldenen Jahren als Student arbeiten dürfen?«
Ilhan nickte und stellte sein leeres Teeglas auf das runde Tischlein vor dem Diwan. Tomris füllte das Glas sogleich mit frisch duftendem Tee.
»Es ist ja wie ein Teufelskreis«, schrie Ümit verzweifelt, »ich bekomme keine Aufenthaltserlaubnis für mehr als drei Monate, weil ich nicht arbeiten darf, und weil ich keine Arbeitserlaubnis habe, bekomme ich keine richtige Aufenthaltsgenehmigung.«

Jedesmal starkes Herzklopfen, Magenschmerzen und Angstzustände, jedesmal derselbe Alptraum und das Abgrundgefühl. Ümit war, als zögen ihn unsichtbare Hände in einen Abgrund, wenn er zum Ausländeramt mußte. Und jedesmal bekam er eine Aufenthaltserlaubnis für nicht länger als drei Monate.
Manchmal wachte er nachts auf, der Schweiß strömte ihm über den Körper, und er erinnerte sich an den Alptraum: der Abgrund. Wieder der Abgrund, dunkel und tief, düster und bodenlos. Und im Gefühl der Bodenlosigkeit schlenderte er mit rot geränderten Augen wie ein Schlafwandler.
Manchmal fragte er sich: »Was wäre aus mir geworden, wenn ich Ilhan und Tomris nicht begegnet wäre? Viele Leiden wären mir erspart geblieben, wenn ich sie ganz am Anfang kennengelernt hätte.«

Ganz am Anfang. Seine Ankunft in Deutschland... Trotz der Kälte, die eisiger als der Ankara-Winter war, und der abweisenden Gesichter der Menschen hatte ihn dieses Land zuerst fasziniert.

Den Grüngürtel mit den vielen Parkanlagen, die Ordnung des Verkehrs trotz aller Regsamkeit, überhaupt diese Uhrwerkordnung fand er schön, bis er merkte, daß er selbst eine nichtige Schraube in diesem riesigen Getriebe geworden war.

Vor dem Studium mußte er Deutsch lernen und freute sich auf die Sprache des Gastlandes, die er klangvoll fand. Jedes Wort, das er lernte, war ihm wie ein Schlüssel, der die Tore eines Märchenlandes öffnete. Gleich bei seiner Ankunft am Hauptbahnhof hatte er zu lernen begonnen: Eingang, Ausgang, Bahnsteig... Er blätterte in seinem kleinen deutsch-türkischen Wörterbuch, das ihm sein Vater als Abschiedsgeschenk gegeben hatte.

Da er noch kein ordentlicher Student, sondern bloß Teilnehmer am Deutschkurs der Universität war, bekam er eine Aufenthaltserlaubnis immer nur für kurze Zeit. Das erste Mal galt sie nur für eine Woche. Damals hatte er zum ersten Mal gespürt, daß der Boden unter seinen Füßen wegzugleiten begann. Das erste Gefühl von Abgrund war in sein Herz geschlichen.

Die Verwandten, bei denen er vorübergehend bleiben und die ihm bei der Arbeitssuche helfen wollten, hatte er nicht finden können. Der Zettel, auf dem die Adresse stand, brannte ihm die Hand, als er mehrmals an der Tür klingelte, auf deren zerkratztem Klingelschild kein Name stand. Es war ein Wohnviertel außerhalb der Stadt, die Häuser waren alt und häßlich, mit zerbröckelnden Fassaden. Nachdem er mehrmals verzweifelt geklingelt hatte, war ein Mann aus der Nebenwohnung herausgekommen, der Ümit angeschrien hatte:

»Was du hier wollen?«

»Hier – Familie Bozdogan –«

»Du nix sehen? Die Leute sind von hier weggezogen. Kein Name an der Klingel. Du etwa blind? Leute schon weg, fort, du verstehen?«

»Ja, ja«, hatte Ümit gestottert und zum Glück fast nichts davon verstanden, was der verärgerte Mann alles vor sich hingebrummt hatte: »Immer diese Ausländer. Man wird sie ja nie los.«

Als Ümit das Haus verlassen wollte, war eine Tür im Erdgeschoß leise aufgegangen, und als Ümit einen Landsmann im halbdunklen Treppenhaus erblickte, wollte er sich ihm um den Hals werfen.

»Die Bozdogans sind weggezogen, Kollege.«

»Ach, können Sie mir dann helfen? Ich habe keine Bleibe, keine Arbeit, gar nichts.«

»Ich könnte dir vielleicht Schwarzarbeit besorgen.«

»Schwarzarbeit? Was ist das?«

Ein winziges Zimmer im Hinterhof einer Weinbrennerei. Na ja, besser als gar nichts. Die Arbeit: Flaschen tragen. Von 5.30 Uhr morgens bis 15.30 Uhr nachmittags. Stundenlohn DM 7.50.

»Du wirst aber keine Miete zahlen müssen«, erklärte ihm der Landsmann, »und glaub mir, heutzutage kannst du nichts Besseres finden.«

Und der Chef, der Ümit die ganze Zeit prüfend anschaute, schüttelte den Kopf: »Der Junge ist mir zu mager. Ob er mit der schweren Arbeit fertig wird?«

Arbeitsatmosphäre: schlecht bis unerträglich.

Arbeitskollegen: Ümit. Üüü-ümit, typisch türkischer Name. Arbeite viel, Kameltreiber, spare, spare, Häusle baue, und geh dann zurück, zurrr-rück...

Vater, ist das dein anständiges Volk?

Und, wie soll ich im Deutschkurs fleißig sein, mir tun ja die Knochen so weh, wenn ich von der Arbeit zum Nachmittagskurs gehe. Manchmal schlafe ich im Unterricht schon ein. Und meinen Fleiß bei der Arbeit weiß man auch nicht zu schätzen. Immer die Dreckarbeit wird mir aufgehalst. Wie soll ich – wie soll ich...

Als er in der Straßenbahn saß und mit Tränen in den brennenden Augen imaginäre Gespräche mit seinem Vater führte, hatte ihn Ilhan gesehen:

»Was hast du denn, mein Junge? Fehlt dir was?«

»Nein, nein, danke, das heißt...«

Er hatte Ümit in seine Wohnung mitgenommen. Als Ümit Tomris sah, hatte ihn ihre Ähnlichkeit mit seiner großen Schwester so fasziniert, daß er sie gleich mit »Schwester« anredete:

»Schwester, entschuldige, daß ich so ungebeten komme.«

»Ach was«, hatte Tomris gelächelt mit Grübchen um die Mundwinkel: »Jeder Gast wird von Gott geschickt. Wie sagt man bei uns? Tanri misafiri.«

Seit seiner Ankunft in Deutschland hatte er an jenem Abend zum ersten Mal warmes Essen bekommen, so mütterlich gekocht...

Nach dieser glücklichen Bekanntschaft schien einiges in Ümits Leben eine bessere Entwicklung zu nehmen. Er fühlte sich nicht mehr so einsam in der Uni. Er hatte nun nicht nur zu ausländischen Studenten im Deutschkurs Kontakt, sondern auch zu deutschen Studenten. In den Pausen saß er mit ihnen in der Cafeteria und sprach Deutsch mit ihnen. Sie halfen ihm auch manchmal und verbesserten seine Hausaufgaben. Dann gab's auch Sabine. Ihre dunkelblonden Locken und ihre grünen Augen standen immer vor Ümits Augen, im Deutschkurs, bei der Arbeit und nachts in seinem Zimmer mit den kalten und kahlen Wänden. Aber wenn er an sie dachte, wurde ihm so warm ums Herz, daß er nicht mehr fror.
»Ich gebe am Samstag eine Fete«, hatte Sabine ihm in der Cafeteria gesagt, »kommst du, Ümit?«
Mit pochendem Herzen hatte Ümit auf Samstag gewartet. Zuerst hatte er gedacht, daß es besser wäre, wenn er nicht hinginge, weil er nichts Anständiges zum Anziehen hatte. Ilhan und Tomris meinten aber, daß man zu einer Studentenfete keinen Smoking trage. So hatten sie ihn überredet, doch zu Sabines Party zu gehen, nachdem Ilhan ihm einen seiner guten Pullis geliehen hatte. Sie hatten dieselbe Größe.
Sabine war als Gastgeberin so beschäftigt, daß sie kaum Zeit für Ümit hatte. Dennoch fühlte sich Ümit glücklich, betrachtete sie aus den Augenwinkeln und fand sie immer hübscher. Einmal wollte ihm das Herz zerspringen, als er merkte, daß Sabine zu ihm kam.
»Du hast ja nichts zu trinken, Ümit.« Sie drückte ihm ein Glas Orangensekt in die Hand. Dann kamen sie langsam ins Gespräch, und Sabine fragte plötzlich, wo er wohnte.
»Nun ja«, stotterte Ümit und erzählte Sabine von seiner Bleibe in möglichst schillernden Farben.
»Das sind ja unmögliche Verhältnisse«, rief Sabine, »ein Student braucht ein richtiges Zimmer, mit Schreibtisch und Bücherregalen.«
Ümit nickte traurig.
»Moment mal«, sagte Sabine, »mir fällt gerade was ein. Ich kenne

jemanden, der einen Wohnungsgenossen sucht. Wolfgang!« rief sie dann.

Wolfgang war einer der Gäste auf Sabines Fest. Ein baumlanger Junge mit hellblauen Augen. Ümit hatte ihn ein paarmal in der Cafeteria oder einem Hörsaal gesehen.

»Ich denke schon, daß du bei mir einziehen kannst«, meinte er und nippte an seinem Whisky.

»Lieb von dir, aber ich verdiene so wenig. Die Miete…«

»…ist kein großes Problem«, unterbrach Wolfgang Ümit, »es ist eine Altbauwohnung mit wenig Komfort. Das Zimmer kostet bloß 80 Mark.«

»Ach, die Miete kriegst du schon zusammen«, warf Sabine ein, »wenn du woanders sparst.«

Ein richtiges Zimmer mit Schreibtisch und Bücherregalen in der Mittleren Uferstraße. Ein Glück, von dem man nicht einmal zu träumen gewagt hätte, war nun wahr geworden.

»Die Küche und das Bad benutzen wir gemeinsam«, erklärte Wolfgang, als er seine Pfeife stopfte.

Ümits Deutschkenntnisse hatten sich wesentlich gebessert. Frau Seitz, die Deutschlehrerin, brauchte ihn nicht mehr zu mahnen: Herr Karadiken, Sie schlafen wieder.

Sie war eine mittelgroße Frau, Ende 30, Anfang 40, ihre runde Brille fiel immer auf die kleine Nase. Oft fuhr sie mit der Hand durch ihre kastanienbraunen Haare, wenn die Studenten einen unmöglichen Fehler machten: Nicht »ich habe gegangen«, »ich bin gegangen«. Ümit liebte nun auch Frau Seitz von ganzem Herzen.

Vater, jetzt erst finde ich das Land, von dem du mir immer erzählt hast am schwachen Feuer des Kohlenbeckens. Wenn ich eine bessere Arbeit finde und mehr verdiene, werde ich euch Geld überweisen. Im Deutschkurs bin ich nun sehr fleißig. Wenn ich ihn abschließe und mit dem Studium anfange…

Auch die Arbeitskollegen mochte Ümit fast. Ihre Neckereien nahm er nicht mehr ernst. Vielleicht meinten sie es nicht so, versuchte er sich zu trösten, und er sagte ihnen, indem er ihnen direkt in die Augen schaute: »Ich bin kein Kameltreiber, ich bin Student.«

»Ei, ei, da schau her«, lachten sie dann, »der Herr Student. Er wird eines Tages ein großer Mann sein und uns alle vergessen.«

Ob ich vergessen kann, Vater. Die Schmerzen, den Abgrund...

Das Abgrundgefühl, das Ümit allmählich zu vergessen begonnen hatte, war plötzlich wieder in sein Herz geschlichen, kühler und düsterer denn je.

»Sie müssen diesen Zettel unterschreiben«, hatte der Beamte bei der Ausländerbehörde gesagt, als Ümit dort war, um wieder einmal seine Aufenthaltserlaubnis zu verlängern.

»Was steht darauf?« fragte Ümit kleinlaut, als ihm das Blut in den Schläfen pochte.

»Daß Sie dieses Land verlassen müssen, wenn Sie die Deutschprüfung nicht bestehen.«

»Die – die Deutschprüfung«, stammelte er, nach Luft ringend.

»Ja. Wenn Sie den Deutschkurs nicht absolvieren, können Sie nicht studieren. Dann bekommen Sie auch keine Aufenthaltsgenehmigung und müssen dieses Land verlassen. Ist ja logisch.«

Als Ümit den Zettel unterschrieb, rutschte ihm der Kugelschreiber aus den Fingern, weil ihm der Schweiß aus allen Poren kam und seine Finger naß waren.

»So ist es, Bruder Ilhan«, schluchte er, »was soll ich machen? Gerade hatte ich begonnen, dieses Land zu lieben, und nun macht man es mir unmöglich schwer, hier zu bleiben. Was tue ich, wenn ich zurück muß? Wie kann ich ins Gesicht meiner Eltern schauen? Was denken die Leute dort von mir? Ümit, der Sohn des Straßenhändlers Muhsin, hat es nicht geschafft, er ist ein Versager, werden sie denken.«

»Nun«, sprach Ilhan mit einer leisen Stimme, »noch ist ja nicht alles verloren.«

Und Tomris fügte hinzu: »Du hast ja noch etwas Zeit bis zur Deutschprüfung. Wenn du tüchtig lernst...«

»Ich würde dir gerne dabei helfen«, sagte Wolfgang zu Ümit, als er in der kleinen Küche ihrer gemeinsamen Wohnung nervös auf und ab ging. »Aber ich muß ja für ein paar Wochen fort. Zu einem Praktikum. Scheiße«, schimpfte er dann, »Ümit, Mensch, du mußt die Deutschprüfung schaffen.«

»Du wirst sie schaffen«, flüsterte Sabine nachdenklich. Sie saßen in der Cafeteria und tranken Kaffee aus Pappbechern, eine dunkelbraune, lauwarme Flüssigkeit, die nach nichts schmeckte.

»Ich werde dir helfen«, schwor sie, »wir haben noch genügend Zeit.«

Gleich nach der Arbeit kam Ümit mit müden Knochen nach Hause und setzte sich an den Schreibtisch, manchmal arbeitete er die ganze Nacht hindurch, und seine Augen tränten vor Müdigkeit, als er wieder zur Arbeit fuhr. Selbst während der Arbeit lernte er. Wenn er kurze Pausen einlegte, um den Schweiß von der Stirn zu wischen, schlug er das Grammatikbuch auf, und die Arbeitskollegen, die einen flüchtigen Blick in das dicke Buch warfen, schüttelten den Kopf.

»Deutsche Sprache, schwere Sprache. Wir merken's aber nicht, weil sie unsere Muttersprache ist. Hej, Georg, hättest du denn gewußt, was Konjunktiv ist?«

»Nein, Alois. Etwa du?«

Abends paukte manchmal Sabine mit Ümit:
    rufen – rief – gerufen
    nehmen – nahm – genommen
    schreiben – schrieb – geschrieben
    schreien – schrie – geschrien...

Schreien, schrie, geschrien. Schreiend wachte Ümit nachts auf und spürte den Boden unter seinen Füßen weggleiten. Häuser schwankten und stürzten ein, und Ümit glitt in eine finstere Welt. Die Angst vor der Deutschprüfung schnürte ihm die Kehle zu, sie hatte lange, stählernde Hände. Ihm stockte der Atem, als er versuchte, sich aufzusetzen, dann schrie er durch die Nacht, durch die Nächte.

Noch eine Woche bis zur Deutschprüfung, dachte er, als er an der Weißachbrücke zitternd auf die Straßenbahn wartete. Am letzten Abend hatte Wolfgang aus Dillingen angerufen und gefragt, wie es ihm ginge.

»Du wirst es schaffen, Junge«, hatte er gesagt, »und wir feiern deinen Erfolg und die Aufenthaltsgenehmigung, wenn ich zurück bin.«

»Wir werden feiern«, sagten auch Ilhan und Tomris, und Tomris versprach ein großes türkisches Fest. »Für dich, deine deutschen Freunde und die anderen ausländischen Kommilitonen von dem Deutschkurs werde ich kochen«, sagte sie, »alle türkischen Gerichte, die ich kann.«

Tränen perlten in Ümits Augen, als er die schweren Kästen aufhob. Die Weinflaschen klirrten in den großen Kästen, die Ümits Schultern drückten.

Rufen, rief, geriefen, wiederholte Ümit, nein, war das nicht »gerufen«, oder »geriefen«? Verzweifelt setzte Ümit die Kästen auf den Boden und versuchte, sich an das Perfekt von »rufen« zu erinnern.

Noch vier Tage bis zur Deutschprüfung. »Ich will sterben, wenn ich durchfalle«, hatte Ümit Sabine sagen wollen. Er hatte aber geschwiegen, als sie gestern abend zusammen den Lückentest zum Plusquamperfekt machten. Nachdenklich ging Ümit den Fluß entlang. Das war sein täglicher Weg von der Arbeit nach Hause. Das moosige Grün des Wassers erinnerte ihn an Sabines Augen. Überall Sabine mit ihrer weichen Stimme: Es heißt der Beamte, aber ein Beamter. Ümit, das ist die unregelmäßige Deklination.

Schreien – schrie – geschrien.

Noch zwei Tage bis zur Deutschprüfung.

»Meister, darf ich bitte heute und morgen frei haben?«

»Wieso denn das?«

»Weil ich eine Prüfung habe. In der Uni. Die Deutschprüfung. Nach der Prüfung arbeite ich mehr. Ich verspreche.«

(versprechen, versprach, versprachen oder versprochen?)

»Nein, Herr Student, so geht das nicht. Wir sind hier kein Wohltätigkeitsverein. Wenn du morgen um 5.30 Uhr nicht hier bist, dann fliegst du.«

Und der Abgrund, der bodenlose Abgrund aus den tiefsten Tiefen der Finsternis.

»Morgen ist es soweit, Bruder Ilhan.«

»Kopf hoch, Junge. Du kriegst das schon hin.«

Und Tomris: »Und hinterher ist alles halb so schlimm.«

Frau Seitz zündete sich eine Zigarette an und blies den Rauch nervös aus ihrem Mund.

So was ist mir ja noch nie passiert, dachte sie, als sie mit gerunzelter Stirn auf dem Gang vor dem Prüfungsraum stand.

Ein Prüfling kommt zur Prüfung mit einem behördlichen Schreiben in der Hand, daß er ausgewiesen würde, wenn er die Prüfung nicht bestehe. Wie groß muß der psychische Druck auf diesen jungen Menschen sein! Das ist doch kein Zustand.

In der letzten Nacht vor der Deutschprüfung hatte Ümit kein Auge zugemacht. Bis drei Uhr nachts hatte er gelernt, dann hatte er wach auf seinem Bett gesessen.

Wenn ich durchfalle, hatte er gedacht, dann, dann ist nur der Abgrund, eine endlose Leere, sonst nichts.

Er hatte nicht frühstücken können, weil er an starken Magenschmerzen litt. Rasende Schmerzen bohrten in seinem Inneren, alles brannte wie eine offene Wunde aus frischem Blut im gähnenden Abgrund der Finsternis.

Am nächsten Tag war er so fertig mit den Nerven, daß er im Seminarraum, in dem in einigen Minuten die Deutschprüfung stattfinden würde, in Tränen ausbrach.

Frau Seitz: »Was ist mit Ihnen, Herr Karadiken?«

Kein einziges Wort hatte er herausgebracht, statt dessen der Deutschlehrerin das behördliche Schreiben gezeigt, das er die ganze Zeit zerknüllt in seiner Tasche getragen hatte. Was soll ich machen? fragte sich Frau Seitz, als sie ihre Zigarette im Aschenbecher zerquetschte. Ich kann ja keine Ausnahme machen und diesen Jungen einfach die Prüfung bestehen lassen. Er muß ja schon etwas leisten. Eine Drei Minus würde schon genügen.

Dann ging sie in den Prüfungsraum und sagte zu Ümit mit einer Stimme, die sanft und streng zugleich war:

»Nehmen Sie sich zusammen, Herr Karadiken. Sie dürfen nicht aufgeben. Mit Ihrem Weinen deprimieren sie uns alle. Nicht nur die Kursteilnehmer, sondern auch die Prüfer. Nehmen Sie endlich Vernunft an, ja? Nun verteilen wir die Prüfungsaufgaben.«

Der Beisitzer holte bereits die gedruckten Aufgabenblätter aus einer schwarzen Mappe.

Ich bin verloren, dachte Ümit, als er den Fluß entlang ging, die frierenden Hände in die Hosentaschen gesteckt. Ich bin durchgefallen. Ich kann mich jetzt weder bei Ilhan und Tomris noch bei Sabine zeigen. Und nach Hause zurückgehen kann ich auch nicht.

Vater, das Land, von dem du mir am schwachen Feuer des Kohlenbeckens erzähltest, war vielleicht doch das Märchenland. Ich konnte aber den Schlüssel nicht finden, um sein Tor zu öffnen. Ich habe das Zauberwort nicht gewußt, ich habe versagt.

Nach der Prüfung, als er sich zitternd davonschlich, hatte er noch gehört, wie die anderen Kursteilnehmer aufgeregt über die Lösungen der Prüfungsaufgaben redeten. Der Koreaner Kim meinte, daß das Perfekt von »laden«, »geluden« sei, während die Ägypterin Saida von »geladen« sprach, oder umgekehrt. Jedenfalls war Ümit überzeugt, daß seine Antwort falsch war. Mit Schweißperlen auf der Stirn hatte er das Universitätsgebäude wie ein Verbrecher verlassen.

Konjunktiv, die irreale Bedingungs- oder Wunschform. Der Wunsch hat sich nicht erfüllt, weil ich die Bedingung nicht erfüllen konnte. Es war alles irreal, Vater, von Anfang an.

Ümit ging vom Ufer in Richtung Weißachbrücke. Dann bog er in die Hauptstraße ein: diese Ordnung des Verkehrs trotz aller Regsamkeit. Menschen und Autos an den Ampeln, die abwechselnd auf die Farben warteten: Rot-Gelb-Grün, Rot-Gelb-Grün. Wie nichtige Schrauben in einem riesigen Getriebe.

Es war alles irreal, dachte Ümit, als er den Herzogsplatz überqueren wollte, ohne auf die Farben zu achten, er nahm sie nicht einmal wahr.

»Also doch eine Drei Minus«, atmete Frau Seitz erleichtert auf. Als sie und die Beisitzer mit der Korrektur der Prüfungsaufgaben anfingen, hatte sie sofort Ümits Prüfungsblatt durchsehen wollen. Nein, die Note war nicht geschenkt, sondern gerecht.

Sie freute sich so, daß sie dem Prüfling die frohe Nachricht sofort mitteilen wollte. Schnell fand sie in der Kartei der Deutschkursteilnehmer eine Telefonnummer. »Ist doch unerhört«, murmelte sie, »das behördliche Schreiben, die Drohung, der psychische Druck«, während sie die Nummer wählte.

Am anderen Ende des Drahtes klingelte es. Es war ein Anschluß auf

den Namen Wolfgang Scheufele. Ja, die Adresse stimmte auch:
Mittlere Uferstr. 5, bei Scheufele. Es klingelte und klingelte, aber
niemand meldete sich.

Das Krachen löste ein Erdbeben aus. Häuser schwankten leise und
stürzten ein, und die ganze Welt löste sich in Lichtkugeln auf. Obwohl die Wunde, die Wunde aus frischem Blut, wie Glut brannte,
spürte Ümit nichts. Wie irgendein Passant, wie einer von den anderen, die sich um die Unfallstelle versammelt hatten, erlebte er das
Geschehen. Nur die Stimmen hörte er schlecht, die in seinen bluten-
den Ohren sausten. Sie kamen aus undenklichen Fernen.
»Ich habe keine Schuld, ich schwöre, Herr Wachtmeister. Der Junge
sprang plötzlich vor mein Auto«, rief ein blonder Mann. Er hatte
einen dunkelblauen Pullover an, die gleiche Farbe hatten seine fun-
kelnden Augen.
»Ich schwöre, die Ampel war rot für Fußgänger.«
»Ja, sie war rot«, bestätigten Augenzeugen.
Sirenen heulten wie verrückt. Auch sie klangen wie aus undenklichen Fernen, aber im Nu war der Krankenwagen da. Männer in
langen Kitteln und mit gleichgültig ernsten Gesichtern legten den
verblutenden jungen Mann auf eine Bahre und schoben sie in einen
eisigen Backofen, der ätzend nach Medikamenten und Desinfek-
tionsmitteln roch.
Es war der Abgrund, der richtige Abgrund, aber nicht finster, sondern hellweiß, kreideweiß, leichenweiß.
Als die Bahre den Schlund aus Eiszapfen hinunterzugleiten begann,
begriff Ümit, daß er nicht irgendein Passant war, und versuchte mit
zerfetzten Händen, sich am glitschenden Eis festzuhalten, um nicht
in den Abgrund zu stürzen. Aber der Abgrund war so verlockend
wie ein weiches Bett aus Rosenblättern. Nun schwebte Ümit im
Zeitlosen, und Tomris schwor: ein Fest... alle türkischen Gerichte... Moosgrün waren Sabines Augen: du wirst es schaffen,
Ümit.
»Mein Junge«, begann wieder sein Vater am Kohlenbecken zu erzählen.
»Schaffen Sie den Jungen endlich weg«, schrie der Wachtmeister die
Männer in den langen Kitteln an.

Und Frau Seitz versuchte noch einmal, eine Telefonnummer zu wählen. Am anderen Ende des Drahtes klingelte es schallend in einem eisigen Echo. Niemand nahm den Hörer ab.

M. Raif Ersoy

Yoko Tawada
Xander

Xander war in Wirklichkeit nicht Photograph, sondern Deutschlehrer. Er hatte mir, als ich in diese Stadt gekommen war, die ersten Worte beigebracht.

Er gab Anfängern an einer Privatschule Einzelunterricht. Die Lehrmethode dieser Schule besteht darin, keine Erklärungen zu geben. Der Schüler muß alles, was der Lehrer sagt, so lange wiederholen, bis er es auswendig weiß. Ich erinnere mich gut an die erste Begegnung mit Xander.

Er trug eine Jeanshose mit Bügelfalten und ein papierweißes Hemd.

Insofern sah er wie ein Oberschüler aus. Aber Hals, Kinn und Wangen, die aus dem Hemdkragen herauswuchsen, waren in die Haut eines seines Lebens überdrüssigen Mannes im mittleren Alter eingehüllt. Der erste Satz, den Xander mir gesagt hat, war:

»Das ist ein Buch.«

Ich hatte diesen Satz in einem Stück, ohne zu wissen, aus welchen Wörtern er bestand, wiederholt.

»Das ist ein Buch.«

Nachdem wir über einen Kugelschreiber und einen Aschenbecher dasselbe gesagt hatten, war ich schon in Xander verliebt. Zumindest hatte ich den Eindruck. In einen Menschen, der mir Worte beibringt, verliebe ich mich auf der Stelle. Während ich wiederholte, was Xander mir vorsprach, ging meine Zunge in seinen Besitz über. Als Xander an seiner Zigarette zog, mußte ich husten, und meine Zunge schmerzte, als würde sie brennen.

Xander gab den Dingen ihre Namen; wie der Schöpfer. Von diesem Tag an hieß *hon* Buch und *mado* Fenster.

Die nächste Unterrichtsstunde war schon nicht mehr so einfach. Das Glück des Wiederholens ging zu Ende. Als ich gefragt wurde:

»Sind Sie eine Japanerin?«

antwortete ich:

»Ja, Sie sind eine Japanerin.«

Der Trick bei diesem Spiel war, *Sie* durch *ich* zu ersetzen; aber das hatte ich nicht auf Anhieb begriffen.

Xander lachte auf. Wie ein Luftballon, der zerplatzt. Ich lachte nicht. Ich wiederholte alles, was er sagte. Nur sein Lachen wiederholte ich nicht.

An diesem Tag gingen wir in die Stadt Puppen kaufen. Xander kaufte mir eine japanische Puppe aus Seide; ich kaufte ihm eine geigenspielende, blonde Marionette. Seitdem bauchredeten wir beim Konversationsunterricht. Wir ließen die Puppen sprechen; die Puppen führten von nun an unsere Gespräche in der dritten Person. Der Geigenspieler fragte:

»Kann Xander seine Geliebte morgen treffen?«

Die Seidenpuppe antwortete:

»Wohl nicht. Sie fühlt sich nicht danach.«

Seither habe ich zwar die Bedeutung der ersten und der zweiten Person verstanden. Meine Beziehung zu Xander spielt aber bis heute in der dritten Person.

[Aus dem Japanischen von Peter Pörtner]

May Ayim
Deutsch-deutsch Vaterland…
Täusch-täusch Vaderlan…
Tausch-täusch Väterli…

Mein Vaterland ist Ghana, meine Muttersprache ist Deutsch, die Heimat trage ich in den Schuhen. Als die Mauer fiel, hatte ich zeitweilig die Befürchtung, erschlagen zu werden. Nicht viel Angst oder keine große Angst, aber mehr als sonst.

Seit 1984 lebe und arbeite ich in Westberlin und bin in dieser Stadt mehr zu Hause als irgendwo sonst. Dank meines nicht ausgeprägten Orientierungssinnes verlaufe ich mich jeden Tag in den Straßen, aber dennoch, im Vergleich zu den Städten, in denen ich bisher gewohnt und studiert habe, war Berlin stets ein Ort, an dem ich mich recht geborgen fühlte. Meine Hautfarbe ist im Straßenbild kein außergewöhnlicher Blickfang, ich werde hier nicht jeden Tag für mein gutes Deutsch gelobt, und nur selten bin ich in Seminaren, bei Veranstaltungen oder Parties die einzige Schwarze inmitten einer unbestimmten Zahl von Weißen. Ich muß mich zwar häufig, aber nicht ständig erklären. Ich erinnere mich an frühere Zeiten, in kleinen westdeutschen Städten, wo ich oft das Gefühl hatte, unter ständiger Beobachtung zu stehen, an stets forschenden und fragenden Blicken zu erkranken. Ich erinnere mich an Tage, an denen ich mich besonders einsam oder unerträglich exponiert fühlte und beim Einkaufen und im Bus nach Schwarzen Menschen Ausschau hielt. In Berlin, dieser anonymen Stadt mit internationalem Gesicht, verblichen diese Erinnerungsbilder sehr schnell in meinem Gedächtnis. Beim Fall der Mauer und in der Zeit danach fielen sie jedoch, wie aus einer verstaubten Schublade, zurück in meinen Alltag.

In den ersten Tagen nach dem 9. November 1989 bemerkte ich, daß kaum ImmigrantInnen und Schwarze Deutsche im Stadtbild zu sehen waren, zumindest nur selten solche mit dunkler Hautfarbe. Ich fragte mich, wie viele Jüdinnen (nicht) auf der Straße waren. Ein paar Afro-Deutsche, die ich im Jahr zuvor in Ostberlin kennengelernt hatte, liefen mir zufällig über den Weg, und wir freuten uns,

89

nun mehr Begegnungsmöglichkeiten zu haben. Ich war allein unterwegs, wollte ein bißchen von der allgemeinen Begeisterung einatmen, den historischen Moment spüren und meine zurückhaltende Freude teilen. Zurückhaltend deshalb, weil ich von den bevorstehenden Verschärfungen in der Gesetzgebung für ImmigrantInnen und Zufluchtsuchende gehört hatte. Ebenso wie andere Schwarze Deutsche und ImmigrantInnen wußte ich, daß selbst ein deutscher Paß keine Einladungskarte zu den Ost-West-Feierlichkeiten darstellte. Wir spürten, daß mit der bevorstehenden innerdeutschen Vereinigung eine zunehmende Abgrenzung nach außen einhergehen würde – ein Außen, das uns einschließen würde. Unsere Beteiligung am Fest war nicht gefragt. Das neue ›Wir‹ in – wie es Kanzler Kohl zu formulieren beliebt – ›diesem unserem Lande‹ hatte und hat keinen Platz für alle.

›Hau ab du Neger, hast du kein Zuhause?‹

Zum ersten Mal, seit ich in Berlin lebte, mußte ich mich nun beinahe täglich gegen unverblümte Beleidigungen, feindliche Blicke und/oder offen rassistische Diffamierungen zur Wehr setzen. Ich begann wieder – wie in früheren Zeiten – beim Einkaufen und in öffentlichen Verkehrsmitteln nach den Gesichtern Schwarzer Menschen Ausschau zu halten. Eine Freundin hielt in der S-Bahn ihre afro-deutsche Tochter auf dem Schoß, als sie zu hören bekam: ›Solche wie euch brauchen wir jetzt nicht mehr, wir sind hier schon selber mehr als genug!‹ Ein zehnjähriger afrikanischer Junge wurde aus der vollen U-Bahn auf den Bahnsteig hinausgestoßen, um einem weißen Deutschen Platz zu machen...

Das waren Vorfälle in Westberlin im November 1989, und seit 1990 mehrten sich dann Berichte von rassistisch motivierten Übergriffen vor allem auf Schwarze Menschen, mehrheitlich im Ostteil Deutschlands. Berichte, die zunächst nur in Kreisen von ImmigrantInnen und Schwarzen Deutschen bekannt wurden, offizielle MedienberichterstatterInnen nahmen von den gewaltsamen Ausschreitungen kaum Notiz. Ich begann das Jahr 1990 mit einem Gedicht:

grenzenlos und unverschämt
ein gedicht gegen die deutsche sch-einheit

ich werde trotzdem
afrikanisch
sein
auch wenn ihr
mich gerne
deutsch
haben wollt
und werde trotzdem
deutsch sein
auch wenn euch
meine schwärze
nicht paßt
ich werde
noch einen schritt weitergehen
bis an den äußersten rand
wo meine schwestern sind – wo meine brüder stehen
wo
unsere
FREIHEIT
beginnt
ich werde
noch einen schritt weitergehen und noch einen schritt
weiter
und wiederkehren
wann
ich will
wenn
ich will
grenzenlos und unverschämt
bleiben.

André Poloczek

Giorgio Manganelli
Hündchen und Kinder

Eine Reise besteht nicht nur aus nachdenklichen, informativen, lehrreichen oder melodramatischen Momenten, aus literarischen Erinnerungen und aus Offenbarungsschauern; sie ist auch ein Bummel, bei dem man Dinge sieht, die sonderbar und seltsam sind oder einem so erscheinen, wenn man aus einem völlig anderen Land kommt. Wer aus Italien kommt, wird unweigerlich feststellen, wie eigenartig der Verkehr auf den deutschen Straßen ist. Der Deutsche hat vom Auto eine für uns schwer verständliche Auffassung. Man stelle sich vor, er betrachtet es als ein Transportmittel! Natürlich ist es in Italien auch ein Transportmittel, aber es ist noch vieles andere mehr. Zum Beispiel ist es eine unerläßliche Ego-Stütze; es ist ein Vehikel für die Entfesselung von Aggressivität; es ist ein Freipaß für unflätige Reden; es ist ein hochgradig sportlicher Gegenstand, den es mit ungestümer, frischer Streitlust zu benutzen gilt. Das Auto als reines Transportmittel zu betrachten, ist tödlich, ist übertrieben realistisch. Es ist etwa so, wie in einem Museum zu sein und einen ausgestopften Löwen oder das nachdenkliche Skelett eines Tyrannosaurus zu sehen.

Der deutsche Autofahrer versucht nicht zu überholen, es sei denn, es läßt sich nicht vermeiden; wird er überholt, dann sieht er darin nicht, wie es natürlich wäre, eine Beleidigung, die mit einem sofortigen Wiederüberholen getilgt werden muß, begleitet von unzweideutigen Gesten und Wörtern, die eine ebenso strenge wie hochdifferenzierte Meinung über das Sexualverhalten des vorherigen Überholers sowie seiner Verwandten und Angehörigen zum Ausdruck bringen. Keine Spur! Ich habe Autos gesehen, die Platz machten, um das Überholen zu erleichtern. Unglaublich! Unsinnige Vergeudung von Anlässen zum Streit! Die Straßenschilder sind keine scherzhaften Empfehlungen, an die man sich zu halten hat wie an die Mahnungen des Großvaters, sondern Anwendungen der zehn Gebote auf die Straße. Wenn Sie sie nicht respektieren, kann es passieren, daß Sie ein Strafmandat bekommen, die klassischen vierzig Mark. Es hilft nichts zu sagen: »Wir sind Italiener.« Unglaublich, aber die Verkehrspolizisten würden nicht zu schluchzen beginnen und dabei *O sole mio* oder wirre und grundlose Bemerkungen über den Turm von Pisa und den Dogenpalast stammeln. Nichts dergleichen. Sie zahlen Ihre Strafe, man gibt Ihnen eine Quittung, und zur Belohnung läßt man Sie Ihre moralische Minderwertigkeit nicht spüren.

Die Deutschen hupen nicht. Auf der ganzen Reise, einschließlich einiger Stunden während der Rush-hour in Hamburg oder Lübeck, habe ich vielleicht viermal Hupen gehört. Mag sein, daß ich übertreibe. Es war wohl doch nur dreimal. Ich frage mich, wozu man einen Knopf zum Lärmmachen zur Verfügung hat, wenn man ihn überhaupt nicht nutzt. In Italien vermögen wir am Klang der Hupe zu erkennen, welche Beschimpfung übermittelt wird; Ungeduld, Verachtung, Spott, Ärger, Mißbilligung, alles dient dazu, der Hupe die Bedeutung eines Musikinstrumentes zu verleihen. Die Deutschen, die doch zu Recht für ihre Neigung zur Musik bekannt sind, machen nichts daraus; pathologisch, finden Sie nicht?

Ich rede nicht vom Respekt vor den Zebrastreifen, denn das ist keine deutsche Manie; unser geniales Land ausgenommen, sind die Fußgängerüberwege in ganz Europa Gegenstand einer bigotten Ehrerbietung. Gewiß, man soll bekanntlich die lokalen Sitten und Gebräuche respektieren, aber die deutschen Straßen sind wirklich langweilig und auf unglaubliche Weise gut erzogen. Im Auto zu reisen, ist eine Sache der Etikette, eine Zeremonie. Die Autofahrer beschimpfen sich nicht, weil allgemein die Damen beim Fünfuhrtee sich nicht mit ordinären Anspielungen beleidigen, auch dann nicht, wenn die Frau des Bürgermeisters sich die Rosinen aus dem Kuchen geklaubt hat. Lächeln und damit basta. Niemals eine Andeutung auf sexuelle Entgleisungen. Vornehmheit und damit basta.

Es ist unmöglich, eine Vorstellung von Deutschland zu vermitteln, ohne von Hündchen und Kindern zu sprechen. Die neuen Generationen sind sehr damit beschäftigt, wunderschöne, gutgenährte, gutgekleidete und von einem ganzen Universum männlicher und weiblicher Mamas begeistert verhätschelte Kinder zu produzieren;

ich will damit sagen, als Modell gilt das Verhalten der jungen Mütter – und zwar auch für die Väter. Wenn es jemandem gelingt, einem Kind etwas Zärtlichkeit zu entziehen, dann nur einem Hündchen. Verblüffend sind die eigentümlichen Erscheinungsbilder des deutschen Hundes, man sieht wirklich Hunde, die in hohem Maße unwahrscheinlich, aber überaus liebenswert, gut erzogen, willig und sich dessen bewußt sind, daß für ein Hündchen das Leben in Deutschland dem Leben im Paradies nahekommt. Eine junge Familie umfaßt viele Kinder – ein wenig repetitiv – und einen Hund; das Ganze steckt in einem Auto und fährt unter strenger Beachtung der Verkehrsschilder womöglich in die »Holsteinische Schweiz«. Wenn Sie tierlieb sind, können Sie in Deutschland Stunden echter Freude erleben. Wo immer es möglich ist, werden Tiere gehegt, unterstützt und geschützt. Gewisse sehr italienische Eigenheiten, wie das Aussetzen von Tieren im Sommer oder die wilde Jagd auf Flugwild, wären dort nicht nur verabscheuenswert, sondern schlicht unverständlich. Jetzt verstehe ich die Kampagne, die vor einigen Jahren von einigen deutschen Zeitungen gegen die italienischen Jäger entfesselt wurde. Es ist ein Thema, das große Resonanz in der deutschen Seele findet.

Wie sie Tiere lieben, so lieben sie auch Blumen, Pflanzen, Wiesen und Wälder. Es muß einem Italiener, der, sagen wir, in Rom lebt, zu denken geben, wenn er die riesigen Parks sieht, die die deutschen Städte liebenswert machen, und Stadtrandgebiete, die keine Neubauviertel wie Tiburtina oder Prenestina aufweisen, sondern Viertel mit Häusern, die nicht hoch sind und im Grünen liegen. Man hat den Eindruck, daß aus dem Zusammenbruch des Krieges in Deutschland eine Schicht von Administratoren hervorgegangen ist, die sorgfältig, kompetent und darauf bedacht waren, im Wiederaufbau bewohnbare Städte zu schaffen. Hamburg ist nicht schön, es hat kein Kolosseum und keine Piazza Navona, aber es ist äußerst bewohnbar und hat Grünflächen von seltener Anmut. Vielleicht ist es nützlicher, gute Administratoren zu haben als große Politiker.

Ich möchte schließen mit einem naiv pathetischen Bild wie aus einem Almanach. In Lübeck, am Stadtrand, ein winziges Häuschen mit einem Obstgarten, Blumen und einer Katze. Den Obstgarten umschließt ein hoher Drahtzaun. Hinter dem Zaun ein Dickicht von prächtigen wilden Gräsern; danach ein weiterer Zaun, und dahinter erahnt man eine grasbewachsene, öde Fläche; und dann entdeckt man den hohen, schweigenden Wachturm. Jenseits jener Katze, jener Blumen, jenes Grases beginnt das andere Deutschland, der andere Planet. Ich betrachte das Gras zwischen Zaun und Zaun und frage mich, welches sein historischer Stellenwert ist. Aber was für eine Frage!

[Aus dem Italienischen von Sigrid Vagt]

Sabine Berloge
Aber heute bin ich still.
Exil in Deutschland

In der Nähe des Elisabethmarktes wird der Münchener Stadtteil Schwabing immer schicker. Ausgebaute Dachgeschosse, renovierte Fassaden, Bars und Cafés prägen das Bild. Damit einher geht die übliche Vertreibung der alteingesessenen Läden und Geschäfte, die die neuen Mieten nicht verkraften können. Handwerkerbedarf, Fleischerei und Zeitungsgeschäft sind Boutiquen und Antiquariaten gewichen. Die Besorgnis der Anwohner war deshalb groß, als auch das letzte kleine Lebensmittelgeschäft und eine verstaubte Bäckerei vor der Schließung standen. Heute jedoch sind die beiden Läden zusammengelegt und beherbergen eines der wenigen für den Alltag nützlichen Geschäfte der Umgebung.

Unter einer Markise stehen auf der Straße Obst- und Gemüsekästen, auch mit Früchten aus biologischem Anbau. Drinnen erwartet die Kunden nicht nur das klassische Sortiment eines anspruchsvollen Tante-Emma-Ladens, sondern es finden sich Kaviar, Datteln, Rosinen, Pistazien, Henna und, im Winter, süße Zitronen aus dem Iran, Basmati-Reis und arabisches Brot. Ein iranisches Ehepaar versorgt die Nachbarn auch noch am Sonnabendnachmittag mit diesen Köstlichkeiten – oder am Abend, wenn die Supermärkte längst ihre Jalousien heruntergelassen haben.

Mehran Pouya, 41 Jahre alt, ist iranischer Kurde und seit 1984 in Deutschland anerkannter Asylbewerber. Im Iran war er Journalist und Mitglied einer linken Organisation, die zunächst die Revolution gegen den Schah unterstützte, von der islamischen Regierung aber bald verboten wurde. Viele seiner Genossen wurden verhaftet, gefoltert und hingerichtet. Er selbst hielt sich ein halbes Jahr in Teheran versteckt, bis es ihm gelang, über die türkische Grenze zu flüchten. Damals war er schon verheiratet, drei Wochen vor seiner Flucht hatte seine Frau Sima ihr erstes Kind, die Tochter Sara, zur Welt gebracht. In der Türkei blieb Mehran Pouya fünf ungewisse

Monate, bis er in die Bundesrepublik Deutschland weiterreisen konnte, wo er politisches Asyl beantragte.

Was immer sich Sima Pouya, die heute 35 Jahre alt ist, für ihre Zukunft ausgemalt hatte, ein Leben als Lebensmittelhändlerin in einem fremden Land war es sicher nicht. Sie stammt aus einer gutbürgerlichen Familie im Süden Irans, einer Familie, die sie selbst als liberal und demokratisch bezeichnet. So war es selbstverständlich, daß sie Abitur machte und dann nach Teheran ging, um dort zu studieren. Auch die Wahl ihres Studienfaches, Informatik, fand die Zustimmung ihrer aufgeschlossenen Eltern. Das Studium fiel zusammen mit der Zeit der Revolution, die Sima Pouya begeistert unterstützte. Zwar lehnte sie die aufkommende islamische Kleiderordnung für Frauen ab, tröstete sich aber damit, daß es damals genügte, ein Kopftuch umzubinden und ein langärmeliges Kleid zu tragen. So nahm sie mit ihren Kommilitoninnen an vielen Demonstrationen teil und organisierte sich, wie ihr späterer Mann, den sie über die politische Arbeit kennenlernte, in einer linken Organisation. Nach dem Diplom ging sie im Auftrag einer Regierungsorganisation als Lehrerin für Analphabeten an eine Fabrik außerhalb Teherans. Die folgenden zwei Jahre, in denen sie Arbeitern aus dem türkischen Grenzgebiet Lesen und Schreiben beibrachte, gehören zu ihren positivsten Erfahrungen.

Zwar gab es heftige Auseinandersetzungen mit der Fabrikleitung, die die Arbeiter nicht für den Unterricht von der Produktion freistellen wollte, zwar fand sich Frau Pouya nach jeweils zweistündiger Anfahrt in einer für sie völlig ungewohnten Umgebung und Tätigkeit, aber sie unterrichtete mit Erfolg und Engagement und errang schließlich sogar den Respekt und die Unterstützung der Geschäftsleitung.

Dies sollte bis heute die einzige Zeit ihres Lebens bleiben, in der sie eine sie befriedigende Arbeit ausüben konnte. Inzwischen nämlich hatte die politische Repression im Iran massiv zugenommen, sie richtete sich zunächst vor allem gegen die Linke. Deshalb erschien es ihr immer riskanter, als Oppositionelle in einer Regierungsorganisation zu arbeiten. Schweren Herzens ging sie deshalb zurück nach Teheran, wo sie heiratete und als Mathematiklehrerin an einem Gymnasium angestellt wurde. Zwar gefiel ihr auch diese Tätigkeit, aber ihr fehlte der Aspekt der gesellschaftlichen Relevanz, den sie in der Alphabetisierungsarbeit verwirklicht gesehen hatte. Insgesamt spitzte sich ihre Lage immer mehr zu. Während ihrer Schwangerschaft bangte sie um ihren Mann, von dessen Aufenthaltsort und Schicksal sie manchmal monatelang nichts erfuhr. Nach seiner Flucht schließlich brach ihr bisheriges Leben völlig zusammen: Sie mußte kündigen, löste ihre Wohnung in Teheran auf und zog mit dem Neugeborenen zurück in die Provinz zu den Eltern. Dort hoffte sie, der Aufmerksamkeit der Staatsorgane zu entgehen und wartete, wieder einmal, auf Nachricht von ihrem Mann.

Der meldete sich schließlich aus Deutschland. Als Sima Pouya endlich ein Touristenvisum für sich und ihre Tochter erhalten hatte und zu ihm flog, war Sara schon fast ein Jahr alt. Was damals unvorstellbar schien: Erst acht Jahre später sollte sie zum ersten Mal ihre Familie im Iran wiedersehen. Für Herrn Pouya bleibt das Land bis heute verschlossen. Und bis heute haben beide diesen Verlust nicht verwunden: »Wir hatten nie damit gerechnet, daß wir den Iran eines Tages würden verlassen müssen. Es ist sehr schwer, im Iran zu leben, besonders heute. Aber trotzdem: Heimat ist Heimat, der Iran ist unser Zuhause.«

Dennoch war Frau Pouyas erster Eindruck von Deutschland durchaus positiv. Zur Erleichterung darüber, ihren Mann endlich wiederzusehen, kam das Staunen über »die vielen Lichter und Farben«. Im Iran, so erinnert sie sich, sah man auf den Straßen, in den Büros und in der Schule nur schwarze, braune und dunkelblaue Tschadors, alles war gedrückt und düster, nur zu Hause konnte man sich etwas fröhlicher kleiden. In Deutschland aber war selbst die kleine Tochter bereits auf dem Flughaften fasziniert und entzückt von der neuen Helligkeit und Farbigkeit ihrer Umgebung. Insgesamt positiv sind Frau Pouyas Eindrücke von Deutschland bis heute geblieben. Manchmal ist sie sich nicht sicher, ob sie als Ausländerin gemeint ist, wenn Einheimische unfreundlich mit ihr umgehen, oder ob die Deutschen auch untereinander so ungeduldig und mißtrauisch sind. Insgesamt jedoch fühlt sie sich gut aufgenommen. Die Probleme mit dem Leben in Deutschland, mit denen sie dennoch bis heute zu kämpfen hat, haben ihrer Auffassung nach ihren Ursprung in der Tatsache, daß sie gegen ihren Willen ihre Heimat verlassen mußte: »Wo man freiwillig ist, da ist es anders.«

Das Alltagsleben im Exil gestaltete sich von Beginn an recht schwierig. Anders als die meisten Frauen in ihrer Situation stellte Sima Pouya keinen Asylantrag, da sie ihren iranischen Paß behalten wollte. So mußte sie ihr Visum von Monat zu Monat verlängern lassen. Später, als ihr Mann als Asylbewerber anerkannt war, erhielt sie jeweils eine einjährige Aufenthaltserlaubnis, durfte aber zunächst weder arbeiten, noch Sozialhilfe beantragen. So lebten sie vor allem von dem Geld, das ihre Familie aus dem Iran und ihre Schwester aus den USA ihnen schickten. Nachdem ein iranischer Freund sie eine Weile in seinem Studentenzimmer untergebracht hatte, fanden die Pouyas in Köln schließlich eine bezahlbare Wohnung und sogar einen Kindergartenplatz für Sara. Doch das Umherziehen hatte noch kein Ende, denn die politischen Freunde des Mannes, die in der Bundesrepublik eine Exilorganisaiton aufbauten, beschlossen, daß sie ihn in München brauchten, die Familie zog erneut um. Seitdem sie 1985 am Stadtrand eine Wohnung fanden, hat sich ihre Situation etwas beruhigt.

Hier in München besuchte Herr Pouya zum ersten Mal einen Deutschkurs. Daß er diese Sprache dennoch bis heute nur wenig beherrscht, liegt wohl vor allem daran, daß er es im Grunde nicht akzeptieren kann, sich auf eine Zukunft in Deutschland einstellen zu müssen. So bewegt er sich fast ausschließlich innerhalb der iranischen Exilgemeinde und lebt von der Hoffnung, eines Tages nach Hause zurückkehren zu können.

Seine Frau hingegen ging schon bald davon aus, daß sie sich womöglich auf einen längeren Aufenthalt in Deutschland würde einstellen müssen und setzte alles daran, möglichst gut Deutsch zu lernen. Immer wieder jedoch zerschlugen sich Möglichkeiten, einen Kurs zu besuchen, weil die Familie umzog. Die Versuche, zu Hause für sich zu lernen, führten nicht weit, denn die kleine Tochter, nervös und verunsichert durch die vielen Ortswechsel, klammerte sich an ihre Mutter. Schlief Sara endlich, war Frau Pouya zu erschöpft, um noch erfolgreich ihre Lehrbücher studieren zu können. In München wollte sie sich damit nicht mehr zufriedengeben, wollte ohnehin damit beginnen, an ihre iranische Berufsqualifikation anzuknüpfen mit dem Ziel, eines Tages in Deutschland als Informatikerin zu arbeiten. Also absolvierte sie einen Deutsch-Kurs an der Technischen Universität, bestand die Prüfung und schrieb sich im Fach Elektrotechnik ein, von dem sie später hoffte, in den Informatikfachbereich umsteigen zu können. Das war eine Zeit großer Anstrengungen und großer Hoffnungen. Aber schon bald mußte sie ihr Vorhaben, in der Fremde ihr altes Leben zu rekonstruieren, entmutigt aufgeben. Wegen ihrer immer noch bestehenden Sprachschwierigkeiten hätte sie zu Hause in Ruhe lernen und für ihr Studium arbeiten können müssen. Das aber war nicht möglich. Allabendlich trafen sich zahlreiche Exil-Iraner bei der Familie, um nächtelang zu diskutieren. Hinzu kam, daß ihr Mann unbedingt ein zweites Kind wollte, ein Wunsch, dem sie sich nicht entziehen konnte.

Die Geburt des Sohnes Sayan, der 1986 auf die Welt kam, machte es noch schwieriger, das Studium fortzusetzen.

Während dieser Zeit war Mehran Pouya arbeitslos. Zwar vermittelte das Arbeitsamt ihm hin und wieder eine Beschäftigung als Hilfsarbeiter, mit einem solchen sozialen Abstieg wollte und konnte er sich aber nicht abfinden. Die Möglichkeit, in Hamburg an einer mehrjährigen Umschulungsmaßnahme teilzunehmen, scheiterte schließlich wiederum am Veto seiner Genossen. So war die Familie in einer Sackgasse angelangt. Es war Frau Pouya, die schließlich die Konsequenzen aus der verfahrenen Situation zog, ihr Studium aufgab und dreimal in der Woche als Verkäuferin arbeiten ging. Eines Tages berichtete Sima Pouya zu Hause, daß der Laden, in dem sie arbeitete, verkauft werden sollte. »Da entstand dann die dumme Idee, daß wir den Laden kaufen sollten, damit mein Mann Arbeit hatte«, erzählt sie. Arbeit hat ihr Mann seitdem tatsächlich mehr als genug – durchschnittlich 12 Stunden am Tag ist er dort beschäftigt, und er kann den Lebensunterhalt der Familie mit den Einkünften sichern. »Dumm« war die Idee vor allem für Frau Pouya. Der Laden mußte umgebaut und erweitert werden, damit sie genug Umsatz machen konnten. All das verschlang viel Geld, das die Verwandten aufbrachten. Diese Kredite sind noch lange nicht zurückgezahlt, so daß es sich das Ehepaar nicht leisten kann, Angestellte zu beschäftigen. Nur eine iranische Freundin, die Chemie studiert, hilft hin und wieder aus. Also muß Sima Pouya mitarbeiten, muß vor allem immer dann zur Stelle sein, wenn mit Lieferanten oder Versicherungsvertretern auf deutsch verhandelt werden muß.

»Mein Mann sagte: Okay, die ersten Monate hilfst du mir, dann hast du nichts mehr mit dem Laden zu tun. Er hat mir versprochen, daß ich dann frei bin und machen kann, was ich will. Aber es geht nicht, es geht leider nicht.«

Ihr Fazit nach vier Jahren: »Insgesamt kann ich nicht einfach sagen: Der Laden ist das Problem meines Mannes. Er schafft es nicht allein. Trotzdem ist es mir unangenehm, eine Arbeit zu machen, die nicht mein Beruf ist. Sicher, es kommen nette Leute in den Laden, man unterhält sich. Aber es ist doch nicht das, was ich einmal aus meinem Leben machen wollte.«

Die Hoffnung, später einmal ihr Studium wieder aufnehmen zu können, hat sie inzwischen aufgegeben. Aber sie hält fest an dem Ziel, möglichst gut Deutsch zu lernen und eines Tages mit Computern zu arbeiten. »Nicht nur, um einen Job zu haben, sondern auch für mich, für meine Selbstachtung.«

Für beide liegt hier das Hauptproblem ihres Lebens in Deutschland. Ihr Selbstbild und Selbstbewußtsein als eloquente und engagierte Akademiker droht zur bloßen Erinnerung zu verblassen angesichts des Alltags als Lebensmittelhändler, angesichts ihrer Schwierigkeiten, mit der deutschen Umgebung zu kommunizieren.

Sima Pouya beschreibt das so: »Früher hatte ich immer zu allem etwas zu sagen – aber heute, bei der Elternversammlung in der Schule, bei der Bank oder sonstwo bin ich still, aus Angst, Fehler zu machen.« Für Außenstehende ist diese Scheu nicht unbedingt nachvollziehbar, denn Frau Pouya spricht recht gut deutsch. Aber sie orientiert sich an ihren alten Standards und kann sich in der Frau, die beim Sprechen viel überlegen muß und dennoch Fehler macht, die nicht genau das ausdrücken kann, was sie sagen möchte, nicht wiedererkennen.

Zunehmende Isolation von der deutschen Umgebung ist die Folge. Gern würde sie z. B. die Eltern der Spielkameraden ihrer Kinder einmal zum Essen einladen, fürchtet aber, die Geduld ihrer deutschen Gäste zu sehr zu strapazieren, wenn diese spüren, wie schwierig es für sie ist, die richtigen Worte zu finden. Sicher würde sie sich in der fremden Sprache schneller zurechtfinden, wenn sie mit ihren Kindern Deutsch sprechen würde. Diese aber sind angehalten, zu Hause nur Farsi und Kurdisch zu reden, damit sie die Mutter- und die Vatersprache so perfekt wie möglich beherrschen.

Frau Pouya macht sich Sorgen darum, im Laufe der Zeit womöglich nicht nur ihre Selbstachtung, sondern auch die Achtung der beiden Kinder zu verlieren. Sara und Sayan, heute 8 und 6 Jahre alt, sprechen akzentfreies Deutsch und »ertappen« ihre Eltern immer häufiger bei Fehlern. Bei den Schulaufgaben stellen die Kinder fest, daß Mutter und Vater ihnen nur wenig helfen können. Nur wenn Sara für den wöchentlichen Farsi-Unterricht lernt, findet sie in ihrer Mutter eine kompetente Lehrerin. Zwar wird viel vom früheren Leben erzählt, aber es bleiben eben doch nur Geschichten aus einem fernen Land und aus vergangenen Zeiten, die durch keine Realität bestätigt werden.

Ähnlich geht es Sima Pouya, wenn sie mit ihrer Familie die iranischen Feste feiert. Weihnachten, Ostern, Nikolaus, das alles ist ihr fremd, aber genau diese Feste begeistern die Kinder. Schon Wochen vorher erzählen sie ihrer Mutter, was so alles dazugehört, singen Lieder und bringen Bastelarbeiten mit nach Hause. An die iranischen Feiertage jedoch, die den Eltern so viel bedeuten, denken sie erst, wenn die Mutter einige Tage vorher mit den Vorbereitungen beginnt. Manchmal muß Frau Pouya weinen, wenn sie sieht, wie fern ihren Kindern all das ist, was ihr am Herzen liegt.

Dennoch, so gut es geht, versuchen Mehran und Sima Pouya, Sprache(n) und Kultur ihrer Heimat den Kindern zu vermitteln, damit sie eines Tages alle zusammen wieder im Iran leben können. Daran, ob die Kinder dies wirklich wünschen werden, sollte sich jemals die Möglichkeit zur Rückkehr ergeben, hat jedenfalls ihre Mutter durchaus Zweifel. »Sara möchte noch nicht einmal innerhalb Münchens umziehen, weil sie ihre Freundinnen nicht verlieren will. Wie soll sie sich da je an ein Leben im Iran gewöhnen?«

Vor kurzem hat sie die Kinder für einige Wochen mit in den Iran genommen, als sie zum ersten Mal seit acht Jahren dort einen Besuch machte. »Ein riskantes Unternehmen, aber ich mußte es tun. Ich konnte manchmal nicht schlafen vor Heimweh und vor Sorgen. Vielleicht sehe ich meine Familie nie wieder, fürchtete ich, vielleicht sehen meine Eltern niemals ihre Enkelkinder.« Jetzt, nach ihrer Rückkehr, fühlt sie sich ruhiger und ist froh darüber, daß ihre Kinder endlich einmal das Land gesehen haben, das ihre Heimat hätte sein sollen.

Trifft man die Familie Pouya in ihrem Laden, so teilt sich einiges mit von dem Dilemma eines Lebens im Exil. Ruhig und freundlich betreiben die Eheleute ihr florierendes Geschäft, die Kinder toben draußen umher, streicheln den Hund der Nachbarin und erzählen von der letzten Klassenarbeit und davon, daß sie gleich mit ihrer Mutter zum Schwimmen gehen werden.

Solche Szenen vermitteln den Eindruck von Normalität und erfolgreicher Integration, sie belegen, daß diese Familie es geschafft hat, für sich einen lebbaren Ort und eine selbständige Existenz in einem fremden Land, in das sie nicht freiwillig kamen, aufzubauen. Und doch: Der schweigsame weißhaarige Mehran Pouya taut erst auf, wenn er davon berichtet, wie es einer exilierten Iranerin gelungen ist, sich unerkannt im Iran zu bewegen und sogar, unter dem Tschador hervor, Videoaufnahmen von oppositionellen Versammlungen zu machen. Dort sind seine Gedanken, das wäre sein Leben.

Frau Pouya, eine kleine zierliche Person, die ihre Heimat nicht verlieren, aber auch keine Fremde in Deutschland bleiben möchte, wird immer blasser und schmaler, auch ratloser darüber, wie sie persönlich in diesem Land ankommen, einen ihr gemäßen Platz finden soll. Nur für die Kinder scheint die Welt einfacher geordnet zu sein. Nach den Eindrücken ihrer Iran-Reise befragt, erzählen sie zufrieden von den Verwandten und ihren vielfältigen Erlebnissen. »Es hat uns gut dort gefallen«, schließen sie ihren Bericht, »und jetzt ist es schön, daß wir wieder zu Hause sind.«

Fahimeh Farsaie
So ist das Leben

Azar ist wach. Sie starrt zur Decke. Eine dickbäuchige Spinne baut ihr Netz. Die Wände sind weiß. An der rechten Wand hängt Daras Bild. Sein feines Haar fällt ihm locker in die Stirn. An der linken Wand kleben die Farbfotos ihrer Freunde. Sie lächeln, starren in den Himmel oder in die Linse des Fotoapparates. Sie stehen in einem Garten, sitzen vor einem Baum oder liegen neben einer Blume. Sie leben in weiter Ferne. Azar begegnet ihnen nur noch in ihren Erinnerungen. Manchmal weint sie ihretwegen.

Hinter den Gardinen sind der Himmel und der Nebel und zwei Kuppeln zu sehen. Unter den Kuppeln wohnen Elefanten. Azar liebt Fische mehr. Wenn ein Gast aus dem Iran kommt, führt sie den zu ihnen.

Azar möchte noch im Bett bleiben. Aber der Kühlschrank ist leer. Sie muß auch zum Arzt. Sie hat niedrigen Blutdruck. Sie fühlt einen stechenden Schmerz in den Fußsohlen, ihre linke Hand ist oft steif, und dann dieser Brechreiz am Nachmittag.

Bevor sie einkauft, geht Azar zum Sozialamt. Sie bleibt vor der Tür Nummer 419 stehen. Ein Beamter kommt aus dem Raum Nummer 420 heraus und sagt zu ihr: »Bitte setzen Sie sich ins Wartezimmer.«

Azar geht auf das Fenster am Ende des engen Flurs zu und bleibt dort stehen. Es regnet. Azar schaut nicht in den Himmel. Sie weiß, daß er grau ist. Aber sie weiß nicht, ob sie das dunkle, nasse Himmelsgewölbe aushalten kann. Die Leute auf der Straße gehen unter nassen Regenschirmen und in bunten Regenmänteln. Außerdem sieht Azar eine hellgrüne Polizeinotrufsäule, einen roten Feuernotruf, einen dunkelgrünen Altglascontainer, einen blauen Altpapierbehälter und einen gelben Briefkasten. Sie sieht auch das unbeleuchtete Schaufenster eines Teppichgeschäfts und das grüne Dach eines Polizeiautos.

Ein Beamter kommt aus dem Raum Nummer 421 heraus und sagt zu ihr: »Bitte setzen Sie sich ins Wartezimmer.«

Azar setzt sich auf eine hölzerne Bank im Flur vor der Zahlstelle. Sie schaut nicht auf die anderen Leute. Fast jedes Mal trifft sie diese auf dieser Etage oder auf einer anderen. Sie haben es eilig, wenn sie zum Sozialamt gehen. Manche warten gar nicht auf den Aufzug und laufen die Treppe bis in die fünfte Etage hinauf. Sie sind alle wütend, wenn sie das Amt verlassen.

Anfangs beobachtete sie Azar. Sie waren unruhig und ungeduldig. Sie rauchten und schimpften ununterbrochen. Azar wußte, bald würde die angestaute Wut den gelb-blauen Schleim aus ihren Lungen treiben, würden sie zu husten beginnen, würden sie Speichel und Flüche gleichzeitig hinausschleudern. Anfangs wunderte sich Azar, daß sie die Muskeln an ihren Händen und Füßen, am Kopf und im Gesicht so heftig und so schnell bewegen konnten. Als sie aber eines Tages spürte, wie ihre Kiefermuskeln schmerzten, wunderte sie sich nicht mehr. Azar knirscht vor Wut immer mit den Zähnen.

Sie starrt auf die dürren Finger der Kassiererin. Diese reibt die Zehnmarkscheine so lange, bis sie sicher ist, daß sie nicht doppelt sind. Nun kann Azar nicht mehr auf der Bank sitzen bleiben. Sie steht auf und beginnt, hin und her zu wandern. Ein Beamter kommt aus dem Raum Nummer 422 heraus. Er sagt zu ihr: »Bitte setzen Sie sich ins Wartezimmer.«

Der Raum ist vom Rauch vieler Zigaretten erfüllt. Alle Wartenden sind ungeduldig. Azar wischt den Staub von ihren schwarzen Schuhen. Sie streicht ihre schwarzen Strümpfe glatt, entfernt ein Haar von ihrem schwarzen Rock, zupft die Noppen von ihrer schwarzen Jacke, reißt mit den Zähnen einen losen Faden ihrer schwarzen Bluse aus der Ärmelnaht, beugt den Nacken, steckt den Zeigefinger ins Ohr und schüttelt ihn. Sie putzt sich mehrmals ihre Nase, reibt sich die Augen, kämmt sich die Haare. Azar steht auf und bleibt in der Ecke des Zimmers stehen.

Die Tür des Raums 423 öffnet sich. Ein Beamter ruft sie. Als Azar sich bewegt, zeigt er mit dem Finger auf sie. Azar erschrickt. Vor ein paar Tagen hatte ihr jemand ein Flugblatt in die Hand gedrückt. »Ausländer raus!« stand unter der Zeichnung. Doch der Beamte zeigt ihr nur mit einer weitausholenden Handbewegung den Weg in das Büro.

»Ich brauche einen Krankenschein für Zahnarzt und für Internist«, sagt Azar leise und unsicher. Sie weiß nicht, ob sie den Akkusativ oder den Dativ benutzen muß.

Der Beamte sucht Azars Akte heraus. Er greift zum Telefon und wählt eine Nummer: »Ich habe hier eine Frau sitzen, Flüchtling – politisch. Sozialhilfeempfänger. Heißt Azar... geboren in... ehemalige Dozentin, wohnt in... Nummer... hat eine Tochter, ...Mann: Dara... auch politisch, Aufenthaltsort: unbekannt. Bruder: im Gefängnis... Schwester: verschwunden, ...braucht zwei Krankenscheine. Kann ich die ausstellen?« –

»Haben Sie letztes Vierteljahr auch Scheine bekommen?«

Azar starrt den Beamten an und er sie.

»Ja!« antwortet Azar. Die Oberlippe des Beamten lutscht an seiner Unterlippe.

»Das ist aber schlimm...«, sagt sie.

Azar legt ihre schwarze Tasche auf den Schoß, steckt ihre Finger, einen nach dem anderen, zwischen die geflochtenen Bügel. Sie öffnet die Tasche mehrmals und schließt sie wieder, mißt die dicken Fransen der Tasche mit ihrem Mittelfinger, zählt sie eine nach der anderen, teilt das Ergebnis durch zwei, durch drei, durch vier. Bei fünf bleibt ein unteilbarer Rest. Dann vergißt sie alles wieder. Azar ballt ihre Hand zur Faust und schlägt einige Male auf die Tasche. Sie verknotet die Fransen, steckt die Zeigefinger in die Befestigungsösen und zieht sie auseinander. Sie lockern sich. Ein Bügel löst sich vom Rahmen. Azar wickelt ihn um die Tasche und zurrt ihn fest. Azar wischt sich den Schweiß von der Oberlippe.

Wieder hebt der Beamte den Hörer ab, wählt eine Nummer und fragt, welchen Stempel er auf die Krankenscheine drücken soll. Azar stopft die Papiere in den geöffneten Mund der Tasche und geht aus dem Zimmer.

Azar kauft Butter in einem Geschäft, Milch in einem anderen, Brot in einem dritten. So spart sie drei Mark und vergeudet gleichzeitig eine Stunde.

Azar geht am Zoo vorbei. Hinter dem Zaun sieht sie einige Polizisten, die mit gezogenen Waffen den Weg entlanghasten. Einer von ihnen hält seine Mütze fest. Die Zoobesucher fliehen. Pferde wiehern. Esel schreien, Wölfe heulen.

Azar öffnet die Tür ihrer Wohnung. Es stinkt nach gekochtem Blumenkohl. Der Briefkasten ist leer, wie immer. Nur die iranischen Zeitungen stecken im Schlitz. Azar legt Butter, Milch und Brot in den Kühlschrank. Sie ißt den gekochten Blumenkohl, Kartoffeln und Salat. Sie breitet die Zeitungen vor sich aus und beginnt zu lesen:

– Der Justizminister droht: Wer sich in meine Angelegenheiten einmischt, wird bestraft.
  Unverschämt!
– Erlaß des Ministeriums: Die islamische Bekleidung (Kopftuch, lange Jacke, Hose) muß von dunkler Farbe sein. Erlaubt sind die Farben Dunkelblau, Dunkelbraun und Schwarz.
  Unverschämt!
– Eine staatliche Oberschule mit 1300 Schülern wurde geschlossen. Der private Grundbesitzer wollte anderweitig über sein Eigentum verfügen.
  Unverschämt!
– Imam Khomeini befiehlt: »Die Streitkräfte der Pasdaran werden in den Teilbereichen Heer, Luftwaffe und Marine aufgebaut.«
  Unverschämt!

Azars Tochter kommt aus der Schule. Sie kämmt sich ihre Haare, schminkt sich, ißt zu Mittag, hört einige Lieder von Michael Jackson, von Nena und Duran Duran. Dann nimmt sie ihre Englisch-, Französisch- und Deutschbücher, dazu die Wörterbücher, und geht aus dem Haus.

Azar schaltet das Radio ein, sucht einen persischen Sender. Hört dann das israelische Programm. Die Nachrichten von Radio Moskau sind nicht deutlich zu hören. Von den persischen Schlagern, die »Die Stimme Amerikas« ausstrahlt, wird ihr übel. Azar nimmt ein Buch, setzt sich auf einen Stuhl und schaltet den Fernseher ein.

Es ist dunkel geworden.

Um acht klingelt es. Azars Freundin kommt herein. Azar wärmt die Milch auf.

»Das letzte Buch von Böll ist herausgekommen; *Frauen vor Flußlandschaft*.«

Azar holt die Butter aus dem Kühlschrank.

»Die Rechten meinen, es ist schlecht, sowohl vom Inhalt her als auch in der Gestaltung.«

Azar stellt den Honig auf den Tisch.

»Die Linken meinen, es ist interessant. Die Bonner Politiker werden darin entlarvt.«

Azar holt das Brot.

»Nächste Woche wird ein sowjetisches Ballett in der Sporthalle auftreten.«

Azar gießt die Milch in zwei Gläser und stellt sie auf den Tisch.

»Der amerikanische Film *Birdy* läuft im Kino. Der ist auf dem Festival in Cannes ausgezeichnet worden.«

Azar streicht die Butter auf das Brot.

»In zwei Tagen endet die internationale Buchmesse in Frankfurt.«

Azar trinkt einen Schluck Milch.

»Der schwedische Kinderfilm *Ecke und seine Welt* erhielt einen ersten Preis.«

Azar streicht Honig auf das Brot.

»Heute abend läuft ein chinesischer Film von 1984 im Fernsehen. Es geht um das Chaos der Kulturrevolution. Vergiß das nicht, um elf. Im ersten Programm.«

»Nä...«, sagt Azar. Ihre Freundin verabschiedet sich.

Azar geht ins Bad, duscht. Sie nimmt ihr Medikament gegen Verstopfung. Angefangen hat sie mit Pflaumensaft, dann aß sie eine Zeit lang Birnen und Spinat, Gurken, Trauben. Dann nahm sie Kapseln, dann Tropfen. Dann lutschte sie Würfel, so groß wie Würfelzucker und so sauer wie Zitronen. Dann löste sie eine Art Puder wie Mehl im Wasser auf und trank das. Jetzt kocht sie spezielle Kräuter zu Tee und trinkt das. Nun ist sie zufrieden, weil das eine Abwechslung in ihrem Leben ist.

Azar putzt sich die Zähne, macht ihr Bett, schaltet das Licht aus und den Fernseher ein, legt sich ins Bett, zwischen die Wände, an denen die Bilder von Dara und ihren Freunden hängen. Die »Tagesthemen« beginnen:

Weit über das Rheinland hinaus reagierte heute die Bevölkerung betroffen auf die Nachricht vom Tod zweier Schimpansen. Die beiden wertvollen Tiere mußten von der Polizei im Kölner Zoo erschossen werden. Aus Versehen war die Tür ihres Käfigs offen geblieben...

[Aus dem Farsi von Kaweh Parand]

Parviz Sadighi
0387415

Ich sehe manchmal
mein   braunes
      Muttermal
auf   meiner linken
         Hand
         und
vergesse,   daß ich
         nur
eine fünfstellige

         Zahl
im Computer   bin;

denke dann an   dich
    an   deine
         braune Haut
    an   dein Aug, das
         immer noch
         aus dem Dunkeln
         mir
          zuschaut

    Und
  URPLÖTZLICH
   fühle ich mich,
 als wäre ich ein Mensch

       mitten im ganzen
       Papierkram
       allein.

Der Asylantenpaß von Parviz Sadighi trägt die Nummer 0387415

von Steck

Herr Meier ist depressiv, ja, er tut sich selber leid, im Leben ging ihm alles schief, ihm mangelts an...

...Persönlichkeit! Er arbeitet im Reinigungswesen, schwingt mal den Schrubber, mal den Besen!

In seiner triesten Hütte lebt er mit Brigitte, doch Brigitte ist recht kühl, besteht sie doch aus Polyvenyl!

So gleicht, was anderen befriedigendes Erlebnis, dem Meier einem Selbstbegräbnis.

»Ach hätt' ich doch Persönlichkeit, ich brächt' es sicher ziemlich weit!«

»Warum besitzt der Fette Husemann, was ich niemals erreichen kann?« Warum wirft man dem alles hinterher? Warum hat...

Christoph Steckelbruch

... Meier es so schwer?!
»Was dir fehlt, das ist Persönlichkeit!«
spricht Kollege Schlupkoweit.
»Doch kann ich dir geben, was
dir fehlt und kann dir nehmen,
was dich quält!«

»Wer ist denn schuld an all dem Übel,
wer braucht uns demals Scheisse-
kübel?! Ich sag' dir, die Andern
haben Schuld, und bald verlier'
ich die Geduld!!!«

»Genau!!!« ruft Meier, und er
spürt, wie etwas in ihm tiefgefriert,
dafür macht sich was and'res
breit; er fühlt's, das ist
          Persönlichkeit!

Kollege N'bobo tritt herein.
Er muss einer von den Anderen sein!
Zu uns gehört der jedenfalls nicht,
man sieht's ganz deutlich am
          Gesicht!!!

Herrn N'bobo aus Ghana oder so
fand man auf dem Firmenklo.
Die Polizei tat ihre Pflicht,
mehr aber tat sie nicht!

Meier, du tust mir leid,
fandest nicht Persönlichkeit,
fandest nur Ideologie,
aber das ist ja so gut wie!!!

»Ich fühle mich hier nicht zu Hause, leider Gottes«
Rosa Giske im Gespräch mit
Susann Heenen-Wolff

Ich war Schülerin in Polen, ich war sechzehn Jahre alt, als der Krieg ausgebrochen ist. Radom, meine Geburtsstadt, gehörte damals zum Kreis Kielce. Wir waren drei Geschwister, die weitere Familie zählte an die siebzig Personen nach den Aussagen meiner Cousine.

1941 wurde in Radom das Ghetto eingerichtet.

Ich kann darüber gar nicht erzählen, das war furchtbar.

Das ist schlimm, wenn ich davon reden muß.

Frau Giske, war Radom eine große Stadt?

Nein, eine Kleinstadt, aber es haben viele Juden dort gelebt. Ich bin dann zeitweise in eine noch kleinere Stadt gegangen, weil meine Eltern dachten, daß ich da sicherer wäre. Bevor ich noch nach Radom zurückgegangen bin, sind meine Eltern ›ausgesiedelt‹ worden. Mein Vater kam nach Auschwitz; meine Mutter mit meinem kleinen Bruder, er war damals elf Jahre alt, nach Treblinka.

Sie haben Ihre Eltern nie wiedergesehen?

Nein, nein. Und meine Schwester auch nicht; sie ist auch in ein Lager gekommen.

Ich habe dann auf einem Bauernhof Zwangsarbeit gemacht. Wir mußten Kartoffeln ausmachen, da hatten wir wenigstens zu essen. Von da aus sind wir nach Skarzysko-Kamienna gekommen, das hieß da schon »KL« [*Konzentrations-Lager, S. H.-W.*]. Wir mußten alle mit roter Schrift »KL« auf unserer Kleidung markieren. Das war eine Munitionsfabrik, in der wir arbeiten mußten. Es gab drei Werke, Werk A, Werk B und Werk C. Wir haben in Baracken geschlafen, wir haben unsere tägliche Brotzuteilung bekommen, natürlich nicht reichlich. Es war dort sehr streng. Wir wurden morgens von den Baracken mit Werkschützern gebracht, das waren Litauer und Ukrainer. Wir mußten uns in Reihen zum Appell aufstellen, und dann ging es ins Werk. Abends kamen wir wieder in die Baracken, in das Lager. Und das Lager wurde von jüdischer Polizei bewacht.

Also, das war noch schlimmer wie im Ghetto.

Hat die jüdische Polizei aufgepaßt, daß keiner wegläuft?

Nein, sie haben aufgepaßt, daß Ordnung ist. Die jüdischen Polizisten waren schlimm. Sie hatten Vorteile dadurch, daß sie für die Deutschen arbeiteten.

Ich hatte das Glück, im Werk A zu sein. Die Leute im Werk C haben mit irgendwelchen giftigen Materialien arbeiten müssen. Sie waren alle gelb, sie waren schlimmer dran als wir, sie sahen alle aus, als hätten sie die Gelbsucht. Sie kamen immer, wenn wir in die ›Sauna‹ gingen, das war die Entlausung. Sehr viele von ihnen sind gestorben, sofort.

In der ›Sauna‹ haben sie uns Petroleum in die Haare geschüttet, vielleicht war das gut, aber es gab trotzdem viele Infektionskrankheiten, nicht? Typhus vor allem.

Wir waren dort bis 1943, dann sind wir nach Tschenstochau gekommen, Ende 1943.

Da war jemand, der hieß »Battenschläger«, das war der größte Mörder, der rumgelaufen ist. Er hat morgens beim Appell die hübschen Mädchen ausgesucht, und dann wurden sie mißbraucht von den Deutschen. Der Battenschläger war wie ein Krüppel, aber er hat uns jeden Morgen mißhandelt. Wir haben uns immer gefragt, ob wir das überleben.

Im Winter sind wir, leider Gottes, nach Bergen-Belsen abtransportiert worden. Wir mußten furchtbar lange in der Kälte stehen. Aber in Bergen-Belsen selbst war es dann noch schlimmer. Wie die Idioten hatten wir noch unsere Sachen mitgenommen – eine Decke, was Warmes anzuziehen. Wir hatten schon gehört, daß das nicht viel Sinn hat, aber wir haben es nicht geglaubt.

Wir konnten es nicht glauben. Natürlich mußten wir alles abgeben. Ich weiß noch, ich stand da mit einem weißgepunkteten Sommerkleid, in Holzpantinen, ohne Schlüpfer.

Damals, im Ghetto in Radom, hatten wir von polnischstämmigen deutschen Flüchtlingen schon viel gehört, was so passierte, aber wir haben es nicht geglaubt, wir haben gedacht, die lügen, wir konnten es nicht glauben. Wir konnten nicht glauben, daß sie fliehen mußten. Mein Vater, das war furchtbar, hat immer gesagt: »Die Leute lügen! Wie kann ein Volk«, das werde ich nie vergessen, »– wie kann ein Volk, das einen Goethe und einen Schiller hervorgebracht hat, mit so einer Kultur, so was machen!?«

In Polen gab es keinen Mittelstand, es gab Analphabetismus, da hat mein Vater gesagt: »Deutschland kann man doch nicht mit dem hier vergleichen, mit dieser Barbarei.« Also, mein Vater hat wirklich gesagt: »Alles Lüge.«

Und dann haben wir es am eigenen Leibe erfahren.

Meine Schwester ist auch nach Treblinka deportiert worden, aber nicht zusammen mit meiner Mutter, da sie aus einer anderen Stadt deportiert wurde.

Meine Geschwister, meine Mutter, wenn Sie die gesehen hätten! Sie waren strohblond und blauäugig. Sie hätten nie geglaubt, daß das Juden sind. Ich sagte immer: »Was kann mein kleiner Bruder mit elf Jahren dafür?«

Was kann er dafür, daß er ein jüdisches Kind ist? Warum mußte er damals gehen?

Als wir damals von Tschenstochau weg mußten, ist die Stadt in derselben Nacht von den Russen befreit worden. Und uns hat man noch in Viehwaggons nach Bergen-Belsen geschleppt. Das war '44, im Dezember. Das war so kalt! Es schneite so, nicht? Wie die Viecher wurden wir zusammengezwängt in diesen Waggons. Wir hatten nichts zu trinken, wir konnten nicht auf die Toilette. Als wir ankamen, haben sie die Türen aufgemacht, die Toten rausgeholt. Unterwegs hatten wir Station in Buchenwald gemacht. Da waren Männer, die haben geschrien: »Haltet durch! Haltet durch! Der Krieg ist bald zu Ende, haltet durch!«

Wir haben gedacht, die spinnen, aber hinterher haben wir erfahren, daß Tschenstochau in derselben Nacht befreit worden war.

Und wir, wir haben noch bis zum 14. April in Bergen-Belsen gelebt! Und das war wirklich das Schlimmste, was wir erlebt haben. Man kann gar nicht erzählen, was Bergen-Belsen war, auch wenn es keine Gaskammern gab wie in Auschwitz.

Vierzig Jahre später bin ich wieder nach Bergen-Belsen gefahren. Ich bin diese herrlichen grünen Wege entlanggegangen, aber ich habe nur diese Berge von Toten gesehen. Jeden Morgen mußten die,

die noch etwas Kraft hatten, die Toten rausschleppen und vor die Tür legen. Sie wurden gestapelt!

Ich hatte Flecktyphus, ich war lange ohne Besinnung, hatte hohes Fieber. Heute bin ich dick, aber damals habe ich 38 Kilo gewogen. Ich hatte eine Freundin, die heute auch in Hannover wohnt. Ohne sie hätte ich Bergen-Belsen wahrscheinlich gar nicht überlebt. Ich wollte nicht mehr leben und bin nie meine Suppe holen gegangen, weil sie sich immer so geschlagen haben, um die Suppe zu bekommen. Meine Freundin war Hilfs-Stubenälteste. Sie hat mich gefragt: »Warum kommst du nicht deine Suppe holen?«

Und da habe ich gesagt: »Ich will nicht mehr leben.«

Da hat sie gesagt, und sie erzählt das heute noch oft, ich hätte so große Kulleraugen gehabt und ganz traurig geguckt. Da sagt sie also: »Guck mal, das darfst du nicht machen.«

Ich habe gesagt: »Ich weiß nicht, wenn ich niemanden mehr habe, wo soll ich denn danach hingehen?«

In Bergen-Belsen wurden wir nur gequält, wir brauchten nicht arbeiten. Jeden Morgen mußten wir um vier Uhr zum Zählappell. Ich kann manchmal gar nicht glauben, daß ich das alles mitgemacht habe, woher ich die Kraft hatte, das zu überleben.

Die Aufseherinnen waren viel schlimmer als die Männer. Sie waren richtige Bestien. Später habe ich mich gefragt: »Wie kann eine Frau so was machen? Eine Frau, die doch später vielleicht Mutter sein wollte?« Das kann ich heute noch nicht fassen. Da war so eine, die hatte ein richtiges Engelsgesicht, Irma Grese hieß sie. Sie hatte einen Hund. Und der Hund war der Mensch, und der Mensch war der Hund. »Mensch, beiß den Hund!«

Wenn sie durch das Lager ging, war keiner sicher; sie hat die Hunde auf uns gehetzt.

Wissen Sie, was aus ihr geworden ist?

Ja, sie wurde noch geschnappt und wie der Lagerleiter in Nürnberg gerichtet. Gott sei Dank. Aber viele andere haben sie nicht geschnappt. Da gab es noch einen anderen Aufseher, Fritz, ein SS-Mann. Aber der hat manchmal einen Kessel Essen für die Häftlinge reingegeben, dem hätten sie nichts getan. Aber er hat sich das Leben genommen, obwohl er manchen Häftlingen das Leben gerettet hat.

Es gab einen Arzt, der sich später in Hannover niedergelassen hat.

Ohne ihn hätten wir alle nicht überlebt. Das war ein SS-Arzt. Er hat uns in den letzten Tagen gewarnt, daß wir das Brot nicht essen sollen, das vergiftet war. Wir haben später dann für ihn ausgesagt. Seine Frau kommt heute noch zu uns in die Gemeinde, er ist inzwischen gestorben.

Hannover ist nicht weit von Bergen-Belsen.

Ja eben. Nach dem Krieg waren wir ja alle krank. Wir sind befreit worden am 15. April, das ist mein Geburtstag. Ich saß da und weinte, daß ich schon wieder ein Jahr älter werde, ohne daß ein Ende für uns absehbar war. Und da kam meine Freundin in unseren Block und rief: »Kinder, wir sind frei! Die Engländer sind da!«

Da haben sich die Mädchen auf sie gestürzt und gesagt: »Mach nicht solche Witze, sonst schlagen wir dich tot.«

Verstehen Sie, sie haben es nicht geglaubt, es war unfaßbar für uns. Keiner hat geglaubt, daß diese *Gehenne* [*jiddisch: Hölle, S. H.-W.*] einmal ein Ende haben würde.

Die Engländer haben dann einen großen Fehler gemacht. Wir waren alle wie die ›Muselmänner‹, wir waren wie Skelette. Und da haben uns die Engländer die Wehrmachtskonserven zu essen gegeben, fette Sachen. Viele haben die Ruhr davon bekommen, und meine Freundin ist drei Tage – sie hatte Bergen-Belsen überlebt – aber drei Tage nach der Befreiung ist sie gestorben. Wir waren immer zusammen gewesen. Sie stammte auch aus Radom. Wir waren in sämtlichen Lagern zusammen gewesen. Wir hatten immer gesagt, wenn der Krieg einmal zu Ende geht, wenn wir das überleben, wenn wir wieder normale Menschen sein können, werden wir alles gemeinsam machen.

Ich sprach damals ein bißchen Englisch, von der Schule her, kein Wort Deutsch. Und als ich eine Zeit im Krankenhaus gewesen war, habe ich für die Engländer bei der Entlausung gearbeitet. Und dann hieß es, daß die Engländer jüdische Mädchen suchen, die etwas Englisch können. Und so bin ich nach Hannover gegangen. Zuerst habe ich im englischen Offiziers-Shop gearbeitet, mit sechsundzwanzig deutschen Mädels. Mit denen habe ich heute noch guten Kontakt. Sie haben mir sehr geholfen. Ich hatte nichts. Sie haben mir mal einen Büstenhalter gebracht, einen Schlüpfer. Bald habe ich dann auch verdient.

Danach habe ich für die UNRRA gearbeitet, und dann für die Jüdische Emigrations-Organisation, die die Ausreise von Juden nach Israel vorbereitete.

Wann haben Sie erfahren, daß von Ihrer Familie niemand überlebt hatte?

Nach dem Krieg. Wir standen auf der Liste der Überlebenden von Bergen-Belsen, und es wurde über das Rote Kreuz und andere Organisationen nach Verwandten gesucht.

Sie sind nicht nach Polen gefahren, um zu suchen?

Nein. Ich habe gesagt, ich will nie wieder nach Polen, weil wir so schlimme Erfahrungen mit den Polen gemacht haben. Verstehen Sie, sie haben für drei Kilo Zucker die jüdischen Kinder ausgeliefert, die bei ihnen illegal untergebracht worden waren. Sie haben von den Juden das Geld für die Unterbringung genommen und dann das Geld von den Deutschen für die Auslieferung. Mein Fuß wird nie wieder polnische Erde betreten. Ich kann nicht verstehen, wie heute da jemand hinfahren kann. Die Polen sind solche Antisemiten! Bis heute! Mein Mann ist in Theresienstadt befreit worden, und er ist gleich nach Polen gefahren. Man hat ihn nicht in seine eigene Wohnung gelassen. Die haben gesagt: »Was willst du, du Jude, hier, willst du, daß man dich auch umbringt? Mach, daß du wegkommst.«

In meiner Stadt, Radom, war gleich nach dem Krieg ein Pogrom, in Radom und in Kielce.

Meinen Mann habe ich in der Jüdischen Gemeinde in Hannover kennengelernt. Dort wurden Pakete von der UNRRA ausgegeben. Man war allein, und da haben wir geheiratet.

Mein Mann hat niemanden mehr. Er hat überhaupt keinen. Er hat niemanden!

Ich hatte doch auch Tempotücher. [*Frau Giske weint schon seit einer ganzen Weile*]

Ich habe genügend Taschentücher.

Obwohl ich diese Mädels kennengelernt und gemerkt hatte, daß es auch andere Deutsche gibt, haben wir doch sehr unter uns gelebt. Wir Überlebenden haben unter uns gelebt, nicht wie im Ghetto, aber wir kamen nicht mit Christen zusammen.

Wir wollten eigentlich nach Kanada auswandern. Aber dann sind wir sitzengeblieben. Mein Mann sagte, was soll ich in Kanada machen? Er machte hier kleine Geschäfte, hatte so einen Straßenstand für Textilien. Und er sagte: »Du kannst Englisch, ich nicht. Nachher wird es in Kanada so sein, daß du mir meine *Parnosse* [*jiddisch: Verdienst, S. H.-W.*] gibst, du wirst für mich arbeiten müssen, und das möchte ich nicht.«

Jedes Mal hat er mich vertröstet. Ich habe gesagt: »Ich kann hier nicht leben, diese verfluchte Erde, ich kann das nicht.«

Dann fing es auch an mit der Wiedergutmachung. Mein Mann und ich, wir haben nicht für unsere Eltern Wiedergutmachung beantragt, obwohl man das konnte. Ich habe gesagt: »Ich bin gestraft, daß ich hier lebe. Das kann ich nicht machen.«

Ich bin heute noch keine deutsche Bürgerin. Ich habe gesagt: »Das kann ich meinen Eltern nicht antun.«

Meine Tochter ist hier in Deutschland geboren. Mein Schwiegersohn hat mir am Anfang Vorwürfe gemacht! Ich hatte meiner Tochter freigestellt, sich mit achtzehn zu entscheiden, ob sie die deutsche Staatsangehörigkeit annehmen will. Aber sie wollte auch keine Deutsche werden. Sie ist auch keine Deutsche. Und deshalb muß sie für jede Reise ein Visum beantragen. Ich auch, ich muß sogar ein Visum beantragen, wenn ich nach Israel fahre! Ist doch komisch, ein Visum für einen Juden.

Wir sind also geblieben, ein Jahr, noch ein Jahr, und noch ein Jahr.

Mit der Zeit haben wir dann auch deutsche Freunde gefunden und richtig Deutsch gelernt.

Aber heimisch habe ich mich nie gefühlt.

Seit 1980 arbeite ich nicht mehr in unserem Laden und habe jetzt ehrenamtliche Posten in der Jüdischen Gemeinde.

Wann ist Ihre Tochter zur Welt gekommen?

Die Gabi ist 43 Jahre alt. Sie hat als Kind viele schlechte Erfahrungen in Deutschland gemacht. Sie hat Antisemitismus in der Schule erlebt, und da haben wir sie aus der Schule herausgenommen und nach Paris auf die Schule geschickt. Dann ist in Frankreich de Gaulle an die Macht gekommen, und da wollte mein Mann, daß sie wieder zurückkommt. Da habe ich sie in die Waldorf-Schule gegeben, weil ich dachte, der Rudolf Steiner war kein Antisemit. Was

meinen Sie, was sie da erlebt hat? Man hat ihr in die Bank Haken-
kreuze geritzt. Und da habe ich sie wieder nach Frankreich geschickt.

Wo hat sie gewohnt?

In Neuilly, in einem jüdischen Heim. Sie hat dann in den Ferien hier
in Hannover ihren Mann in der Jüdischen Gemeinde kennengelernt
und ist nicht mehr nach Paris zurückgegangen.

*Warum sagen Sie, Sie wären gestraft, daß Sie in Deutschland
leben?*

Ich fühle mich nie heimisch, obwohl ich Freunde habe, obwohl es
einen Dialog gibt. Ich fühle mich schuldig, daß ich hier sitze. Die
deutsche Staatsangehörigkeit nicht zu haben, ist irgendwie eine Erleichterung, obwohl das hirnverbrannt ist. Aber ich könnte nie
deutsche Bürgerin werden. Ich fühle mich hier nicht zu Hause, bis
heute nicht, leider Gottes.

Unsere Hoffnung ist: wir wollen eine Wohnung in Israel kaufen,
und ich bin froh, daß meine älteste Enkelin eine große Zionistin ist,
sie ist jetzt *Madricha [hebr.: Jugendleiterin, S. H.-W.]* und ist sehr
aktiv in der Gemeinde und fährt oft nach Sobernheim [*jüdische Kul-
tur- und Freizeitstätte, S. H.-W.*] und betreut die jüngeren Kinder.
Meine Hoffnung ist, daß sie vielleicht einmal nach Israel geht.

Ich fühle mich gegenüber den Umgekommenen schuldig, daß ich
hier sitze.

Neun Jahre nach der Befreiung habe ich erfahren, daß eine Cousine
von mir ebenfalls überlebt hatte. Sie hatte noch einen Bruder, der ist
leider tot, und zwei Schwestern, eine in Kanada, die andere in Amerika. Ich konnte es erst gar nicht fassen, daß ich noch Verwandte
habe.

Es war ein reiner Zufall. Wir waren am Timmendorfer Strand, mit
der blonden Gabi. Und da gehen zwei Damen vorbei und sagen auf
polnisch: »Wenn ich nicht wüßte, daß das ein deutsches Kind ist,
hätte ich geglaubt, daß es eine Cousine von einer Freundin von mir
ist. Sie sah genauso aus mit ihrem blonden Pony.«

Und da habe ich auf polnisch geantwortet: »Wieso, wer bist du
denn?«

Und da sagt sie zu mir: »Ruschka!«

Sie haben sich zufällig am Timmendorfer Strand getroffen!

Ja. Das war eine ehemalige Schulfreundin von mir. Und sie wußte, daß eine Cousine von mir in Paris lebt.

Wenig später bekomme ich einen Anruf aus Paris, und da heißt es: »Ruschkele« – das war mein Kosename zu Hause –, »Ruschkele, weißt du, wer mit dir spricht? Ich bin die Tochter von deines Vaters ältestem Bruder. Ich habe dich zuletzt gesehen, als du zweieinhalb Jahre alt warst.« Sie ist damals zum Studium nach Paris gegangen. Wir sind sofort mit Gabi nach Paris gefahren. Dieses Wiedersehen können Sie sich nicht vorstellen. Und dann hat mich ihr Bruder angerufen, ihre Schwester. Und dann hatten wir Kontakt.

Meine Tochter hatte immer gefragt: »Warum habe ich keinen Opa, keine Oma, keine Tante, keinen Onkel – niemanden?« Alle anderen hatten Verwandte.

Und da war sie so glücklich: »Jetzt habe ich auch Tanten und Onkels!«, obwohl meine Cousine ja eigentlich gar nicht ihre Tante ist.

So habe ich erfahren, daß ich noch jemanden habe. Aber mein Mann hat niemanden mehr, niemanden!

Ich hatte doch auch Tempotücher.

Nehmen Sie doch bitte meine.

Man kann das nicht glauben, daß man das alles mitgemacht hat. Wissen Sie, mein Mann wacht nachts auf, schreiend. Wir haben das verdrängt die ganzen Jahre. Wir haben immer gedacht: nur nicht daran denken, nur nicht davon sprechen.

Das war vielleicht nicht gut. Vielleicht wäre es heute nicht so gravierend bei uns.

Ihr Mann wacht nachts schreiend auf?

Ja, sicher. Ich auch. Die Träume. Aber das sind nicht nur wir, ich glaube, daß es vielen so geht. Bloß nicht davon reden, viele Jahre war das Thema tabu. Mein Schwiegersohn ist eines Tages gekommen und hat gesagt: »Du mußt reden, du mußt. Wenn du nicht redest, wer erfährt dann, was war?«

Man kann das selbst kaum glauben, daß man stark genug war, das alles zu überleben, daß man wieder gehen kann, leben kann.

Und dann sagen Leute, daß das alles erlogen ist. Deshalb sagt mein Mann, daß es keinen Zweck hat, darüber zu sprechen.

Er ist ganz verschlossen, ich brause inzwischen auch einmal raus und kann schon mal losheulen. Er kann das nicht. Das ist viel schlimmer. Ich wollte so gerne, daß er mitkommt zu diesem Gespräch. Aber er wollte nicht. Besuchen Sie uns doch noch einmal.

Ja.

Das Schlimmste war nach der Befreiung, daß man sich immer gefragt hat: wofür? Wen hast du noch? Alles war wie ein Zwang. Man hat sich angezogen wie unter Zwang, weil es eben sein mußte, man hat gegessen, aber was sollte das alles?

Dem Leben wieder einen Sinn abgewinnen?

Ja. Wir waren sehr gleichgültig, sehr gleichgültig geworden. Wir Überlebenden haben versucht, uns zu betäuben. Wir wußten nicht, daß es ein Unterbewußtsein gibt, daß es weiter in uns gearbeitet hat; daß die Psyche das nicht verkraften konnte, wußte keiner. In der ersten Zeit haben wir dauernd gefeiert und gemacht, aber es war sinnlos, was wir getan haben. Wir sind ausgegangen, aber es war alles sinnlos, es war eine Betäubung, wie wenn man eine Droge nimmt.

Jedes Jahr, wenn ich Geburtstag habe, denke ich, ich bin neu geboren. Es war ja mein Geburtstag am Tag der Befreiung. Und ich habe mich gefragt: frei, wofür? Die anderen Mädchen hatten mehr Mut wie ich, auch schon im Lager. Die anderen haben gekämpft, aber ich wollte gar nicht überleben.

Wenn ich heute zurückdenke: was hatten wir alles! Ich hatte sehr nette Eltern, aber was hatte ich von ihnen? Meine Mutter war, als sie umgekommen ist, so alt wie meine Tochter jetzt, Anfang vierzig. Sie war relativ jung, hatte schon mit achtzehn geheiratet.

Meine Cousine war auf ihrer Hochzeit gewesen, das war 1921. Sie war damals dreizehn Jahre alt. Sie hat erzählt, es war so eine schöne Hochzeit. Das erzählt sie mir. Sie hat mir so viel von meinen Eltern erzählt. Ich wußte ja viele Dinge gar nicht, über die Verwandtschaft.

Haben Sie noch Photos aus der Vorkriegszeit?

Nein. Meine Cousine hat Photos von ihren Eltern, aber von meinen hat sie keines. Ich habe die Bilder meiner Eltern mitgetragen, ich habe sie mitgetragen in alle Lager, aber in Bergen-Belsen ist uns alles abgenommen worden, als wir zum Baden gehen mußten bei der Ankunft.

[*Frau Giske sucht in ihrer Tasche nach Tempotüchern.*]
Ich habe genügend Taschentücher. Nehmen Sie bitte.
Sie hat mir erzählt von meinem Vater, der war so bildhübsch, so groß. Er war so stolz auf mich, ich war die Älteste. Und wenn wir spazierengingen, haben die Leute gesagt: »Ach Gabriel, ist das deine Tochter?«
Hieß Ihr Vater Gabriel?
Ja.
Heißt Ihre Tochter deshalb Gabi?
Gabriela, ja.
Manchmal denke ich, daß ich meiner Mutter Unrecht getan habe, weil ich meinen Vater so vergöttert habe. Er hat mich so verwöhnt. Ich komme eigentlich aus einem religiösen Elternhaus, und meine Mutter hat immer gesagt: »Wenn du so weitermachst, wird sich deine Tochter noch taufen lassen!« Wissen Sie, das wäre eine Schande gewesen. »Das wirst du ihr auch noch erlauben!«
Er hat mich so verwöhnt und mir alles nachgegeben. Heute sehe ich die Haltung meiner Mutter ganz anders als früher, ich bin ja inzwischen selbst Mutter geworden. Aber leider hatte ich sie zu kurz da, nicht? Gerade, wo man angefangen hat, etwas mehr zu verstehen, kam diese Gehenne.
Meine Enkeltochter ist gerade fünfzehn geworden, und dann sehe ich mich, wie ich damals war.
Unsere Familie, die Enkel halten uns am Leben. Damals habe ich nicht geglaubt, daß ich eine Familie haben würde. Es war auch nicht leicht. Mein Mann hat am Anfang geglaubt, daß ich kein Kind bekommen könnte. Im Lager hatten wir Frauen keine Blutung mehr, das war vielleicht ganz gut.
Warum?
Na, woher sollten Sie Watte nehmen, was hätten Sie machen können im Lager? Also, einesteils war es gut, aber viele von uns haben keine Kinder mehr bekommen. Mein Mann war so lieb. Er hat immer gesagt: »Dann wirst du immer mein Kind sein.« Aber ich habe auch gedacht, es könnte ja an ihm liegen.
Dann war ich doch schwanger. Aber danach nie wieder. Wir wollten eine große Familie. Ich hätte mich operieren lassen müssen. Aber mein Mann hat gesagt: »Wir haben ja – Gott sei Dank – ein Kind. Da

brauchst du dich nicht operieren zu lassen. Nachher passiert noch was bei der Operation.«

Die Enkelkinder sind unser ein und alles. Die sind so besorgt um uns. Sie glauben gar nicht, wie die uns vergöttern! Wir fahren zweimal im Jahr zusammen in den Urlaub.

Ich bin so froh, daß Sie überlebt haben.

Jetzt bin ich auch froh, aber anfangs war ich gar nicht froh. Jetzt sind wir froh, daß wir eine Familie geschaffen haben. Aber wenn meine Eltern die Geburt ihrer ersten Enkelin erlebt hätten – was hätten sie alles für sie getan! Wissen Sie, bei allem haben wir immer gesagt, ach wenn das die Eltern noch erlebt hätten, wenn das meine Schwester, mein Bruder noch erlebt hätten!

Was tragen denn Ihre Enkelkinder für Namen?

Die Große heißt nach der Oma väterlicherseits und nach meiner Mutter, die Kleine heißt nach der Mutter meines Mannes.

Die Kinder tragen die Namen der Umgekommenen?

Ja, sie tragen die Namen der Umgekommenen.

Chima Oji
Wintermärchen und deutsche Weihnacht

Nach der schicksalhaften Wende, die meinem Aufenthalt in Münster Sinn und Richtung gegeben hatte, faßte ich also schrittweise Fuß und fand bald meinen Weg in der Stadt; und jeder neue Tag bereicherte mich um wertvolle Erfahrungen. So vergingen die Wochen im Fluge, und das Jahr nahm seinen Lauf. Die Tage wurden allmählich kürzer, kühler, es regnete jetzt häufiger; der Herbst mit seiner trüben Stimmung, dem wolkenschwer verhangenen grauen Himmel und den heftigen Stürmen hielt Einzug und ließ mich so manches Mal schon beim Blick aus meinem Fenster frösteln, wenn ich morgens die Vorhänge zurückzog. [...]

Ich sah meinem ersten Winter mit Neugier, in die sich ein leichtes Schaudern mischte, entgegen. War doch in den teilweise grotesken Geschichten, die die »been tos« [Afrikaner, die aus Europa in ihre Heimatländer zurückkehren und dort viele Geschichten über ihre Erfahrungen erzählen. Der Ausdruck stammt von ihrer Redeformel: »I have been to...«] über ihn zu erzählen wußten, der europäische Winter ein märchenhaft-schauriges Naturereignis voller unheimlicher Gefahren für Gesundheit und Leben. Mit Eifer hatten sie uns ausgemalt, welche Unzuträglichkeiten die kalte Jahreszeit gerade für die auf das unwirtliche Klima der nördlichen Hemisphäre nicht vorbereiteten Gäste aus den Tropen bereithielt: Selbst in geschlossenen Räumen sei es so bitterkalt gewesen, daß sie noch in den wärmsten wollenen Pullovern, die wir kannten, erbärmlich gefroren hätten. Die grimmige Kälte hätte sie dazu gezwungen, vor dem Schlafengehen etliche wärmende Kleidungsstücke übereinander anzuziehen, und dennoch hätten sie nachts im Bett unter dicken Federkissen vor Kälte am ganzen Leibe gezittert und jämmerlich mit den Zähnen geklappert.

Es kam vor, daß der Erzähler solcher Episoden unvermittelt aufsprang, um den faszinierten Zuhörern ganz lebensnah sein Zittern und Zähneklappern vorzuführen. Viele »been tos« waren geübte Schauspieler; die verstanden es, das, was Worte nicht vermochten, durch eindrucksvolles Mienenspiel und lebhafte Gesten zu dramatisieren. Mit Händen und Füßen redend, das Gesprochene durch laute Ausrufe, Stöhnen und Kopfschütteln unterstreichend, und sich dann auch wieder vor Lachen ausschüttend über die Bilder, die die eigenen Ausführungen in ihnen hervorriefen, überzeugten sie ihr Publikum davon, was sie unter mörderischen Witterungsbedingungen – die uns fast außerirdisch erschienen – erlitten hatten. Monatelang, so ließen sie uns wissen, herrschte eine Eiseskälte in ganz Europa; und wenn man nicht elendiglich erfrieren wollte, dürfte man nur mit schweren, fellgefütterten Stiefeln an den Füßen auf die Straße gehen, eingepackt in unförmige, steife Mäntel, wollene Schals und Mützen, die nur die Augen frei ließen, so daß man sich nur noch schwerfällig und unbeholfen bewegen konnte. »Been tos« sparten nicht an Übertreibungen, wenn es darum ging, uns Bewunderung für diejenigen zu entlocken, die einen oder mehrere Winter lang den klirrenden Frost ertragen hatten. Sie wußten ja, daß uns alles, was sie uns auftischten – mochte es wahr oder erfunden sein –, unbegreiflich fremd war; wir hatten nie winterliche Temperaturen kennengelernt, wir kannten weder Schnee noch Eis. [...]

Der Winter 1967 brachte mir auch meine erste deutsche Weihnacht, und ich machte die ernüchternde Entdeckung, daß die Art und Weise, wie das Fest hier begangen wird, so gut wie nichts gemeinsam hat mit den nigerianischen Weihnachtsbräuchen, wie ich sie damals kannte. Europäische Missionare hatten mit anderen christlichen Traditionen auch das Geburtsfest Jesu in meine Heimat gebracht. Mit den Jahren prägte aber die Lebensart unseres Volkes christliches Brauchtum und gab auch dem Weihnachtsfest ein afrikanisches Gesicht.

Ich hatte Weihnachten als ein großartiges Ereignis in Erinnerung, das gestaltet wurde von der Freude am mitmenschlichen Zusammensein. Im Rahmen der Festvorbereitungen wurden die Kinder, manchmal auch die Erwachsenen, von Kopf bis Fuß eingekleidet. Von besonderer Wichtigkeit waren dabei die neuen Schuhe, die während der Feiertage erstmals getragen und bei den festtäglichen Ausgängen, vor allem zur Kirche, stolz vorgezeigt wurden.

Für die Dorfjugend bildete sicherlich das Carrol-Singen einen der Höhepunkte des Festes. Jungen und Mädchen sammelten sich am Weihnachtsabend auf dem Marktplatz, um von dort aus durchs Dorf zu ziehen und Christmas-Carrols, also Weihnachtslieder, zu singen. In der stimmungsvollen Atmosphäre dieses Abends wußten sie sich ein wenig der allgegenwärtigen Aufsicht der Erwachsenen zu entziehen, und sie erlaubten sich unter dem Mantel des Carrol-Singens manch kleine Freiheit, die ihnen wegen der strengen sozialen Kontrolle dörflicher Enge zu anderen Zeiten versagt blieb.

Im Mittelpunkt der Vormittage standen an beiden Weihnachtstagen feierliche Gottesdienste; von dort drang jubelnder Gesang bis in alle Gassen des Dorfes. Und während der Rest der Familie zum gemeinsamen Kirchgang aufbrach, begab sich die Mutter oder ein Mädchen in die Küche, um dort mit großer Sorgfalt in einer gleichfalls feierlichen Handlung das Festessen zu kochen. Schon in der Vorweihnachtszeit hatten Freunde und Verwandte mit den besten Wünschen für das nahende Fest wertvolle Lebensmittel wie Palmwein, eine besonders dicke Yamswurzel, ein Zicklein oder ein Huhn überbringen lassen, die nun die Festtafel bereichern würden. Zur Krönung weihnachtlicher Gaumenfreuden gönnten sich die Menschen seltene und teure Kostbarkeiten, auf die sie das ganze restliche Jahr verzichten mußten, so daß ihnen schon beim bloßen Gedanken ans Weihnachtsessen das Wasser im Munde zusammenlief. In allen Häusern, vor allem bei den bessergestellten Teilen der Großfamilie, war man an diesen Tagen jederzeit bereit, Gäste zu empfangen und zu bewirten; oder man machte sich selbst auf den Weg, um etwas vom Festmahl bei Bruder, Schwester, Onkel oder Tante abzubekommen. Dann saß man stundenlang zusammen, aß und trank in fröhlicher Stimmung und hatte sich unendlich viel zu erzählen.

Die größte Freude an Weihnachten aber hatten die Kinder, denn sie wurden von nahen und entfernten Verwandten und Bekannten mit Geldgeschenken überhäuft – in der Größenordnung von Pennys, versteht sich. Auch ließ die festliche Stimmung der Heranwachsenden sich nicht hinter der Umzäunung des elterlichen Gehöftes einsperren, sie verlangte nach Öffentlichkeit, nach Begegnung und Austausch mit anderen. So streiften sich die Jungen kunstvoll geschnitzte Masken übers Gesicht und marschierten lärmend zum Marktplatz, wo sie sich mit Gleichgesinnten trafen, und von wo aus sie zu den Höfen der Dorfbewohner zogen, um sich dort mit Tanz und Gesang etwas Geld zu verdienen. Diese nicht alltägliche Einnahmequelle war für sie vielleicht das Wichtigste an Weihnachten überhaupt, denn sie gingen ihr mit einem wahren Feuereifer nach. Ihre ausgesprochene Geldgier kam sogar in dem Text eines ihrer Lieder zum Ausdruck, in dem es hieß: »Streut mir ruhig scharfen Pfeffer in die Augen, aber gebt mir einen Penny.«

Alles in allem war Weihnachten bei uns damals ein richtiges Volksfest, an dem jeder teilhatte, unabhängig davon, ob er getauft war oder nicht.

Weihnachten in Deutschland war ganz anders. In Deutschland, so erzählte man mir, und so erfuhr ich es auch, ist Weihnachten ein Fest der Besinnung – der Rückbesinnung auf die Familie vor allem; es wird in würdevoller Stille im vertrauten Kreise nächster Angehöriger gefeiert, nicht laut in den Straßen wie Karneval. Die Mitglieder der Kleinfamilie sind darum bemüht, sich wenigstens zu diesem Anlaß ihre gegenseitige Liebe und Zuneigung, ja den Zusammenhalt der Familie zu beweisen, auch dann, wenn letzterer schon brüchig ist, und das Jahr über von Liebe und Zuneigung nicht mehr allzuviel zu spüren war.

Natürlich wird auch hier üppig gegessen während der Feiertage, und oft wird dabei die Grenze zum Übermaß überschritten; ja, selbst figurbewußte junge Frauen kalkulieren eine Gewichtszunahme ein. Da die meisten Menschen in den westlichen Industriegesellschaften während des ganzen Jahres keinen Mangel an gutem Essen zu leiden brauchen, liegt die weihnachtliche Steigerung im Grunde darin, daß zusätzlich zum Genuß des Festbratens und zu reichlichem Kuchenverzehr an Süßigkeiten und Knabbereien hineingestopft wird, was der Bauch nur hält.

Wie für die Kinder in aller Welt ist auch für die Kinder in Deutschland Weihnachten gewissermaßen der Höhepunkt des Jahres; sie freuen sich lange auf die reichen Geschenke, die ihnen »der Weihnachtsmann« oder »das Christkind« unter den Weihnachtsbaum legen wird. Aber nicht nur die Kinder werden beschenkt, und es hat fast den Anschein, als ob der Austausch von häufig recht kostspieligen Geschenken für viele zum eigentlichen Inhalt des Festes geworden ist.

In meinem ersten Winter in Deutschland gewann ich den Eindruck – der sich von Jahr zu Jahr verstärkte –, daß sich die Deutschen hauptsächlich durch emsiges Kaufen auf das Weihnachtsfest vorbereiten. Ich staunte über die vielen hell erleuchteten Weihnachtsbäume in der Stadt und die festlich geschmückten Kaufhäuser mit ihrem Überangebot an Waren, die seit November nur eines kündigen: »Es weihnachtet sehr – drum kauft, Leute, kauft, kauft, kauft und nochmals: kauft!« Ich war verwirrt von den hektischen Menschen, die sich schon Wochen vor Weihnachten beim »Einkaufsbummel« mit angespannten Gesichtern, vollbepackt mit Schachteln und schweren Taschen, durch fast undurchdringliche Menschenmassen in prallgefüllten Warenhäusern und übervollen Straßen schoben, sich im Gemenge anrempelten, sich gegenseitig auf die Füße traten, und dann doch achtlos aneinander vorüberdrängten. Und ich war betroffen von dem starken Kontrast, den hierzu die menschenleeren Straßen an den Feiertagen boten. Das Land wirkte wie ausgestorben. Denn am Nachmittag des 24. 12. sowie am 25. 12. verläßt in Deutschland kaum jemand das Haus; die einzigen Menschenseelen, die draußen anzutreffen sind, sind am Heiligen Abend Väter, die mit ihren Kindern spazierengehen, damit die Mütter die Bescherung vorbereiten können, und am ersten Weihnachtstag Kirchgänger und Leute, die unterwegs sind, um nahe Verwandte zu besuchen.

Erst am Vormittag des 26. 12. kommt wieder etwas Leben in die verschlafene weihnachtliche Winterwelt, und zwar erwacht es zuerst in den Stammkneipen beim »Stefanus-Steinigen«. Das ist so etwas wie ein rituelles Besäufnis braver Familienväter, die versuchen, die über die Feiertage in Enge und Langeweile in ihnen entstandene Leere mit Alkohol aufzufüllen und dabei die aufgestauten Aggressionen zu bewältigen, denn jedes Glas Schnaps oder Bier, das sie trinken, ist ein »Stein auf Stefanus«, jenen frühen christlichen Märtyrer, der für seinen Glauben damit bezahlte, daß er gesteinigt wurde.

Der weihnachtliche Mythos des trauten Zusammenseins mit lieben Angehörigen, von dem im allgemeinen aber Fremde ausgeschlossen sind, hat eine dramatische Schattenseite, denn nur »heile« Familien können ihm huldigen. Aber in einer Gesellschaft, die ihre alten und kranken Menschen abschiebt und in der die Anzahl zerrütteter Ehen ständig wächst, gibt es zu viele Außenseiter, für die eine weihnachtliche Atmosphäre der Geborgenheit nur eine Illusion ist, die mit dem eigenen Leben nichts zu tun hat. Gerade über Weihnachten ist eine Zunahme der Fälle von Gewalt zu verzeichnen; und als Arzt im Krankenhaus mußte ich es einige Male mit ansehen, wie Eheleute ihre alten Eltern über Weihnachten ins Krankenhaus brachten, weil sie ihnen im Weg waren. Auch können viele allein lebenden Menschen ihre gesellschaftliche Isolation während des Festes nicht verkraften, aber sie haben niemanden, mit dem sie feiern können. Gerade in der Weihnachtszeit steigt deshalb die Selbstmordrate; und als Chirurg mußte ich in den vergangenen Jahren einige hoffnungslose Menschen wieder zusammenflicken, die an dem Gefühl des Verlassenseins in einer Zeit zerbrochen waren, in der sie alle anderen Leute in festlicher Harmonie mit lieben Angehörigen vereint glaubten. Sie hatten versucht, sich durch einen Schuß in den Mund aus ihrer unerträglichen Einsamkeit zu befreien. Aber von solchen Dingen wußte ich 1967 noch nichts.

Til Mette

Udo Oskar Rabsch
»Nie mehr Deutschland!«

In der Stadt herrschte eine Art mondsüchtiger Betriebsamkeit. Oder war es ein Luftholen in ganz Westeuropa. Die turbulente Zirkulation der Wanderwellen aus dem Osten, dem Vorderen Orient und Afrika stand für den Moment von ein oder zwei Jahren still, es gab keine Unwetter, keine Überschwemmungen, keine Drohungen ungeduldiger Landschaften, eine Nation zu sein. Die Meteorologie der Gefühle ging den langsamen, osmotischen Weg. Europa war eine mediterrane Bucht Ende Oktober, war ein Nachmittag im Glanz des vorübergegangenen Unwetters, die Sirenen der Polizei-, Sanitäts- und Feuerwehrautos, die Demonstrationen, die Attentate, die Über- fälle auf Banken und Hausfrauen hatten nicht mehr den Charakter einer anschwellenden Woge, die schließlich ihre ganze Wucht gegen ihre Eingeweide wendet, jeder Ort schafft seine Geographie des Ver- brechens. Auf den Talrändern die Villen, die großen alten Bäume, die Damen in grau-blauem Haar, die Privatpolizei und die humanisti- schen Manuskripte. Dann ging es steil in das enge Tal hinunter, die Kompression von Häusern, Instituten und Absichten. Jede Höhen- linie hatte ihre Übertretungen und Gesetze. Man konnte mit dem Barometer das soziale Klima bestimmen. Auf dem Talboden, dem Konzentrat, der Schwere des Bleis und des Goldes, herrschte die Stille eines längeren Waffenstillstands, es war der Frieden, der darin bestand, daß der hysterische Lärm der Motoren, des Einzelfeuers, der Schreie der Gelegenheitsopfer und derer, die sie geliebt haben, keine statistische Steigerung mehr zeigte, es war ein Nachmittag wie nach einem südcubanischen Taifun, mit der Heinrichstraße, naß und hell wie das Leben, und Schmidt, dem neugebackenen Mitglied der Wach- und Schließgesellschaft, der sich einen Schemel unter die schweren Stiefel rückte, den Kopf gegen das Schild lehnte, das das Sammeln von Aluminium verkündete und sich mit der lauernden Lässigkeit eines Anfängers die Zigarette ansteckte.

Idiotie einer Großstadt, klappernder Wahnsinn der Ventile und Computerkassen, keiner, der nicht in dem Taumel der Verrücktheiten herumwirbelte, jeder konnte sich mit der flachen Hand auf die Stirn schlagen und hastig, zwischen einer Orange und einem Blick auf die Verkäuferin bekennen, ich bin wahnsinnig.

»Ist er nicht ganz der Vater?«

»Die Haare sind zu lang.«

»Was hast du vor, mein Junge? Ich hab jetzt hier einen ganz großen Betrieb, mußt du wissen. Immobilien, Dienstleistungen, verschiedenes eben. Du kannst dir was aussuchen. Das bin ich deinem Vater schuldig.«

Schmidt beharrte darauf, daß Deutschland ein abgedroschenes Grab war, Familie, Schulkameraden, die Liebe und die Weizenfelder. Er brütete darüber, gedankenlos und oberflächlich, wie jeder, der an ein Grab tritt, und sei es das des Allerliebsten, und etwas denken will, und da ist absolut nichts, und etwas fühlen will, etwas Tiefes, Gründliches, Großes, natürlich fängt jeder am Grab an hemmungslos zu kichern, man müßte eine Spionage der Grabstätten einrichten, das einzig Akzeptable an Friedhöfen sind die Birken und die Dreimannkapellen, Absprengsel der Militärkapellen auf Oktoberfesten mit ihrer Rucki-zucki-Bierzeltseligkeit, Schmidt dachte, er wäre frei, oder wenigstens im Wartesaal der Freiheit gewesen, als er auf Cuba auf sein amerikanisches Einreisevisum wartete, Deutschland nicht anerkennen, den Onkel verachten, dachte er.

Schmidt war kurz vor acht in Echterdingen als unfreiwilliger Passagier gelandet, mit der Abendmaschine aus Madrid. Er hatte noch die Uniform einer Spezialeinheit der cubanischen Küstenwache an. Die Militärpolizei hatte ihn in Havanna in ein Flugzeug der Iberia gesteckt. (Was wollen Sie in den USA? Seien Sie froh, daß Sie ein Deutscher sind, alle Welt will nach Deutschland.) Zwischenlandung in Las Palmas, Gran Canaria. Nach dem Putsch konnten sie Leute wie ihn nicht mehr gebrauchen. Alles war ein Mißverständnis, das längst vor Columbus begonnen hatte, gleichbedeutend mit einer geographischen Banalität, der Schock und das hysterische Verlangen nach Unsterblichkeit, an den Küsten der ganzen Welt enden diese Trampelpfade, der grüne Blitz aus Gold, den die Sonne hinterläßt, wenn sie die Tangente des Meeres überschreitet, der ganze

Schwachsinn der Himmelsmechanik. Als die US-Marine in den Provinzhafen der Isla del Juventud einlief, kräuselte sich das Meer ein wenig wie bei jeder Eroberung. Der kleine, aus Bauschutt und Lavaasche aufgehäufte Damm der städtischen Badeanstalt brach an mehreren Stellen. Er war nicht ausgelegt gegen Schlachtschiffe. Schmidt wurde in ein Lager für Ausländer und Kommunisten interniert. Das karibische Meer, blau wie ein Veilchen, eine durchsichtige Haut über den als »Gärten der Königin« apostrophierten Korallenbänken, verdüsterte sich wie eine nachdenkliche Stirn. Schmidt zeigte sich bei den Verhören charakterlos wie die existentialistischen Hunde der Sierra, zwischen deren Rippen sich allein das Pergament der Demut ausspannt.

»Was ist los, brauchen Sie eine extra Einladung?«

Zwei Mitglieder der Fremdenpolizei standen neben seiner Sitzreihe und warteten darauf, ihn in die Mitte zu nehmen.

Als er im Büro der Flughafenpolizei stand, verlangte er nach Aspirin, Coca-Cola, Kaffee und Zigaretten, eines davon oder alles zusammen. Er behauptete, eine Panikattacke zu haben. Er kramte eine Ampulle aus seinem Geldbeutel. Er verlangte nach einer Schwester oder man solle ihm Spritze und Kanüle geben, er würde sich das Ding selber verpassen. Schmidt war ein athletischer Einsachtzigmann Mitte Fünfzig, seine Schultern hingen etwas nach vorn. Er hatte einen grün-braun-gelb gescheckten Kampfanzug an. Die Füße steckten in hohen schwarzen Militärstiefeln ohne Schnürsenkel. Von seinem Gesicht war nicht viel zu sehen. Unter einem Käppi hing ihm das Haar bis auf die Schultern. Der Wochen alte Bart war verwachsen. Die Augen waren irgendwo hinter einer Menge brauner Falten versteckt. Das Neonlicht blendete ihn. Seine Nase war schmal und gerade, sie war so ohne Eigenheiten, daß man, obwohl sie lang und hoch war, genauso meinen konnte, sie existierte nicht.

»Holen Sie doch die Schwester«, sagte der Mann hinter dem Schreibtisch, der sich von Anfang an weigerte, Schmidt anzusehen. Er wußte, daß Blicke ansteckend waren.

Schmidt war einen halben Kopf größer als die beiden schnurrbärtigen, noch ganz am Anfang ihrer Laufbahn stehenden Polizisten. Auf sie machte er einen ruhigen Eindruck, er hätte genauso ihr Vorgesetzter oder ein impertinenter Verbrecher sein können, das konnten sie nicht unterscheiden. Sie bemerkten auch nichts vom Flackern der Stimme und der Augen, dieser rein seelischen Elektrizität.

»Meine Herren, ich bekomme gleich eine Paraplegie, wenn Sie nichts unternehmen. Sie werden mich auf einer Tragbahre hinaustragen müssen.«

Es wurde telefoniert. »Der Mann ist erregt«, und so weiter. Die Flughafenambulanz schickte eine Schwesternschülerin.

»Ich mach es selber.«

Schmidt hörte sich mit unerwarteter Bestimmtheit sprechen, was seinem Schwindel sofort einen Extrakick gab. Seiner Meinung nach reichten die Lungen höchstens für das Piepsen einer Maus. Unerklärliche Differenzen erschreckten ihn zu Tode. Er griff sich die Spritze, die die Schwesternschülerin aufgezogen hatte.

»Erst desinfizieren.«

»Nicht nötig.«

Cuba desinfizierte nie. Jedenfalls nicht auf den Nebeninseln. Auch schon vor dem Lieferstopp der Russen. Er knallte sich mit einer lässigen Bewegung des Handgelenks die Spritze in die rechte Arschbacke.

»Geben Sie mir eine Ampulle mit, für alle Fälle.«

»Das ist nicht erlaubt. Aber Sie können jederzeit in eines der städtischen Krankenhäuser gehen. Sie arbeiten rund um die Uhr.«

Schmidt glaubte ihr nicht. Er zog die Hose wieder hoch und schnallte den Gürtel fest. Der Beamte zog mit dem Bleistift die vorher gemachten Haken hinter den beantworteten Fragen nach. Der Einfall, er könnte inzwischen eine Frage zuviel abgehakt haben, schreckte ihn auf. Er riß sich zusammen, bevor er irgend etwas neben Schmidt bedeutungsvoll fixierte.

»Bekennen Sie sich zur deutschen Nation?«

»Wieso...«, Schmidt stammelte, als wäre er bei etwas ertappt worden.

»Man hat Sie aus Cuba ausgewiesen«, rekapitulierte der Einwanderungsbeamte mit leiser, übermüdeter Stimme. Seine Geduld war eine Art Wundstarrkrampf. Sie hatte das Kinn in eine kleine tote viereckige Schublade verwandelt. »Ihr Herkunftsland ist Deutschland, Sie haben einen, wenn auch abgelaufenen, so doch rechtsgültigen Personalausweis, alles schön und gut, aber wegen der Dauer Ihrer Abwesenheit gelten Sie automatisch als Spätheimkehrer ohne gefühlsmäßige Bindung ans Vaterland, kurz, wir brauchen ein nationales Bekenntnis…«

Der Beamte hatte eine glatte nach hinten gescheitelte Frisur, die das Hinterhaupt nackt über den bunt gestreiften Kragen stehen ließ. Auch das Grau der Augen war nackt und für immer ungeschützt. Es schaute blind in eine Gegend neben Schmidt mit dem durch nichts mehr verletzbaren Blick der Priester, die ohne Gott sind, aber ihre Tantiemen nicht verlieren wollen, es lag etwas Lauerndes im Büro, es war das Kellergeschoß des neumodisch restaurierten Flughafens, das Dröhnen kam von den Heizungsrohren, sagte sich Schmidt, oder von den startenden und landenden Flugzeugen, jedes Zittern ist rein physikalisch, die sanfte Hand des Valium strich darüber hinweg und die dilettantische Sympathie des Schwesternnachwuchses. Die beiden Zivilbullen legten die Stirn in kindische Falten, »Nation«, niemand wußte so recht, die Schwesternschülerin guckte verträumt.

»Mir wird schlecht«, sagte Schmidt.

Die Schwesternschülerin führte ihn aufs Klo. Schmidt stand eine Weile vor dem Waschbecken herum. Irgendwie kam ihm alles bekannt vor.

Als sie zurückkamen, war der Beamte gnädig und machte vage Handbewegungen.

»Sie müssen eigentlich nur noch unterschreiben.«

Amnestie des bedrohten Feierabends. Die Polizisten atmeten auf, der eine hatte sich bereits an der Stirn gekratzt.

»Sie unterschreiben einfach.«

Schmidt sagte, »Scheiß auf die Nation, scheiß auf die Nation«.

Er gehörte zu den Charakterheuschrecken, die zwei oder drei Dinge im Leben fressen mußten und nicht runterschlucken konnten, mit anderen Worten, es hing ihnen im Hals, und sie vergaßen es einfach nicht. Der jüngere der Polizisten, ein Kind mit Bart, eine Art Engerling, unterdrückte ein Prusten, das sich dann einen Weg durch die Nase schuf. Sie konnten nicht oder wollten nicht, was schließlich auf eine lebenslange Anklage gegen Gott und die Welt hinauslief. Schmidt hatte es früh geschafft, beiden Kategorien anzugehören, konnte man mit fünfzehn oder vierzehn, dreizehn beschließen, sein Vaterland für immer zu verachten, man mußte es tun, es war so heilig wie Konfirmation und Abitur zusammen, wenn man ein Deutscher war und an einem Samstagabend vor die Turnhalle am westlichen Ortsausgang trat, aus der Obstbaumwiese kam ein Wind herüber, klebrig von den Blüten des Frühsommers, vom Schützenhaus kamen Musik und einzelne Schüsse dazu. In der Turnhalle wurden samstags Filme vorgeführt. Deutsche Soldaten ließen eine Familie ein Grab ausheben, das Kind bückte sich wichtig nach einem herunterkullernden Erdbrocken, dann schossen die Deutschen in sie hinein, ein kleiner grotesker ungeübter Tanz, dieser unerbittliche Frühsommer, diese Faustschläge der Natur in Form von Apfelblüten, die im Lauf der Jahre mit immer kürzer werdenden Abständen auf dich herniedersausen.

»Ich scheiße auf die deutsche Nation.«

Schmidt, dieser gewohnheitsmäßig Beleidigte mit der zerbrechlichen, hellen Stimme der Jugend und dem altmodischen Heldengesicht, braungebrannt von einem cubanischen Strand, ein ungehobeltes Denkmal pubertärer Erkenntnisse, auf diesem Halbkreis aus Euphorie und Panik, das war allesamt unpassend für einen Fünfzigjährigen, regelmäßig vergoß er melodramatische Tränen, das harzige Holz der Turnhallentür unter der Handfläche, Schulkameraden, mit denen er im selben Sportverein war, sie warfen sich auf ihn, als hätte er ein Tor geschossen, sie heulten wie die jungen Hunde, die optimistischen Oberarme, nur Haut und Muskel und absolute Unschuld, das war klar, wir beschlossen, heimatlos zu sein, wir sagten nichts, wir schworen es bei unserem Blut, diese beschissenen absolut beschissenen Deutschen, dieser Geruch von Apfelbaumwiesen und Magnesia für die Reckstange, das Schützenhaus am Bach, die letzten Gesänge, wenn alles schon schlief, wir gingen langsam auf dem Feldweg ins Dorf zurück, der grüne Schaum der Wiesen machte schon damals Atembeschwerden, die Lunge und das Auge röcheln unter der grünen Pampe, der Himmel machte es nicht besser, dasselbe in Blau, wir spuckten vor jedem aus, der älter als zwanzig war.

Schmidt ging langsam auf die nächstliegende Wand zu, die Militärstiefel schlappten, man konnte den Gang mißverstehen als lässig, seine ganze Figur war ein Mißverständnis, er lehnte sich mit dem Unterarm gegen die Wand, legte die Stirn drauf und heulte.

Zwischen dem Flughafen und dem Stadtrand lugten stacheldraht-ähnliche Immergrünsträucher und Grasbüschel zwischen hochmodernen Industrieanlagen, Bürohochhäusern und Wohnanlagen vor, als wären sie deren Früchte. Außer der Bewegung von Autos, die von Minute zu Minute dichter auffuhren, gab es keine menschliche Bewegung.

»Die ganze Welt schaut auf uns. Wir können stolz sein«, sagte der Zivilbulle, der steuerte.

Gerüche und Platzmusik, Kirchenglocken und diese harmlose Wochenendvergnügung eines Dorfrandes, Zigeuner, Bretterbühnen, Liebespaare, deren Rücken und Ellbogen über die Grasblüte wippten, Schmidt hatte verworrene enthusiastische Erinnerungen, die einen Moment lang in Form von beschrifteten Fahnen aus der eintönigen grauen Wolkendecke runterbaumelten.

In Degerloch kippte die autobahnähnliche Straße vom Himmel weg. Es gab einen klaffenden grauen Spalt. Sein offenes Ende war der Talkessel mit der Stadt, die aussah, als wäre sie von einem Naturereignis achtlos hingespült worden. Am Rand des Behälters klebte die Sonne wie eine aufgespießte Apfelsine.

War »Nation« das von der Christbaumillumination einer Hauptverkehrsader aufgerissene Dunkel, das Buckel hatte, kleine leere, dem noch nicht vollendeten Sonnenuntergang vorauseilende Nachtbezirke, war das eine Straße wie eine nachlässig aufgehängte Girlande, Schmidt warf schlecht gelaunt einen Blick aus dem Fenster, ein vierzig Jahre alter Ekel brauchte keine neuen Beweise.

»Paß doch auf!«

rief der Zivilbulle neben ihm. Der Fahrer hatte einen umgekippten Müllcontainer übersehen. Die Autokarawane war ins Stocken geraten. Wegen nichts wie immer. Fünfzig Meter weiter unten neben einer Straßenbahnhaltestelle brannte ein Haus. Leute schleppten Habseligkeiten aufs Trottoir, sie verschwanden in den Müllhaufen, als hätte der Abfall einen speziellen Magnetismus.

Die Stille war eigenartig, eine Haut aus Metall, die über dem Brummen von Hunderten feststeckender Autos wucherte. Über den westlichen Kesselrand floß das aus der Sonne auslaufende Orange. Der

Kühler des VW-Passat, die Gesichter der Insassen, die Fassade eines Bürgerhauses, das noch die Tarnfarbe des letzten Weltkriegs trug, alles hatte den staubigen Glanz eines Stummfilms, der zu häufig abgenudelt worden war.

»Jeder normale Deutsche denkt national«,

sagte der Bulle am Steuer und warf einen mißtrauischen Blick auf Schmidts gescheckte Uniform, es war der Kampfanzug einer Fallschirmjägereinheit, die für Sonderaufgaben reserviert war, sie kam nie zum Einsatz, nicht einmal während des Angolakriegs. Sie sollte das Vaterland verteidigen, patria o muerte, Schmidt hatte es rasch zum Ausbilder gebracht, er hatte sich vor dem Abtransport die Schulterstücke abgeschnitten, Coronel Schmidt, aha, sie hatten ihn immer im Verdacht, er blieb ein Gringo, aber wem schadete es schon, er stürzte sich auf die »Gärten der Königin« hinunter, eine dornige flache Unendlichkeit aus Salz und Korallen, die Tage und Nächte, immer wieder, bis er ihnen schließlich gestand, ja, ich bin ein Verräter, aber ich bin geheilt, ja, ich bin ein Lügner, aber jetzt bereue ich, seinen Leuten, der Kampfkraft, der Technik des Absprungs, wem hat es schon geschadet.

Die Nacht tastete wie ein flüchtiges Gas über die Wände des Talkessels. Der Wagen der drei Männer tauchte in sie hinein, ihre Gesichter erstickten, ohne davon zu wissen.

»Sie müssen doch Kommunist gewesen sein, wenn Sie in der cubanischen Armee gedient haben.«

Der Fahrer mißbilligte weniger die fremde Uniform als die Tatsache, daß Schmidt in ihr wie ein Karnevalssoldat aussah. Nation, Deutschland. Schmidt grübelte..., er wollte auf dem Polizeirevier wenigstens Antworten wissen, die ihm einen Mindestspielraum verschafften, Aspirin, Valium, Spritzbesteck, er wollte nur nicht wieder in ein idiotisches Lager mit kleinen, arroganten dienstverpflichteten Halbtagskräften wie in Havanna. Antifaschist, Antiimperialist. Das klang zu akademisch, er hatte es mehr oder weniger nachgeäfft, stimmt, eine Jugendsünde mit der Beharrlichkeit von Dingen, die durch nichts ersetzt wurden, weil nichts nachkam, er bekam einen Nackenkrampf, sein Kopf bewegte sich marionettenhaft nach hinten, über dem Rückfenster thronte ein Krankenhaus rot wie eine Burg, das einzig Verläßliche hier waren die Polizei und die Kran-

kenhäuser, er formulierte so gepflegt wie möglich, »kein Kommunist, wo denken Sie hin. Ich wollte in die USA. Die Castro-Leute
haben mich aus dem Meer gefischt, was sollte ich machen.« (Je mehr
ihn etwas beseelte, desto mehr schien es ihn zu entleeren.)
Sie brauchten über eine Stunde für die Rutschpartie die Neue Wein-
steige hinunter. Am Olgaeck warf sich die Meute eines Fußballfan-
clubs auf den Dienstwagen und malträtierte ihn mit Händen, Füßen
und Totschlägern. Der Fahrer schaltete das Blaulicht und die Sirene
an, was die Wut der Jungs nur noch steigerte.
»Laß doch den Scheiß«, brüllte der Hintermann, »ruf die Zentrale
an.«
»Glaubst du, die kommen wegen uns mit dem Hubschrauber.«
Schmidt lehnte sich fast gemütlich ins Polster des Rücksitzes. Die
Karosserie lärmte wie ein Wasserfall. Das Gehör versagte, anstelle
des Trommelfells wackelten die Backen. Ein kurzgeschorener Rot-
schopf setzte sich wie ein Frosch auf die Kühlerhaube und leckte mit
seiner scheckigen Zunge die Frontscheibe ab.
»Ich knall ihm in die Visage.«
Der Polizist neben Schmidt schmiß seinen fetten Oberkörper über
den Beifahrersitz und fuchtelte mit der Dienstpistole herum.
»Beruhige dich, mach keinen Scheiß.«
Der Typ auf dem Kühler ließ sich zurückrutschen mit der Miene
eines Ertrinkenden und riß dabei einen Scheibenwischer ab. Aus
den Nachbarautos glotzten Gesichter. In ihren Augen glimmte das
müde Interesse der Schadenfreude. Die Ampel wurde zum wieder-
holten Mal grün, nichts bewegte sich. Plötzlich rumorte es hinter
ihnen. Eine Lautsprecherstimme sagte etwas. Eine kurze Maschi-
nengewehrsalve zerriß die plötzliche Stille. Die Jungs sprangen vom
Wagendach. Schmidt drehte sich um.
Ein gepanzerter Militärmannschaftswagen mit einer Art Schnee-
pflug näherte sich von hinten, ziemlich rasch, die Autos wichen
nach links und rechts auf die Bürgersteige aus, einige wurden mit
einem leichten Crash zur Seite geschoben. Es war ein Konvoi aus
einem Lastwagen am Anfang und am Ende und drei schweren Mer-
cedeslimousinen mit Hoheitszeichen. Sie glitten in die Schneise, die
sich routinemäßig und geisterhaft leicht bildete, und passierten die
Kreuzung. »Hinterher«, brüllte der Hintermann seinen Kollegen

an, der den Motor aufheulen und die Kupplung unsanft schnappen ließ. Schmidt fühlte sich seltsam erleichtert, es war nicht das Aspirin oder die maximale Wirkung des Valium jetzt, diese Dinge da draußen gingen ihn nichts an, das war Politik, damit beschäftigten sich Leute, die kränker waren als er, ausgestopfte Skelette, deren Eitelkeit in einem eigenartigen Kontrast zu ihrer Physiologie stand, nein, was ihn beruhigte, war die Verfassung, in der er seine Heimatstadt vorfand, die brennenden Müllhaufen, diese marodierenden kleinen Verbrecher, die Explosionen in der Ferne, die Geräusche der Wahrheit in der Dämmerung, die Welt hatte wie eine überlaufende Deponie diesen ordentlichen deutschen Asphaltdeckel gesprengt, die reichste Stadt war in die internationale Scheiße zurückgekippt, die sie mitgeholfen hatte zu produzieren. Das Blaulicht des hinteren Militärlastwagens und ein brennendes Bankgebäude entwarfen ein buntes Mosaik auf Schmidts Gesicht, das sich verformte, zuckte und zerfloß, Reflexe eines unbekannten chamäleonartigen Wesens, Kriegsbemalung oder die violette Blässe des Todes oder vollkommener Entspannung, Schmidt schob sich genüßlich eine Zigarette in die Visage. Er hatte sich geweigert, nach Deutschland, nach Hause, wie sie sagten, abgeschoben zu werden, warum nicht, sagte jetzt eine jener leichtsinnigen Stimmen, die ein sporadisches Leben in ihm führten, nichts begründen mußten, von etwas Adrenalin inspiriert wurden, »sei still« sagte Schmidt, »ein Land der Mörder«.

»Was sagten Sie... So schlimm ist es auch wieder nicht«, der Fahrer hatte wieder Oberwasser, er hielt sich an die Rückleuchten des Mannschaftswagens. Soldaten mit Gewehren zwischen den Knien hockten auf den Bänken, die beiden letzten hielten die Köpfe unnatürlich schief, wie auf Gemälden von Miró.

»Wir sind gleich da. Zugegeben, die Polizei allein ist machtlos. Aber wozu haben wir das Militär.«

Schmidt runzelte die Stirn. Der Konvoi vor ihnen stoppte. Die Soldaten räumten einen Falschparker zur Seite, einige Autos mußten hin und her rangieren. Schmidt sah eine rotblonde Frau auf dem Bürgersteig. Sie hatte ein schwarzes Kostüm mit schwarzen Kügelchen an. Über dem linken Arm trug sie das Fell eines weißen Bären, der lachte. In der rechten Hand, die sie lässig baumeln ließ, hatte sie eine Zigarette. Konnte es sein, daß sie eine ordinäre Geste machte, ja, jetzt führte sie die Hand zu den Lippen, die Glut glimmte auf, sie warf die Kippe zwischen die Fahrzeuge.

Schmidt lehnte sich beruhigt zurück. Deutschland, diese blassen asphaltierten Krusten. Als er gegangen war, hatte er sich vorgenommen, hundert Jahre ohne Deutschland zu sein, nie mehr Deutschland. Er grinste über den Stolz einer bis auf die Grundmauern skelettierten Fassade eines Geschäftshauses, neben einer erleichtert wirkenden Fensteröffnung lehnte die Apothekenreklame eines Knoblauchpräparats, Schmidt schaute durch die grob gestrickten Maschen der oberen Stockwerke ins Sternenmeer, Nadelöhre für die silbernen unzerbrechlichen Wolkenbänder.

ÖFFENTLICHE BETROFFENHEIT

Til Mette

Das Fremde

Bin ich ein Fremder, weil mein Haar schwarz und gekraust ist, oder seid ihr Freunde, weil eure Hände kalt und hart sind? Wer ist fremder, ihr oder ich? Der haßt, ist fremder, als der gehaßt wird, und die Fremdesten sind, die sich am meisten zu Hause fühlen!

[Ilse Aichinger]

Aysel Özakin
Was kommt nach Hamburg?

Von welchem Bahnsteig fährt der Zug ab? Um wieviel Uhr? Soll ich den Mann im blauen Anzug fragen, der die Perlen seiner Gebetskette nervös durch die Finger gleiten läßt? Oder den jungen Mann mit der Goldkette auf der behaarten Brust, der sentimental-pfiffig umherschaut und die deutschen Mädchen herausfordernd ansieht, als wolle er sich etwas beweisen? Ich suche einen Familienvater. Einen besorgten und vertrauenswürdigen Familienvater, der Frau, Kinder und Koffer um sich geschart hat und gerade so viel Deutsch kann, wie für sein und seiner Familie Fortkommen in diesem Land nötig ist.

Hamburg Hauptbahnhof. Ein altes, imponierendes Bauwerk, das einen winzig und verlassen macht.

Ich entschied mich für einen schwarzbraunen Burschen, der etwa fünfzehn Jahre alt sein mochte. Er hatte die Schultasche unter den Arm geklemmt, leckte an seinem Eis und ging hinkend seines Weges. In allem ein Kind der Türkei: schwarze Schnürschuhe, die Jacke zu groß, die Ernsthaftigkeit, mit der er an seinem Eis leckte, das Hinken, das durch sein Alleinsein nur noch betont wurde.

»Kannst du mir helfen? Ich möchte zum Zug nach Berlin, bin gerade erst angekommen und kann kein Wort Deutsch.«

Er nahm das Eis vom Mund. Warum werden diese orientalischen Burschen in Deutschland nur immer gleich so verlegen, wenn man sie etwas fragt?

Hüseyin... Jetzt laufe ich vertrauensvoll neben ihm her. Er lernt Deutsch, in der Schule. Weil er jetzt mein Führer ist, fühlt er sich verlegen und stolz zugleich. Beim Warten in der Schlange beeilt er sich, sein Eis aufzuessen.

Der ältere Deutsche in der Auskunft sagt auf Hüseyins Frage unwirsch:

»Gleis acht, 14.30 Uhr!«

Wird Hüseyin mich jetzt gleich wieder verlassen? Es sind noch eineinhalb Stunden bis zur Abfahrt, und draußen ist es schön. Von fern kommt der Geruch von schmutzigem Seewasser.

»Wo gehst du jetzt hin, Hüseyin?«

»Nach Hause.«

»Wenn du etwas später nach Hause kommst, gibt das dann Ärger? Machen sie sich Sorgen?«

»Jetzt ist keiner da. Alle auf der Arbeit. Ich gehe nach Hause und mach' meine Aufgaben.«

»Warum warst du eigentlich auf dem Bahnhof?«

»Um mir ein Eis zu kaufen.«

Ich fragte Hüseyin, ob er wohl eine Stunde zusammen mit mir spazierengehen würde.

»Geht schon.«

Hüseyin gehört zu den Kindern, die bereitwillig tun, was man von ihnen verlangt. Er ist es gewohnt, den Großen zu folgen. Auf dem sonnenbeschienenen Gehsteig kommt uns eine Gruppe hellhäutiger, lärmender Schulkinder entgegen. Die meisten sind in Hüseyins Alter. Ich verstehe nicht, was sie sagen, aber sie scheinen gut gelaunt zu sein.

»Gehst du mit denen da in die gleiche Schule?«

»Nein, deren Schule ist sehr schwer. Ich gehe in die Berufsschule.«

»Und wenn du fertig bist, was willst du dann werden?«

»Autoschlosser.«

»Nichts anderes?«

»Was anderes? Vielleicht auch in einer Fabrik arbeiten. Oder als Handwerker.«

Hüseyin zeigt seine Gefühle nicht. Er ist verschlossen.

Die Straßen sind voller Menschen. Touristen mit Photoapparaten, engumschlungene Liebespaare, Leute mit Hunden, alte Menschen, Arbeiter, selbstbewußte Mädchen, blonde Menschen.

»Wo bist du zu Hause, Hüseyin?«

»In Kahramanmaraş.«

»Ach wirklich!«

Mir fallen die Fotos von Tod und Zerstörung ein, die ich in den Zeitungen gesehen habe.

»Seid ihr schon lange hier?«

»Ganz zuerst ist mein älterer Bruder mit seiner Familie hierhergezogen, zum Arbeiten. Als dann unser Haus abbrannte... Ich hatte noch einen Bruder. Den haben sie erschossen.«

Wir gehen weiter, rechts ein Schaufenster nach dem anderen, links der schnelle Autoverkehr, umgeben von bedächtigen, lustigen oder bekümmerten deutschen Wortfetzen. Ich fasse Hüseyin leicht am Arm: »Wie ist das passiert, Hüseyin? Wie haben sie ihn getötet?«

»Es war Massenmord. Sie haben die Tür zu unserer Wohnung aufgebrochen und sind hereingestürmt. Zwei Männer haben meinen Bruder erschossen. Dann haben sie das Haus angesteckt.«

»Hast du alles mit angesehen?«

Ich lasse Hüseyins Arm los. Er kommt mir plötzlich sehr erwachsen vor. Als hätte er seinem Leben durch die Verheimlichung von Empfindungen eine feste Ordnung gegeben.

»Hab's gesehen.«

Ich werde Hüseyin nie wieder treffen. In einer Stunde trennen wir uns. Ich werde nie erleben, an welcher Flamme sich diese unterdrückten Gefühle eines Tages entzünden werden.

»Seid ihr deshalb nach Deutschland gekommen?«

»Hm.«

»Wollen wir hier durch die Gasse gehen?«

Die Gasse war still. Vor den Fenstern der Häuser hingen Blumenkästen.

»Erinnerst du dich noch an mehr? Wir haben alles nur aus den Zeitungen erfahren.«

»Sie haben Zeichen an die Häuser gemacht. Einige Männer sind verbrannt, auch ein paar Kinder. Alle sind ins Krankenhaus gelaufen, um nach ihren Toten zu suchen. Dann wollten die Leute aus den Dörfern zu ihren Verwandten nach Maraş. Das haben sie verboten, haben keinen vom Land reingelassen. Wir haben gehört, die haben tausend Menschen umgebracht.«

»Denkst du oft daran?«

»Na klar. Ob ich will oder nicht.«

Ich schämte mich plötzlich. Ich hatte versucht, ihn zu verstehen, und es war mir nicht gelungen. Ich konnte nicht in seine Welt vordringen.

Eine Weile blieb ich still. Wir waren jetzt auf dem Rückweg, gingen über eine Brücke.

»Was machst du nachmittags, wenn du aus der Schule kommst?«

Vielleicht hoffte ich, daß Hüseyin mir jetzt etwas von seinen frohen Momenten erzählen würde, von seinen Spielen, den Streichen.

»Manchmal gehe ich nach Hause, mache Schularbeiten. Und manchmal gehe ich in den Verein.«

»Was macht ihr denn im Verein?«

»Bücher lesen.«

»Was für Bücher?«

»Politische.«

»Lest ihr auch Romane, Erzählungen, Gedichte oder so was?«

»Wie?«

»Na, solche Bücher, in denen die Erlebnisse der Menschen aus der Phantasie erzählt werden.«

»Phantasien lesen wir nicht!«

»Sag mal, Hüseyin, träumst du nicht manchmal so vor dich hin? Denkst du nicht manchmal daran, was du machen willst, wenn du erwachsen bist?«

»Doch.«

»Und was denkst du dann so?«

»Ich möchte als Autoschlosser arbeiten.«

»Na gut, nehmen wir mal an, das klappt. Aber was stellst du dir vor, wenn du glücklich sein willst? Wenn du angenehme und schöne Dinge tun willst? Reisen zum Beispiel, andere Länder sehen?«

»Wenn ich Autoschlosser bin, kaufe ich mir ein Auto. Mit dem fahre ich dann.«

Hüseyin lachte unsicher, zum ersten Mal.

»Und wohin willst du fahren?« fragte ich.

[Aus dem Türkischen von H. A. Schmiede]

Jutta Bauer

Adel Karasholi
Einer schwieg nicht

Viele sind es die mich verstehn
Viele die mich nicht verstehn

Obwohl die mich nicht verstehn
Schreien
Schweigen
Die mich verstehn

Ich verstehe die mich nicht verstehn
Wenn sie schreien
Ich verstehe nicht die mich verstehn
Wenn sie schweigen

Weil die mich verstehen schweigen
Muß ich schreien
Weil ich schreie verstehen mich nicht
Die mich verstehn

Einer von denen die mich verstehn
Hörte meinen Angstschrei
Und schwieg nicht
Er wurde überschwiegen

Najem Wali
Hier in dieser fernen Stadt

Für Talib Hassan nach 30 Jahren

Tabakgeschmack im Mund, schmähte Muhamed:
»Verdammt! Heute hatte ich keine Lust, mich von den Nachbarn zu verabschieden. Ich dachte, die würden mich für verrückt halten.«
Ali überhörte das und setzte eine Flasche mit billigem Schnaps an. Mit einem Zug kam er auf ein Viertel. Er schraubte die Flasche zu und steckte sie in die Tasche. Ohne Muhamed anzusehen, warf er den Satz hin:
»Morgen müssen wir fahren. Hast du die Karte gut versteckt?«
»Seit langer Zeit sagen wir jeden Tag, wir fahren morgen.«
Muhamed sagte es und hüllte sich in Schweigen. Er hob den Kopf und schaute in die Sonne, deren Strahlen sich auf seinem Gesicht spiegelten. Die Falten in seinem Gesicht schienen alt und tief. Als er die Hand in seine Tasche schob, seine Flasche mit billigem Schnaps herausholte und sie an die Lippen setzte, war der Himmel klar und kalt. Verbrannter, orangenfarbener Dunst hüllte die beiden Männer ein und den Park, in dem immer weniger Besucher waren. Feucht glänzte das Gras unter ihren zerlumpten Schuhen. Licht lag über dem Teich, glitzerte in verschiedenen Funken, die mehrfach ineinandergriffen oder sich zu Linien streckten, Linien, die den Bewegungen der Enten folgten. Die Enten bewegten sich ruhig auf das Ufer zu, wo die Füße der beiden Männer waren. Die Männer hätten die Enten sehen können, wenn sie die Körper ein Stück nach vorn gebeugt und auf den Boden geblickt hätten. Sie taten es nicht. Ali war mit dem Drehen einer Zigarette beschäftigt, murmelte unverständliche Worte, die, egal, was sie meinten, in der Luft verkümmerten. Muhamed versuchte, die Schnapsflasche zu öffnen, was nicht einfach war. Seine Hände waren feucht. Er nahm ein Taschentuch, schlug es um den Verschluß. Jetzt gelang es. »Endlich!« murmelte er. Der Schnaps machte ein gurgelndes Geräusch. Muhamed setzte

die Flasche ab, steckte sie weg, wischte sich den Mund mit seinem dreckigen Ärmel und sagte: »Wenn ich daran denke! Ich meine, daß heute mittag ein Flugzeug gegangen ist. Dann stelle ich mir vor, daß man vier Stunden für den Weg braucht. Kannst du das begreifen? Daß wir jetzt da wären, nach fünfundzwanzig Jahren?«

Ali verzog das Gesicht, steckte die Zigarette an und verstaute das Feuerzeug wieder in seiner Tasche.

»Hast du die Fahrkarte gut versteckt?«

»Ja«, sagte Muhamed bestürzt, »ich hüte sie wie ein Kind.«

Ihre Gesichter sahen zerrüttet aus. Ihre fünfzigjährigen Mienen waren von jahrelangem Kummer gezeichnet. Besonders abends grub die Trauer tiefe Höhlen in ihre Wangen, die Gesichtsfarbe wurde dunkler wie von starker Sonne. Mit der Zeit spürten sie, daß die Stunden verlorengingen, wie Wasser durch die Finger rinnt. Sie begriffen, daß ihre Entwürfe vereitelt worden waren und daß sie von dem, was sie vor vielen Jahren gewollt hatten, so weit entfernt waren wie vom Horizont.

»Es tut mir weh, mich von meinem Nachbarn zu verabschieden. Er sagt oft: ›Oh, Ali, ich wünsch dir viel Glück. Ich hoffe, daß du diesmal wirklich fährst!‹ Er ginge am liebsten auch von hier weg. Ich mag ihn sehr.« Ali atmete tief ein und schob die Zigarette Muhamed hin, der sie ohne ein Wort nahm.

»Der Schmerz ist für uns wie eine offizielle Arbeit geworden. Ich frage mich, was mir hier noch bleibt?«

»Glaubst du, daß der Schmerz dort verschwinden würde? Erinnerst du dich an den Satz, den wir uns so oft wiederholt haben: Wenn du in jener kleinen Ecke der Welt zerstört worden bist, wirst du es verödet finden, wo immer du auch hinkommst.«

Ali nahm einen Schluck aus seiner Flasche und forderte Muhamed heraus: »Weißt du, daß ich bisher immer noch die Wohnung genieße? Manchmal sehne ich mich nach Helga. Sag mir, mußte sie mich verlassen? Manchmal rieche ich sogar an den Kleidern, die sie mir gelassen hat.«

»Ali, vielleicht mußte sie. Du hast sie mehrmals ohne Grund geschlagen.«

Wütend fiel ihm Ali ins Wort: »Ohne Grund? Wolltest du damit etwa sagen, daß du mehr Grund hattest, deine persische Frau zu schlagen? Du bist sogar mit verschiedenen Frauen fremdgegangen, sogar vor den Augen deiner Frau. Du hast deine Ehe kaputtgemacht!«

Muhamed konnte das nicht ertragen.

»Immer wiederholst du dieselbe Platte. Du bist auch nicht besser als ich. Wir haben an demselben Verzweiflungstisch gesessen.«

Ali hob den Kopf in Richtung der Sonne, deren Rot immer intensiver wurde. Er wollte etwas sagen, verkniff es sich aber und schwieg. Lange hätte er die Sonne anstarren können, Tage, Wochen, Monate, Jahre. Bei Sonnenuntergang schlich sich etwas durch sein Blut, eine Mischung aus Freude und Trauer. Er begriff dieses Gefühl nicht so recht und fragte sich manchmal, ob die Dämmerung vielleicht singe.

»Erinnerst du dich an den Sonnenuntergang in unserer Stadt? Hatte er nicht einen anderen Geschmack, einen anderen Geruch, der jetzt nicht da ist?« Nach einem kurzen Schweigen fuhr er fort. »Vielleicht bilde ich mir das ein. Wer weiß? Ich liebe den Sonnenuntergang auch hier. Warst du schon mal in dem alten Stadtteil? Da ist der Sonnenuntergang besonders schön.«

Muhamed döste. Er hatte Ali nicht zugehört.

»Du sagst, ich hätte einen Fehler gemacht. Einmal hast du auch gesagt, es wäre besser, wenn meine Tochter bei mir lebte, aber ich sei selber schuld, ich hätte sie verdorben. Du bist mein Freund. Seit fünfundzwanzig Jahren. Und trotzdem sagst du mir das.« Den letzten Satz hatte er erbittert und verzweifelt betont. Wieder nahm er einen tiefen Zug aus seiner Flasche, verschloß sie und legte sie neben sich.

»Sei mir nicht böse. Vergiß nicht, daß wir fahren müssen. Wir müssen das hier als Vergangenheit betrachten.«

Ali unterbrach ihn: »Erinnerst du dich, vor fünfundzwanzig Jahren, als wir unsere Stadt verlassen haben? Jetzt scheint das wie ein Traum.«

»Ja, damals. Nicht nur unsere Koffer waren voll, sondern auch unsere Köpfe. Voller Träume. Als wir in Hamburg ankamen, hast du zu mir gesagt: ›Hier wohnen wir! Diese Stadt ist unserer ähnlich – Hafen, Fleete, viele Ausländer, Strich...‹« Nach einer Weile fuhr er fort: »Wer hat damals gedacht, daß ich hier eine persische Frau heiraten würde? Leider ist sie verdorben. Du machst mir oft Vorwürfe deswegen, aber du vergißt, wie oft du Helga geschlagen hast. Die konnte dich nicht ertragen und hat dich angeschrien: ›Säufer!‹«

Ali stand auf, spuckte aus und kam zur Bank zurück.

»Du machst mir vielleicht Spaß! Immerhin noch besser als deine Situation. Hier bist du verdorben – wer akzeptiert schon einen Mann, der vor den Augen seiner Frau und seiner Tochter, im selben Zimmer, mit anderen schläft?«

Abwehrend hob Muhamed die Hand. »Quatsch! Das erzählt sie nur immer.«

Ali lachte ihn aus. »Du selber hast es mir erzählt. Aber besser, wir reden nicht davon.«

Muhamed wußte selbst, daß er nicht darüber reden wollte. Aber wie? Seit vielen Nächten versuchte er, davor zu fliehen, die Alpträume der Trennung loszuwerden. Er wollte sich nicht damit abfinden, daß das, was er getan hatte (egal, was es auch war), ein Grund dafür sein sollte, daß sie in einem Bordell gelandet war. Und daß seine Tochter, jetzt Punkerin, ihm von seinen Landsleuten als Beispiel schlechter Erziehung vorgehalten wurde. Er unterdrückte ein Weinen, sah Ali an und drückte seinen Arm.

»Ali, wir sollten uns nicht gegenseitig Vorwürfe machen! Wir sind Freunde. Es ist egal, welchen Grund unsere Frauen gehabt haben. Wir sind davon ausgelaugt. Wir müssen dieses Land verlassen.«

Einige Minuten schwiegen sie. Nur ein leiser Windzug wehte durch die Äste, unterbrach ihr Schweigen.

»Manchmal habe ich ein Gefühl, als müßte ich vor nichts mehr Angst haben. Ist es nicht schön zu denken, daß es eine Grenze der Zerstörung gibt, hinter der, wenn du sie erst mal überschritten hast, es nichts mehr gibt, was noch kaputtgehen könnte?«

Ali schmunzelte. Seine Augen bekamen einen unscharfen Ausdruck, schienen sehr müde zu sein.

»Freude, Fröhlichkeit. Das sind für mich ganz alte Worte. Übrigens: Wem erzählst du von deiner Freude?« Er schwieg, schlug sich auf die Schenkel und sprach dann weiter: »Quatsch! Gibt es etwa jemanden, dem du von deiner Trauer erzählst?«

Das Schweigen lag wie ein Schrei über ihnen. Die Sonne schob ihre zweite Hälfte hinter den Horizont, der sich hinter den Bäumen verlor. Leise bewegten sich die Bäume, und manchmal klangen von dort Geräusche herüber, ein Lachen, Stimmen verschiedener Menschen, Alte, Junge, Verliebte, Ehepaare, Knaben, Mädchen. Muhamed und Ali zeigten den Vorbeigehenden den Rücken. Lange verharrten sie in ihrem Schweigen, als wollten sie ihre Köpfe leeren. Keine großen Entwürfe, keine Träume, nur eine diffuse Zufriedenheit, die in den Köpfen surrte.

Plötzlich beugte sich Muhamed vor, winkte zu den Enten hinüber und sagte: »Ihr habt zu Hause auch Enten gehabt.«

Die Enten schnatterten, bewegten sich in verschiedene Richtungen, einige schlugen mit ihren Flügeln das Wasser.

»Einmal haben wir eine gestohlen. Ich glaube, deine Mutter hat unsere Lüge, jemand anders wäre es gewesen, nie geglaubt. Es war Frühling, als wir sie gegrillt und im Garten gegessen haben.«

»Sie hat besonders nach dem Arak geschmeckt.«

Beide lachten sie.

»Euer Haus ist immer geblieben, wie es war. Nicht wie bei uns. Bei uns haben sie ein neues Haus gebaut. Vielleicht hält mich das von der Reise ab. Wer weiß, was ich da vorfinde?« Muhamed leerte die Flasche, warf sie unter die Bank, trocknete sich den Mund und sagte: »Scheiße. Eine Flasche reicht nicht mehr. Wir müssen für heute abend noch was kaufen.« Er suchte in seiner Tasche. »Ja, ich habe noch Geld. Die Fahrkarte würde ich nie verkaufen. Mach das bloß nicht! Wir müssen morgen fahren. Hauptsache, ich kann mich noch von den Nachbarn verabschieden.«

»Natürlich würde ich das nicht machen. Zum Glück sind sie ohne Datum. Meinst du, daß wir Plätze buchen müssen?«

»Ja, zuerst buchen, dann fahren wir übermorgen.«

»Ja, übermorgen. Wir müssen fahren. Hier ist nicht unser Platz. Was haben wir hier schon? Nach fünfundzwanzig Jahren keine Arbeit, keine Frauen, keinen Freund.« Er schwieg.

»Aber weißt du? Erinnerst du dich an unseren Satz...?«

Muhamed fing an, eine Zigarette zu drehen. Er grübelte. Alles erschien ihm ein bißchen neblig. Nicht nur sein Kopf drehte sich, sondern der Himmel, die Bäume und alles. Als wäre er betäubt, kamen die Worte aus seinem Mund:

»Sind wir so besoffen, oder stimmt irgend etwas in der Welt nicht?

Was hältst du von einem Spaziergang in den alten Teil der Stadt? Wir müssen heute noch mal alle unsere Erinnerungsplätze besichtigen.«

Noch ehe Muhamed die Zigarette anzünden konnte, nahm Ali sie ihm ab, steckte sie selbst in den Mund, zündete sie an und legte das Feuerzeug auf die Bank. Er nahm zwei tiefe Züge und gab die Zigarette zurück. Sie schwiegen. Die Sonne verabschiedete sich von diesem Teil der Welt, während der Abend seinen schwarzen Teppich über die Stadt hinbreitete, als wolle er das Ende des Tages ankündigen. Die Luft wurde scharf, und die aufziehende Kälte zwang die Männer, ihre Jacken zuzuknöpfen.

»Wir müssen morgen fahren. Adio, schöne Stadt, wir werden nie vergessen, daß wir Sie gemocht haben!«

Ali leerte seine Flasche mit einem letzten Zug und warf sie neben sich.

»Übermorgen! Aber wir müssen morgen wirklich buchen. Gib mir noch einen Zug!«

Muhamed gab ihm die Zigarette.

»Morgen, übermorgen. Wir oft haben wir das gesagt! Aber diesmal tun wir es wirklich.«

Er griff wieder nach der Zigarette und zerdrückte sie, nachdem er noch einen tiefen Zug genommen hatte. Er stand auf, schwankte, sah Ali an, der auch gerade aufstand, und versuchte, sicher auf dem Boden zu stehen. Sie kamen sich ein Stück näher und stützten einander.

»Wir gehen jetzt Schnaps kaufen. Wir müssen aber aufpassen, daß uns keiner die Fahrkarten klaut.«

»Erinnerst du dich an das Lied: ›Du bist verrückt, ich bin besoffen, wer soll uns nach Hause führen?‹«

Sie verließen ihren Platz. Ihr Schwanken war deutlich zu merken. Sie schlurften den Weg entlang wie Lichtpunkte durch die Dunkelheit.

Michael Sallmann
Ein Ausländerproblem

Wissen Sie, daß mir Ausländer manchmal unheimlich vorkommen, nur so, vom Ansehen her?
Nein, bitte, vermuten Sie nun keinen versteckten Rassismus, keine verknaubelte Meckerei über die Ausländerpolitik des Senats, es geht um einen Schinkenkäsetoast und noch unerforschte Kräfte. An einem meiner zahlreichen freien Nachmittage, an denen ich mich, zu Hause am Schreibtisch oder im Bett recht gelangweilt, auf die Straße begebe und depressiv gestimmt durch die Innenstadt schwelge, kam ich an einem historischen Kellerrestaurant vorüber, in dem in früheren Jahrhunderten der Teufel zu dinieren pflegte – so die Stadtchronik. Ach, dachte ich, warum am frühen Nachmittag nicht eine kleine Vorspeise?!
Ich stieg die Stufen zum Keller hinab, trat durch eine sich recht großzügig bewegende Schwingtür ins Lokal und stellte fest, daß leider alle Tische besetzt waren. An einigen saßen Paare oder auch nur Einzelpersonen, aber da ich ein scheuer Mensch bin und es nicht so gern habe, wenn sich andere Leute in Restaurants zu mir setzen, setze ich mich selbst ebenfalls ungern zu anderen. Zu irgendeiner Konversation ist man immer genötigt, zu einer negativen oder positiven, zu einer mit Worten oder einer ohne Worte, zu einer mit Blicken dieser oder jener Art.
Ich lief also auf und ab zwischen den Sitznischen und suchte nach einer Möglichkeit, alleine zu essen, und mit diesem Auf- und Abgelaufe stieg auch mein Appetit auf einen kleinen Happen, denn die Düfte der Küche verfingen sich zusehends in meiner Nase. Da bekam ich von einem Inder mit weißem Turban, der solo in einer der Nischen an einem Vierertische saß, in Zeichensprache die unmißverständliche Aufforderung, bei ihm Platz zu nehmen. Innerlich zögerte ich, aus obengenannten Gründen, konnte aber schließlich das Angebot des Fremden nicht ablehnen, weil es einerseits so offensiv

deutlich vorgetragen wurde und andererseits mein Appetit zu Hunger angeschwollen war.

Ich lächelte also und setzte mich zu dem Herrn.

Und sofort trat jene Situation ein, die den Aufenthalt in Restaurants für mich so unangenehm macht: Immerzu muß man sich anblicken, obwohl man eigentlich nur speisen will.

Ich sage es im voraus: Zwischen mir und dem Fremden fiel kein einziges Wort.

Er beobachtete mich unter seinem Turban hervor, so daß ich nach Sekunden sturen Starrens meine Augen zu den benachbarten Tischen schweifen lassen mußte.

Danach kam es zu einer kleinen Zwangspause. Er betrachtete mich intensiv, ohne auch nur einmal den Kopf in geringster Weise zu bewegen. Eigenartig.

Mein Unbehagen wuchs.

Die Kellnerin brachte die Karte.

Eine willkommene Gelegenheit für mich, den bohrenden Blicken meines Gegenübers auszuweichen.

Ich bestellte einen Schinkenkäsetoast und eine kleine Cola. Danach heftete ich meinen Blick unversehens auf eine verschnörkelte Holzleiste an meinem Stuhl.

Die Blicke des Inders ruhten auf mir. Ich spürte es. Nach einer Weile hob ich ruckartig den Kopf, um zu überprüfen, ob er noch glotzte.

In diesem Augenblick durchbohrte mich auch schon der Strahl aus seinem Geäug. Er hatte den Kopf leicht nach vorn geneigt, andeutungsweise auf die Arme gestützt und stach mit seinen Augen tiefbraunschwarz ins Dämmerlicht des Kellers.

Ruhig bleiben, alter Junge, sagte ich mir, ruhig bleiben heißt hier die Devise. Bei einem zweiten Versuch fand ich sogar die Kraft, dem Turbanträger vier Sekunden standzuhalten. Dann jedoch glitt mein Blick wieder ab und verfing sich an jener verschnörkelten Holzleiste.

Mein Selbstbewußtsein war gleich Null. Um nicht die Fassung zu verlieren, redete ich mir ein, daß mich dieses Ding, was ich da betrachtete, wirklich interessiere. Starr schaute ich es an und strich mehrmals mit den Fingern darüber, um diese oder jene Verschnörkelung zu erforschen. Nach einigen Minuten wurde mein Genick völlig steif.

Ich riß mich los von der Leiste und stürzte mich mit meinen Augen auf die auf dem Tisch liegenden Bierdeckel. Dann überprüfte ich den Sitz meiner Schnürsenkel, anschließend widmete ich mich nochmals der Speisekarte.

In der Spiegelung der Aluminiumzuckerdose lauerte der dunkle Blick. Dieser Fremde hatte eine starke Persönlichkeit!

Cool, boy, cool, prägte ich mir ein, nichts wird so heiß gegessen, wie es auf den Tisch kommt.

Die Kellnerin stellte eine Flasche Worcestersauce zum Bespritzen des Schinkenkäsetoastes auf den Tisch. Sofort erkundete ich Gewicht, Herstellungsort und -datum, Farbe des Inhalts und der Aufschrift sowie die Gewindeart des Verschlusses. Es war ein Rechtsgewinde.

Des Inders überlegene Blicke trafen mich gnadenlos.

Toast und Cola wurden serviert. Ich ergriff Messer und Gabel. Meine Nerven waren zum Zerreißen gespannt. Nur nicht auffallen jetzt, sagte ich mir, um Gottes willen nicht auffallen, Zähne zusammenbeißen und durch!

Ich stach in den Schinkenkäsetoast. Nach dem dritten Bissen versuchte ich einen Kontrollblick, wurde aber abgeschmettert, verfing mich in der Betrachtung der Schnörkelleiste, fand aber sofort zum Toast zurück. Äußerlich gelöst goß ich mir ein Glas Cola ein und trank gierig.

Mein Gott, mein Gott, sagte ich mir und spritzte etwas Worcestersauce über den Toast, hab' Erbarmen!

Mit der Gabel stach ich den Toast nieder, spritzte etwas Sauce darauf und schnitt dann jeweils mit dem Messer ab. Nur nichts anmerken lassen, nur nicht auffallen! Meine Hände zitterten ganz leicht. Wieder spritzte ich etwas Worcestersauce auf einen Happen. Die Worcestersauce ergoß sich heftig und schäumte auf. Der Schinkenkäsetoast erhob sich bis zum Tellerrand und verharrte dort, leicht schaukelnd.

Ich setzte die Flasche ab und betrachtete mein Werk. Schweiß brach mir aus.

Ich hatte die Worcestersaucenflasche mit der Colaflasche verwechselt! Was tun! Was sollte ich tun?!

Ich beobachtete, wie sich der Käse allmählich vom Schinken löste, während das Weißbrot auf den Grund des Tellers sank. Nur nicht auffallen jetzt! Mit der Gabel tauchte ich den Toast unter, schnitt ab und steckte mir das schwammige Stück in den Mund. Die Kellnerin schüttelte den Kopf und sagte: »Der schöne Toast!«

Um das Gesicht zu wahren, stammelte ich: »So schmeckt's auch.«

Der unheimliche Tischgenosse betrachtete mich weiter gnadenlos. Ein Grinsen war in seine Mundwinkel gestiegen. Hypnose! An den Nachbartischen war mein Mißgeschick nicht unbemerkt geblieben. Zwei Frauen kicherten.

Aufgelöst grüßte ich zu ihnen hinüber, legte einen Zehnmarkschein neben meinen Teller, rannte hinaus und flüchtete in die Volkshochschule, wo ich abendliche Kurse besuche.

T. Coraghessan Boyle
Alias Katunga Oyo

Was Johnson angeht: Er gehört zum Stamm der Mandingo, der die Quellgebiete des Gambia und des Senegal bewohnt, außerdem große Teile des Nigertals, bis hinunter zur Stadt der Legende: Timbuktu. Seine Mutter gab ihm nicht den Namen Johnson. Sie nannte ihn Katunga – Katunga Oyo – nach seinem Großvater väterlicherseits. Mit dreizehn wurde Johnson von Hirten aus dem Volk der Fulah gekidnappt, als er gerade in einem Kornfeld nicht weit von seinem Geburtsdorf Dindiku mit einer zarten jungen Nymphe deren Beginn der Geschlechtsreife feierte. Die Nymphe hieß Neali. Aber danach fragten die Fulah nicht. Ihr Häuptling, der sich von Nealis tätowiertem Gesicht und einigen anderen ihrer körperlichen Attribute einnehmen ließ, behielt sie als seine persönliche Konkubine. Johnson wurde an einen *slati* verkauft, einen umherreisenden schwarzen Sklavenhändler, der ihn in Beinschellen legte und zusammen mit zweiundsechzig Leidensgenossen zur Küste trieb. Neunundvierzig schafften es. Dort wurde er einem amerikanischen Sklavenschiffer verkauft, der ihn im Laderaum seines nach South Carolina auslaufenden Schoners ankettete. Der Junge neben ihm, ein Bobo aus Djenné, war schon sechs Tage tot, als das Schiff in Charleston anlegte.

Zwölf Jahre lang arbeitete Johnson auf der Plantage von Sir Reginald Durfeys, einem englischen Baronet. Dann wurde er zum Hausdiener befördert. Drei Jahre später sah Sir Reginald selbst einmal in Carolina nach dem Rechten, fand Gefallen an Johnson und nahm ihn als Kammerdiener nach London mit. Das war im Jahre 1771. Die Kolonie hatte noch nicht revoltiert, in England war die Sklaverei noch erlaubt, in den Adern von Georg III. zirkulierten bereits die zerstörerischen Porphyrine, die ihn den Verstand kosten würden, und Napoleon erstürmte gerade die Palisaden seines Laufställchens.

In der Bibliothek von Piltdown, dem Landsitz der Durfeys', begann sich Johnson – wie ihn Sir Reginald taufte – zu bilden. Er lernte Griechisch und Latein. Er las die Klassiker. Er las die Modernen. Er las Smollett, Ben Johnson, Molière, Swift. Er sprach vom Papst, als würde er ihn persönlich kennen, machte ätzende Bemerkungen über die kindischen Romane von Samuel Richardson, begeisterte sich dafür aber so am Stil Henry Fieldings, daß er sogar versuchte, dessen *Amelia* ins Mandingo zu übersetzen.

Durfeys war fasziniert von ihm. Nicht nur von seinen Kenntnissen in Sprache und Literatur, ebensosehr von seinen Erinnerungen an den Schwarzen Kontinent. Das ging so weit, daß der Baronet abends nicht mehr einschlafen konnte ohne eine Tasse heiße Milch mit Knoblauch und Johnsons beruhigenden *basso profondo*, der ihm Geschichten von strohgedeckten Hütten, von Leoparden und Hyänen erzählte, von Vulkanen, die Feuer in den Himmel spien, und von Schenkeln und Hinterteilen, die vor Schweiß glänzten und so schwarz waren wie ein Traum vom Inneren der Gebärmutter. Sir Reginald gewährte ihm einen recht ordentlichen Lohn, und nach seiner Freilassung im Jahre 1772 bot er ihm eine stattliche Rente, wenn er als Kammerdiener bei ihm bliebe. Johnson überlegte sich den Vorschlag bei einem Glas Sherry in Sir Reginalds Schreibzimmer. Dann grinste er und ging den Baronet erst mal um eine Gehaltserhöhung an.

Während der Legislaturperiode des Parlaments verlegte Sir Reginald, begleitet von Johnson und zwei livrierten Lakaien, seinen Haushalt immer nach London. London war eine reife Tomate. Johnson war eine Makkaroni. In illustrer Gesellschaft flanierte er über die Bond Street; Zylinder, knapp taillierter Gehrock und Kniehosen aus Seide. Bald frequentierte er die Cafés, bewies Schlagfertigkeit und Witz und lernte, aus dem Stegreif hintersinnige Epigramme zu formulieren. Eines Nachmittags trat ein rotgesichtiger Gentleman mit Backenbart auf ihn zu, nannte ihn einen »verdammten Hottentotten-Nigger« und forderte ihn zum Duell auf Leben und Tod. Am nächsten Tag, bei Morgengrauen und in Gegenwart von Sekundanten, setzte Johnson dem Gentleman eine Kugel ins rechte Auge. Der Gentleman war auf der Stelle tot, und Johnson kam in den Kerker. Bald darauf erging das Urteil: Tod durch den

Strang. Sir Reginald ließ seine Beziehungen spielen. Die Strafe wurde in Deportation umgewandelt.

Und so bekam Johnson, im Januar 1790, wieder einmal Beinschellen angelegt, was ihm die Strümpfe ziemlich ruinierte. Man brachte ihn an Bord der *H. M. S. Feckless*, die ihn auf Goree absetzte, einer Insel dicht vor der Westküste Afrikas, wo er als Gemeiner in der Armee dienen sollte. Als er an Land ging, durchfuhr ihn ein uralter Schauer. Er war zu Hause. Zwei Wochen später, während er Nachtwache hatte, requirierte Johnson ein Kanu, paddelte zum Festland hinüber und verschmolz mit dem schwarzen Dickicht des Dschungels. Sein Weg führte ihn zurück nach Dindiku, wo er Nealis kleine Schwester heiratete und sich daranmachte, das Dorf von neuem zu bevölkern.

Er war siebenundvierzig. Graue Strähnen durchsetzten sein Haar. Die Bäume wuchsen bis in den Himmel, und die Morgendämmerung kam heran wie eine Welle aus Blumen. Des Nachts ertönten der Schrei des Klippschliefers und das Bellen des Leopards, tagsüber das träge Summen der Honigbiene. Seine Mutter war inzwischen eine alte Frau, das Gesicht voller Furchen und eingetrocknet wie die mumifizierten Leichname, die er in der Wüste hatte liegen sehen – die Leichen von Sklaven, die nicht hatten mithalten können. Sie drückte ihn an ihre knochige Brust und schnalzte mit der Zunge. Es regnete. Die Felder gediehen, die Ziegen wurden fett. Er lebte in einer Hütte, ging barfuß und wickelte sich ein Stück feines Kammgarn um Lenden und Oberkörper, das er dann eine Toga nannte. Er widmete sich völlig dem Sinnlichen.

Schon nach fünf Jahren war Johnson der Ernährer von drei Frauen und elf Kindern – vierzehn Mündern –, dazu kamen noch diverse Hunde, zahme Affen, Erdhörnchen und Sandskinks. Dennoch arbeitete er sich keineswegs tot – nein, er nutzte lieber seinen Ruf als Mann von Bildung. Mit einer Kalebasse voll Bier oder einer Kudulende kamen die Dorfbewohner zu ihm und baten dafür um ein paar gekritzelte Worte. Jeder im Dorf trug um den Hals oder am Handgelenk einen *saphi* – einen Lederbeutel von Brieftaschengröße. Diese *saphis* waren Behältnisse für Fetische und Talismane gegen allerlei Unheil: ein gepökelter Ringfinger galt als wirksamer Schutz vor dem Biß der Puffotter; ein Haarbüschel garantierte unversehrte

Heimkehr aus dem Schlachtgetümmel, die Duftdrüse der Zibet-
katze verhütete Lepra und die Himbeerseuche. Doch der stärkste
Zauber war Logos. Das geschriebene Wort verlieh Weisheit,
Potenz, Überfluß in Zeiten der Not. Es konnte ausgefallene Haare
zurückbringen, Krebs heilen, Frauen betören und Heuschrecken
töten. Johnson wurde sich rasch des Marktpotentials seiner Schreib-
kunst bewußt. Für ein paar flüchtig hingeworfene Knittelverse gab
es drei Pfund Honig oder einen Monatsvorrat Korn. Oder er zitierte
Pope und erkaufte sich damit ein Paar goldene Fußringe für seine
jüngste Braut:

> *Drei Pfiffe sein der Preis,*
> *Den zu bestechen, der kreischend spricht der Affenhorde Hohn:*
> *Und sein jene Trommel, die da mit dumpfem heroischem Ton*
> *Erstickt das schrille Clairon gar des Eselschreis.*

Sie war fünfzehn und bewies ihre Dankbarkeit sehr demonstrativ.
Johnson machte es sich bequem und genoß, das Ganze war süß wie
ein Märchen. *Wiedereroberes Paradies*, dachte er.

Dann kam eines Nachmittags ein Kurier aus Pisania, der britischen Handelsniederlassung am Gambia. Er brachte einen Brief aus
England, dessen Siegel das Wappen der Durfeys (eine wiederkäu-
ende Ziege) trug. England – die Clubs, die Theater, Covent Garden
und die Pall Mall, der geschwungene Lauf der Themse, die Struktur
des Lichtes am Spätnachmittag in der Bibliothek von Piltdown – all
das strömte wieder auf ihn ein. Er riß den Umschlag auf.

Piltdown, den 21. Mai 1795

Lieber Johnson:
Falls Dich dieses Schreiben erreicht, so hoffe ich, daß Du es bei
bester Gesundheit liest. Ich muß gestehen, daß die Nachricht von
Deiner Flucht aus Goree uns alle mächtig gefreut hat. Ich habe die
starke Vermutung, Du bist inzwischen wieder zum »Eingeborenen«
geworden, neben Dir ein paar von diesen Sirenen mit dem Honig-
Teint, von dem Du immer so geschwärmt hast, hab' ich recht?
Aber nun zum Geschäftlichen. Mit diesem Brief möchte ich Dir
einen gewissen Mungo Park ans Herz legen, einen jungen Schotten,

den wir beauftragt haben, ins Innere Deines Landes vorzudringen und den Verlauf des Nigers zu bestimmen. Wenn du einverstanden bist, als Führer und Dolmetscher für Mr. Park zu fungieren, nenne ihm Deinen Preis.

In geographischer Leidenschaft,

Sir Reginald Durfeys, Bart.
Gründungsmitglied der
Afrika-Gesellschaft

Johnsons Preis waren die Gesammelten Werke Shakespeares, alle Bände im Quartformat, wie sie auf den Regalen in Sir Reginalds Bibliothek gestanden hatten. Er packte eine Reisetasche, gelangte zu Fuß nach Pisania, fand den Forschungsreisenden und setzte ein Abkommen über die Bedingungen für seine Dienste auf. Der Reisende war vierundzwanzig. Sein Haar hatte die Farbe von Weizenseide. Er war einen Meter zweiundachtzig groß und ging, als hätte man ihm einen Stock auf den Rücken geschnallt. Er ergriff Johnsons Hand mit seiner breiten, butterweichen Pranke. »Johnson«, sagte er, »ich freue mich aufrichtig, deine Bekanntschaft zu machen.« Johnson war einszweiundsechzig und wog fünfundneunzig Kilo. Sein Haar war ein Staubbesen, seine Füße waren nackt, im rechten Nasenflügel trug er eine goldene Nadel. »Die Freude ist ganz meinerseits«, sagte er.

Sie brachen zu Fuß auf. Flußaufwärts, in Frukabu, machte der Entdeckungsreisende halt, um ein Pferd zu erstehen. Der Besitzer war ein Mandingo-Salzhändler. »Wirklich ein Spottpreis«, sagte er, »für so ein rassiges Füllen.« Sie fanden das Tier hinter einer Rutenhütte am anderen Ende des Dorfes angepflockt. Es stand inmitten einer Hühnerschar, knabberte Disteln und glotzte sie blöde an. »Prächtige Zähne«, sagte der Salzhändler. Das Pferd war kaum größer als ein Shetlandpony, auf einem Auge blind und so ausgemergelt, wie es steinalte Greise manchmal sind. Offene Geschwüre, grün vor Schmeißfliegen, übersäten die rechte Flanke, und eine gelbliche Flüssigkeit wie dünner Haferbrei tropfte ihm aus der Nase. Am allerschlimmsten war aber wohl, daß das Tier zu senilen Fürzen neigte – gewaltige Gasausbrüche, die die Sonne vom Himmel wischten und die ganze Umwelt zur Senkgrube machten. »Rosinante!« scherzte Johnson. Der Entdeckungsreisende verstand die Anspielung nicht. Er kaufte das Pferd.

Mungo ritt, Johnson lief. Ohne Zwischenfall passierten sie die Königreiche von Woulli und Bondu, doch als sie nach Kaarta kamen, erfuhren sie, daß der König dieses Landes, Tiggitty Sego, mit dem Nachbarstaat Bambarra Krieg führte. Der Entdeckungsreisende schlug einen Umweg in nördlicher Richtung, durch Ludamar vor. Zwei Tage nach dem Überschreiten der Grenze wurden sie von dreißig berittenen Mauren aufgehalten. Die Mauren sahen aus, als hätten sie soeben ihre Mütter gekocht und verzehrt. Sie trugen Musketen, Dolche und Krummsäbel – Krummsäbel so kalt und grausam wie der Halbmond, eine Waffe eher zum Abhacken als zum Stechen: Ein einziger Schlag konnte Arm oder Bein amputieren, Schultern abtrennen, Köpfe spalten. Ihr Anführer, ein Riese mit Kapuzenumhang und einer feingestrichelten Narbe über dem Nasenbein, trottete auf sie zu und spuckte in den Sand. »Ihr kommt mit uns zu Alis Lager nach Benaun«, verkündete er. Johnson zerrte den Entdeckungsreisenden an den Gamaschen und flüsterte ihm etwas ins Ohr. Die Pferde scharrten und stampften. Mungo sah zu den grimmigen Gesichtern auf, lächelte und erklärte auf englisch, er nehme die Einladung mit Vergnügen an.

[Aus dem Amerikanischen von Werner Richter]

Jutta Bauer

Norbert Hormuth
»Ja, bitte«
Ein Frühstück voller Mißverständnisse

Möchten Sie Tee oder Kaffee?« Herr Watanabe, ein Japaner, der am Abend zuvor in Frankfurt zu seinem ersten Deutschlandaufenthalt angekommen war, zögerte lange mit der Antwort. Mit leicht gequältem Gesichtsausdruck antwortete er schließlich: »Ja, bitte!« Erneut von uns vor die Alternative Tee oder Kaffee gestellt, wobei eine einladende Geste die Möglichkeit der Wahl unterstrich, sagte er nach kurzem Nachdenken: »Wie Sie möchten.«

Völlig unsensibel für die Schwierigkeiten, in die wir Herrn Watanabe gebracht hatten, insistierten wir darauf, daß *er* doch die Wahl habe und wir ihm gerne alle Wünsche erfüllten. Es war umsonst. Am Ende servierte ihm meine Frau Tee, weil dies ja schließlich, wie wir meinten, für einen Besucher aus dem Fernen Osten in jedem Falle das angemessene Frühstücksgetränk sei. Im Laufe der folgenden Tage fanden wir heraus, daß Herr Watanabe ein geradezu leidenschaftlicher Kaffeetrinker war. Weitere Fragen erübrigten sich.

Die Schwierigkeiten, die ein Japaner mit einem deutschen Frühstück hat, glaubten wir zu kennen, hatte sich doch Herr Suzuki, unser erster japanischer Gast nach unserer Rückkehr nach Deutschland, erst nach mehrmaliger Aufforderung, sich zu bedienen – Wurst, Käse, Marmelade, Honig, weichgekochte Eier waren aufgetischt –, schließlich mit merklicher Anstrengung dazu aufgerafft, sich eine Scheibe Brot auf den Teller zu legen, die er dann umständlich und unverdrossen mit Wurst, Käse und Marmelade bedeckte, um am Ende mit der Butter zu scheitern. In beiden Fällen sahen wir die Schwierigkeiten durch das deutsche Frühstück verursacht, unterscheiden sich ja schon die nächsten Nachbarn in Europa in kaum etwas mehr als in ihren Frühstücksgewohnheiten; wie sollte da ein Japaner keine Probleme haben?

Das Frühstück mit Herrn Watanabe nahm danach einen unproblematischen Verlauf, so daß wir damit beginnen konnten, ihm Vorschläge für das Tagesprogramm zu machen: Goethe-Haus oder auf Siegfrieds Spuren von Worms in den Odenwald.

Das Goethe-Haus war für einen japanischen Germanisten natürlich ein unbedingtes Muß, aber, so gaben wir zu bedenken, da das Wetter nun einmal für die Jahreszeit so ungewöhnlich schön sei und uns das Goethe-Haus nicht wegliefe und an einem weniger schönen Tag besucht werden könne, vielleicht mit anschließendem Sushi-Essen gleich um die Ecke bei Juheim, baten wir Herrn Watanabe, es sich zu überlegen und selbst zu entscheiden, was wir zuerst tun sollten. Dies konnte in unseren Augen nicht schwer sein: das Wetter war ein gewichtiges Argument, und Watanabes gerade in der »Doitsu Bungaku« erschienener Aufsatz über Hagens Gefolgschaftstreue gegenüber König Gunther sprach für Worms und den Siegfriedsbrunnen im Odenwald. Und außerdem: wie oft hatten wir früher in Japan über die deutsche Romantik gesprochen, über den unvermeidlichen deutschen Wald, über Waldesrauschen und Waldeseinsamkeit, Brentano, Heine, die Grimmschen Märchen… Herr Watanabe mußte einfach das Bedürfnis haben, diesen deutschen Wald, der so ganz anders ist als der japanische, selbst zu erleben, unter seinen Blätterdomen der süßen, traurigen Sehnsucht nachspüren wollen, die romantische deutsche Gedichte in japanischen Lesern wachrufen.

Herrn Watanabes Antwort machte uns ratlos: »Ja!« Also noch einmal: Goethe-Haus oder Siegfried und die Nibelungen? »Beides ist gleich. Machen Sie ruhig, wie Sie wollen.« War dies wirklich alles gleich für Herrn Watanabe, Goethe und die Nibelungen, Frankfurt und der deutsche Wald, das Domtor zu Worms, wo die beiden Königinnen jenen verhängnisvollen Streit austrugen, der zum Untergang des Volkes der Nibelungen führte, oder ein Sushi-Essen bei Juheim? Wir hatten hierauf keine Antwort, fuhren nach Worms (»Bier oder Wein?« »Ja, bitte!«) und in den Odenwald und hatten einen wunderschönen Tag.

Später glaubten wir, den Grund für diese Verständigungsschwierigkeiten in einem grammatikalischen Unterschied zwischen dem Deutschen und dem Japanischen gefunden zu haben. Im Japanischen gibt es unsere Oder-Fragen nicht, man fragt sozusagen die alternativen Möglichkeiten einzeln und nacheinander ab: »Möchten Sie Wein? Möchten Sie Bier?« Aber auch diese Erklärung paßte nicht auf alle Situationen, in denen wir ähnliche Reaktionen und Mißverständnisse erlebten.

Etwas näher kamen wir einer Lösung dieses Problems, als wir zwei Jahre später mit unseren Kindern Japan und die Geburtsstadt unseres Sohnes, die er seit seinem vierten Lebensjahr nicht mehr gesehen hatte, besuchten. Wir wollten zwei, drei Tage in der Stadt bleiben, unsere Freunde treffen, die Stätten unseres früheren Aufenthaltes aufsuchen, die schönen Parks, Gärten und Tempel, an die wir so oft zurückgedacht hatten, wiedersehen und dann, soweit es die Zeit zuließ, Kyūshū, unsere »Heimatinsel« bereisen.

Aber es kam ganz anders. Gleich nach der Ankunft fanden wir uns in einer Situation wieder, in der es keine Oder-Fragen und keine Oder-Antworten gab. Eine Gruppe unserer alten Freunde und Kollegen hatte sich im Hotelfoyer eingefunden, und ihr Sprecher unterbreitete uns sogleich einen detaillierten Besuchsplan: wir wurden für eine ganze Woche fast Stunde für Stunde einem minutiösen Besuchsprogramm unterworfen. Es blieb keine Wahl zwischen Bier oder Kaffee, Wein oder Tee, Stadtbummel oder Schloßbesuch, Empfang beim Oberbürgermeister oder Besuch im früheren Kindergarten einschließlich Aufführung eines Grimmschen Märchens: alles war festgelegt und wurde mit japanischer Perfektion durchgeführt.

Das war für uns natürlich bequem: der Tisch war gedeckt, das Auto stand bereit, Tür und Tor öffneten sich auch außerhalb offizieller Öffnungszeiten, und im Grunde war dies auch schön und erfreulich, zeigte es doch, daß wir, die Ausländer mit den langen Nasen und merkwürdigen Verhaltensweisen, auch fünfzehn Jahre nach unserer Rückkehr nach Europa noch immer »dazugehörten«. Was dieses Dazugehören bedeutet, darüber muß später noch gesprochen werden.

Aber gleichzeitig waren wir verärgert; wir fühlten uns gegängelt, eingezwängt, unfrei und gefangen, und wir ließen, so fürchte ich im nachhinein, unsere Freunde und Kollegen unseren Unmut spüren. Offensichtlich wurde uns hier eine Fürsorge zuteil, die uns lästig war und an der wir es unseren japanischen Besuchern gegenüber hatten fehlen lassen. Diese japanische Fürsorge läßt dem auf eigenes Wollen und Wünschen fixierten Europäer kaum die Möglichkeit, sich so zu entscheiden und so zu handeln, wie er eigentlich möchte; er fühlt sich gefesselt, eingeengt und bevormundet. Dagegen zeigt ein japanischer Gast, von uns durch alternative Vorschläge, die ihn zu einer Entscheidung oder zum Äußern seiner Wünsche drängen, also genau das zu tun, was wir gern tun würden, deutliche Anzeichen von Unbehagen.

Einige Zeit nach diesem Japan-Besuch schenkte mir mein Freund Natsuki Takita ein Buch, von dem ich schon viel gehört hatte, aber nicht wußte, daß es in einer deutschen Übersetzung vorlag, nämlich Takeo Dois »Amae. Freiheit und Geborgenheit – Zur Struktur der japanischen Psyche« (edition suhrkamp). Doi, ein bedeutender japanischer Psychiater und Analytiker, der lange in Amerika gelebt und gearbeitet hatte und sich in der abendländischen Kultur hervorragend auskennt, macht in diesem Buch das, was wir als beengende Fürsorge erlebt und unseren japanischen Gästen nicht als befreiende Fürsorge hatten zukommen lassen, zum zentralen Ausgangspunkt seiner Analyse der japanischen Seele.

Doi beschreibt, nun aber aus japanischer Sicht, ähnliche Erfahrungen, wie wir sie mit unseren Gästen gemacht hatten. Über seine ersten Erlebnisse als Gast in Amerika schreibt er: »Ein amerikanischer Gastgeber fragt seinen Gast vor dem Essen, ob er ein alkoholisches oder ein nichtalkoholisches Getränk möchte. Wählt der Gast dann etwas Alkoholisches, fragt man ihn, ob er Scotch oder Bourbon bevorzuge. Hat er sich entschieden, muß er die nächste Anweisung geben, nämlich wieviel er trinken und wie er es serviert haben möchte. Beim Hauptgang hat man glücklicherweise nur das zu essen, was einem serviert wird, aber nachher muß man sich wieder entscheiden, ob man Tee oder Kaffee haben möchte, und außerdem noch, ob lieber mit Zucker oder Milch usw. Ich merkte bald, daß dies die amerikanische Art ist, einen Gast höflich zu behandeln; aber mir waren all diese vielen kleinen Entscheidungen vollkommen gleichgültig. Welch ungeheure Menge trivialer Entscheidungen mußte ich treffen – zuweilen hatte ich das Gefühl, daß sich die Amerikaner nur so verhielten, um sich ihre eigene Freiheit zu beweisen.«

Hätten wir Dois Buch früher gekannt, wir hätten Herrn Watanabe und uns und vielen weiteren japanischen Besuchern peinliche Situationen erspart. Und Herr Suzuki hätte sein Frühstück bei uns ohne die geschilderten Schwierigkeiten genießen können, wenn uns die folgenden Äußerungen von Doi bekannt gewesen wären:

»In diesem Zusammenhang hatte auch – ehe ich mich an die englische Konversation gewöhnt hatte – das ›Bitte, bedienen Sie sich selbst‹ (›Please help yourself‹), das die Amerikaner so oft gebrauchen, einen unangenehmen Klang für mich. Es bedeutet natürlich nichts anderes als: ›Zögern Sie nicht, zu nehmen, was Sie sich wünschen‹ – aber wörtlich genommen hört es sich so an wie: ›Niemand sonst wird dir helfen‹, und ich konnte nicht verstehen, wie diese Redewendung zu einem Ausdruck guten Willens hatte werden können. Die japanische Höflichkeit verlangt vom Gastgeber, daß er bei der Bewirtung ein Gefühl dafür entwickelt, herauszufinden, was der Gast gerne hätte, und daß er selbst seinen Gästen ›hilft‹. Es einem Gast, der dem Haus nicht vertraut ist, zu überlassen, ›sich selbst zu bedienen‹, wäre eine Form äußerster Rücksichtslosigkeit.«

Doi entwickelt aus dieser und weiteren Erfahrungen und aus sehr eingehenden Untersuchungen über gesellschaftliche und vor allem sprachliche Besonderheiten Japans seine Theorie des »*Amae*-Systems«, das er für den entscheidenden Wesenszug der japanischen Psyche hält. Amae, sprachlich eng verwandt mit dem Wort amai = süß, umschreibt bei Doi die Gewißheit des einzelnen, sich auf den guten Willen der anderen verlassen zu können, es ist ein Zustand, der nur mit der vertraueneinflößenden Nähe des Säuglings zur Mutter beschrieben werden kann, eine Befindlichkeit, die Sicherheit verbürgt und es dem im amae-Gefühl Geborgenen ermöglicht, sich wie das Kind bei der Mutter auch gehenlassen zu können. Wer sich im amae-System bewegt, läßt sich umsorgen, weiß sich auch in seinen Schwächen angenommen und kann sich ohne Scham in seinen Schwächen zeigen.

Vor einigen Jahren lud uns ein buddhistischer Priester, der auf einem großen Tempelgelände in einer kleinen Stadt im südlichen Kyūshū lebte, zu sich nach Hause ein, um, wie er uns versprach, einmal ganz japanisch zu leben. Am zweiten Abend gab er für uns und seine Verwandten ein großes Bankett. Einer seiner Neffen, ein junger Mann von vielleicht 25 Jahren, der es sich bei dieser Gelegenheit sichtlich wohlsein ließ, war am späten Abend schließlich so angetrunken, daß sein Verhalten, gelinde gesagt, auffällig wurde, auffällig auch in der Weise, daß wir mehr und mehr zum Gegenstand seiner unkontrollierten Aufmerksamkeiten wurden. Als er sich auch noch laut lachend und mit karrikierenden Gesten über unsere langen Nasen ausließ, wurde die Situation peinlich, und wir erwarteten, daß er zurechtgewiesen, zumindest aber unauffällig hinausgeleitet würde. Aber nichts dergleichen geschah. Der junge Mann wurde weiterhin höflich behandelt, man nahm keine Notiz von seinen Ausfällen, reichte ihm freundlich zu essen und zu trinken und unterhielt sich mit uns so, als sei nichts geschehen, kurz, man behandelte ihn, wie eine nachsichtige Mutter ihr ungezogenes Kind behandelt, mit Geduld und konsequentem Übersehen seiner Unarten.

Ein ähnlich tolerantes Verhalten erlebten wir bei einem jener in Japan so beliebten kollegialen Gelage, wie sie zum Jahresausklang von Kollegenkreisen, Firmen, Vereinen und Sportclubs gefeiert werden. In diesem Falle hatten sich die Philologen der philosophischen Fakultät zusammengefunden. Nach einem herrlichen, reichhaltigen Festessen folgte der gesellige Teil der Veranstaltung, eine Feier in losgelöster, ja ausgelassener Entspanntheit, wie man sie Japanern, kennt man sie nur von Geschäftsreisen im Ausland oder aus geschäftlichen Verhandlungen in ihren Konzernzentralen, nie zutrauen würde. Schließlich kam die Phase, in der jeder der Reihe nach etwas vorzutragen hatte, ein Lied, ein Gedicht, eine Anekdote oder ein Spiel, auf jeden Fall etwas Kurzweilig-Unterhaltendes, wozu nicht selten das Lied von der Lorelei in oft wundersamen deutschsprachigen Textvarianten gehört. Als ein von den Anwesenden mit ausgesuchter Höflichkeit und Freundlichkeit behandelter Professor, der für seine Jahre früh gealtert schien und deutliche Zeichen beginnender Senilität zeigte, an die Reihe kam, wurde es still, und alle schenkten ihm ihre ganze Aufmerksamkeit. Mit schwacher, zittriger Stimme sang er die in amerikanischen Kindergärten und Grundschulen beliebte gesungene Version des englischen Alphabets, ein schmuckloser, primitiver Sprechgesang, dem keine musikalischen, sondern nur didaktische Zielsetzungen zu Grunde liegen.

Ich war von dieser peinlichen Szene betroffen und fühlte mich unbehaglich bei dieser Entblößung nachlassender geistiger Kräfte. Zu meinem Erstaunen reagierten meine japanischen Kollegen völlig anders. Ohne jede Häme, ja ich bin überzeugt auch ohne jede Heuchelei bedankte man sich mit freundlichem Beifall für diesen Beitrag des alten Herrn, alle suchten nacheinander seine Nähe, um ihm Sake nachzuschenken oder einige freundliche Worte mit ihm zu wechseln, wobei stets spürbar war, daß all dies von Respekt, ja Hochachtung durchdrungen war.

Beide, der junge Betrunkene und der der Senilität nahe Professor, hatten amae erfahren, und es gab für sie, wenn sie in einem möglichen lichten Augenblick der Selbstwahrnehmung ihre wahre Situation erkannt hätten, keinen Anlaß für Scham; sie konnten sich des guten Willens aller sicher sein.

Josef Reding
Wächter der Verfassung

Ach, marvellous! Daß sich die Schrift so hält! Welche Tinte benutzten unsere tapferen Vorfahren eigentlich?«

»Tinte aus Galläpfeln«, sagte Zachary Crust geduldig.

»Aus Galläpfeln? Schau einer an! Und alles mit der Hand geschrieben! Also: das da oben in dem Bronze-Schrein ist die Verfassung und darunter ist die – ach, ich komme ganz durcheinander! Wollen Sie mir helfen?«

»Selbstverständlich, Madam«, sagte Zachary Crust. Die dicke Frau lächelte und trat näher an die Dokumente, auf denen grelles Neonlicht lag. Die Pailletten am schwarzen Kleid der Frau blitzten.

»Im Bronze-Schrank oben liegt die Unabhängigkeitserklärung unserer Vereinigten Staaten, Madam. Darunter liegt die Verfassung...!«

»Ah, die so anfängt: Wir, das Volk der Vereinigten Staaten, errichten das Recht, sichern die Ruhe des Heimes...«

»Ja.«

»Lag das alles immer hier?«

»Nein, Madam!« Die Stimme des Negers Zachary Crust kam ins Leiern, als er aufsagte: »Nicht immer sind diese Dokumente so sicher und in solcher Würde hier aufbewahrt worden. Als die Briten die Hauptstadt Washington 1814 angriffen, wurden die drei unersetzlichen Heiligtümer der Nation in Leinensäcke verpackt und in Virginia an einem sicheren Ort versteckt. Im Zweiten Weltkrieg waren die Dokumente abwechselnd in Fort Knox und an einem anderen Platz. Bis uns wiederum Gefahr droht, werden die Kostbarkeiten jedoch für jedermann offen hier liegen, hier in der ›National Archives Exhibition Hall‹, als ständige Mahnung daran: Hart erkämpfte Rechte brauchen ewige Wachsamkeit, oder sie gehen unausweichlich verloren!«

Sichtlich beeindruckt, nickte die korpulente Dame im Paillettenkleid. »Sehr gut«, sagte sie. »Wirklich ungeheuerlich gut.« Sie gab Zachary Crust ein Vierteldollarstück in die Hand und ging aus der Halle. Die hohen Absätze schlugen bei jedem Tritt schwer auf den Marmor des Fußbodens.

Sie geht wie unter einem Dauerfeuer aus dieser Gruft, dachte Zachary Crust. Er erinnerte sich dabei an die Monate in Korea. Da hatte ihn die gute Kugel in die Kniescheibe getroffen. Die Kugel, die ihm diesen schönen Job verschafft hatte. Wäre sonst unmöglich gewesen, an diese Stelle zur Bewachung der Dokumente zu kommen. Für'n schwarzen Mann unmöglich, dachte Zachary Crust und schaute auf die Uhr.

»Zeit, daß ich die Bude dicht mache!« sagte er. Er gab seinem Kollegen an der schweren Tür einen Wink. Sie schloß sich. Zachary Crust ging hinter die Fahne mit den Stars and Stripes und drückte nacheinander auf zwei Knöpfe. Der gesamte Aufbau glitt lautlos hinunter, in den Marmorboden, durch ihn hindurch. Zachary Crust wartete zwei Minuten. Dann flammte eine Signallampe neben den Drucktasten auf. Der Neger wußte, daß der Bronze- und Marmorkomplex jetzt unten angekommen war: sieben Meter unter dem Gebäude, im »Reliquienkeller«, wie die Angestellten unter sich den Sicherheitstresor nannten. »Finish!« sagte Zachary Crust und ließ das Neonlicht über den Glaskästen mit Washingtons Briefen und Lincolns Notizen zu beiden Seiten des Raumes ebenfalls zur Ruhe kommen. Die Streife vom Nachtdienst kam durch die Tür.

»O. k.?« fragte der erste Mann.

»O. k.!« sagte Zachary Crust. »Viel Spaß! War man dünn heute! Hab' höchstens zweieinhalb Dollar Trinkgelder zusammengekriegt!«

»Na ja«, sagte der Mann vom Nachtdienst gutmütig.

»Zwoeinhalb Dollar! Das ist doch allerlei für 'nen – 'nen Tag Rumsteherei!« Der Mann war froh, daß es ihm noch rechtzeitig eingefallen war. Rumsteherei. Er hatte erst »black boy« sagen wollen. Aber er wollte keine Scherereien. Manchmal reagierten die farbigen Burschen eigenartig auf so was.

Zachary Crust fuhr mit dem Ärmel über das Messingschild an seiner Brust, in das die Worte »Exhibition Hall Police« eingestanzt waren.

Draußen griff er sich an den Kopf. »Donnerwetter! Muß unbedingt noch zum Friseur. Sonst gibt's morgen vom Boß wieder einen An- pfiff: ›Sie sind nicht korrekt in Ihrer Erscheinung, Mister Crust.‹ Also, los!«

Auf dem Wege zu seinem Friseur Bill Dexter memorierte Zachary Crust die Texte der Verfassung. Jeder Angestellte der Exhibition Hall mußte sie auswendig können, damit er den Besuchern auf Wunsch Rede und Antwort zu geben imstande sei, wie die Vertrags- klausel lautete. Das Hinkebein Crusts schlug den Takt zu den Worten: »Artikel fünfzehn. Das Recht der Bürger der Vereinigten Staaten, zu wählen, soll weder abgestritten noch geschmälert wer- den, weder durch die USA noch durch andere Staaten, auf Grund der Rasse, Farbe oder vorhergehender Bedingungen eines Dienst- verhältnisses...«

Als Zachary Crust das einige Male gesagt hatte, war er bereits an drei Friseurläden vorbeigekommen. Aber dort konnte er sich nicht die Haare schneiden lassen. Ein Neger wurde in diesen Geschäften nicht bedient. Nicht etwa, daß die Friseure der Stadt etwas gegen Neger hatten. Nein. Sie hatten es noch bei ihrer vorletzten Ver- sammlung in Philadelphia ausdrücklich bekundet. Aber ihre Werk- zeuge seien nicht in der Lage, das andersgeartete Haar der Neger in rechter Weise zu bearbeiten. Jawohl, so hatte es der Chairman der Innung gesagt.

Darum ging Zachary Crust zu seinem Friseur am Rande der Stadt. Bill Dexter war auch ein Neger. Und es kamen nur Neger zu ihm. Als Zachary Crust durch die Pforte des Kellerladens mit dem weiß- roten Pfahl davor ging, hatte er die Verfassung schon viermal aufge- sagt.

HERR ROHRMOSER VERREIST

EINE BAYRISCHE WEISSWURST MACHT URLAUB IN AFRIKA

Mir san die lustigen Holzhackerbuam!

Gell, da schaugst?

Bimbo, a Maß!

Geh, Resi, sei koa Bösi

Schleich di!

Ernst Kahl

A Natur ham's scho

Brotzeit is de scheenste Zeit

Ja, was ist jetzt dös?

Teifi, is dös hoaß!

FRESSI FRESSI MACHE!
BRODZEID SCHÖN ZEID

Ein Lied, zwo drei vier!

Jens Bjørneboe
Stille

Und wieder gehe ich durch diese Straßen. Manchmal kommt es
vor, daß ich mich nach Europa sehne. Ich kann an den Palazzo
Vecchio denken, an Chartres und den London Tower, oder von mir
aus an den Isenheimer Altar. Es sind Bilder, die ich in mir trage, seit
ich jung war, und die mir die Welt bedeuten. Und die europäischen
Landschaften! Wenn ich nur an die Küste von Cinque Terre denke
oder an die Eismeerküste, an Mont St. Michel und die Klippen an
der Atlantikküste der Bretagne!

Es hat mich merkwürdig geschmerzt, von dort wegzugehen und
das zu verlassen, was für mich einerseits die große Wahrheit war und
andererseits ein Käfig von Zwängen und falschen Gedanken. Banal
ausgedrückt: Europäer ist man nicht, Europäer wird man. Und man
wird es erst, wenn man die Rechnung mit Europa macht und gleichzeitig mit sich selbst abrechnet. Man muß mit der fürchterlichen
Schuld, die an Europa haftet, abrechnen, indem man sieht, daß die
Schuld eigentlich unsere eigene ist und nicht so sehr in unseren
Handlungen begründet liegt, sondern in unserer ganzen Art, zu
denken, und in unserer abnormen Fähigkeit, das Falsche zum Richtigen zu erklären. Ich hätte beinahe gesagt: das Böse zum Richtigen
erklären.

Als ich wie so oft mit Ali zusammensaß und über das alte Europa
diskutierte, stieß eines schönen Abends Achmed zu uns.

»Entschuldigung«, sagte er, »mich beschäftigt schon lange die
Frage, wie es in deinem Heimatland so zugeht. Du hast bis jetzt nur
über uns gesprochen. Was ist bei dir zu Hause eigentlich los?«

»Danke für die Erinnerung«, antwortete ich. »Uns geht es ausgezeichnet. Die Bevölkerung verliert die Zähne, und das Gemüse wird
welk. In den Bächen treiben die Forellen mit dem Bauch nach oben,
und an den Ufern liegen tote Lachse. Mit einem Wort: Handel und
Industrie blühen. Mein Land hat immer sehr gut von anderen Krie-

gen gelebt, vor allem von denen im Mittleren Osten, also durch euch – vor einigen Jahren erlebte der Schiffsbau einen Aufschwung, der weit über der Hochkonjunktur während des Ersten Weltkriegs lag.«

»Es geht euch also wirklich hervorragend«, antwortete Achmed ernst.

Ohne auf ihn zu hören, setzte ich fort: »Es gibt Geld und Konsum in Hülle und Fülle. Die Steuern steigen, aber nur für die Armen. Das Bankgeschäft blüht. Die Raubbau GmbH, die Ausplünderungs-Company, die Fjord-Vergiftungs Ltd. kümmern sich um das ganze Land, in enger Zusammenarbeit mit den Spitzeldiensten und solchen Firmen wie Euroschwefel und Euronapalm. In der Schifffahrt gibt es die Firma Global-Leichenplünderungs-GmbH, die Landwirtschaft übernimmt die Konkursverwaltung. Die Fischerei wird von der kirchlichen Nothilfe besorgt, Müll- und Abfallentsorgung sind für das Kulturleben zuständig. Für ein so kleines Volk haben wir es weit gebracht, Achmed, gib zu, daß du das bewunderst.«

Achmed lächelte nicht, aber er füllte auf Alis Wunsch die Weingläser.

»Wir bewundern euch wohl«, warf Ali ein. »Sogar eure idiotischen europäischen Kleider haben wir imitiert. Ihr habt es in einem unmöglichen Grad geschafft, die Erde unbewohnbar zu machen. Mit eurer Waffentechnik habt ihr es geschafft, Gesellschaftsstruktur und die Grundlagen der Wirtschaft in Afrika und Asien, aber auch in Amerika zu zerstören. Ihr habt Geld und Reichtum aus den Kolonien gepreßt und habt noch nicht einmal damit aufgehört. Ihr habt das Paradies in eine Hölle verwandelt. Und dafür sind wir blöde genug, euch weiterhin zu bewundern. Es geht sogar soweit, daß wir die europäische Gesellschaftsform kopieren, genau jene, die die Erde unbewohnbar gemacht hat. Wir bewundern die Aggressoren, die sich unsere Reichtümer genommen haben, um damit die restliche Welt zu zerstören. Alles zusammen hat dieselbe Grundlage: die Kriege, die Völkermorde, die Plünderungen und auch die Verschmutzung der Atmosphäre, des Bodens und des Meeres... Und wir bewundern das auch noch!

Aber du kannst sicher sein, ein paar von uns bewundern euch nicht. Wenn die Befreiungskriege überstanden sind, werden wir keine Kopie Europas aufbauen!«

»Hör mal zu«, sagte ich. »Wie wollt ihr eine neue Gesellschaftsform erreichen, mit all dem, was ihr an uralten Zwangsvorstellungen mit euch herumschleppt? Ich brauche nur zu erwähnen, wie etwa die Frauen in den arabischen Ländern behandelt werden. Dazu fällt mir ein Fall aus der Kriegspsychiatrie ein, der ziemliche Kreise zog: es handelt sich um den Patienten X, ein aktiver Saboteur, Guerillero und Freiheitskämpfer. Während er im hiesigen Widerstandsheer war, mußte er erfahren, daß seine Frau von der Militärpolizei mißhandelt, geschlagen und vergewaltigt wurde. Er erlitt einen Nervenzusammenbruch, litt an gewaltigen Depressionen und wurde noch dazu impotent. Seine Frau schrieb ihm, daß sie geschändet wurde und daß er ab nun nicht mehr an sie denken solle, sie einfach vergessen müsse. Alle seine Freunde, seine ganze Umgebung waren ab diesem Zeitpunkt nur mehr mit seinem Schicksal beschäftigt. Die Frau dagegen wurde wie eine verdorbene Frucht behandelt, die man einfach wegwirft. Daß der Mann seinerseits aber als freier Guerillero andere Frauen aufsuchte, fanden alle in Ordnung – das Schlimme daran ist nur, daß er jetzt nicht mehr konnte. Er war völlig impotent. Alle bemitleideten ihn dafür und übertrafen sich an Fürsorge. Niemand hätte ihn als ein Schwein bezeichnet, wenn er sich weiter mit anderen Frauen herumgetrieben hätte. Die Ehefrau dagegen, die vergewaltigt wurde, war entehrt und verloren. Das eigenartige dabei ist, daß sie selbst auch dieser Meinung war; sie betrachtete sich selbst als Schandfleck für ihren Mann und ihre Familie und als verdorben fürs Leben. Nun sagte der Mann als Patient zum Psychiater folgendes: ›Wenn sie sie nur geschlagen und mißhandelt hätten, das hätte mir nichts ausgemacht. Aber wer kann das andere vergessen?‹ – Also: es hatte ihm nichts ausgemacht, und alle dachten dasselbe. Es ist der Mann, der bedauert wird. Das Makaberste dabei war, daß sogar der Arzt diese Auffassung teilte: durch eine Vergewaltigung ist es der Mann, der entehrt wird. Was mit der Frau geschieht, da schert sich keiner drum. – Meinst du, Ali, daß das von einer Gesellschaft zeugt, die besser ist als die europäische?«

»Was du da gesagt hast«, erwiderte Ali, »zeigt nur, daß ihr Weißen nicht imstande seid, irgend etwas an den Afrikanern zu verstehen. Die Sache verhält sich ganz anders, als du sie siehst. Hinter dem Ganzen liegen Jahrtausende, Jahrtausende von feinen, unsichtbaren Fäden und ungeschriebenen Gesetzen. Für diesen Mann ist eine Welt zusammengebrochen, und beide, sowohl die Frau als auch er, sind fürs Leben gezeichnet. Und nicht nur sie, sondern auch die Kinder und die Familien leiden darunter. Keiner meiner Landsleute hat Schwierigkeiten, das zu verstehen, aber ihr Weißen wollt nur alles auf euch selbst zurückführen und begreift nichts von dem, wie hier gelebt wird. Ihr glaubt, daß ihr uns nur die europäischen Sprachen beibringen und uns eure Kleider aufschwatzen müßt, damit wir wie ihr seid, nur dümmer. Und mit dieser Einstellung habt ihr uns vergewaltigt, mißhandelt und ermordet, durch Jahrhunderte. Das ist der Grund, warum Afrika heute eine unheilbare, blutende Wunde ist. Mit Gewehrkolben, Bajonetten und Soldatenheeren habt ihr die Menschen auf dem ganzen Kontinent niedergetrampelt und mißhandelt. Was ihr hier angerichtet habt, wird euch nie richtig bewußt werden. So seid ihr in allem, was mit Politik zu tun hat. Ich kenne kein Bild, das so unfreiwillig komisch und hilflos zugleich ist wie ein Europäer, der dasitzt und Marx studiert. Seine Schriften werden ausgelegt, auswendig gelernt und gedeutet. Am schlimmsten dabei sind wohl die Russen: sie sind zwar große Schachspieler und hervorragende Logiker, aber ihre Art zu denken ist dabei genauso eckig, schachbrettartig und kleinkariert. Und diese europäische oder ›weiße‹ Logik, die mechanisch ganz gut funktioniert, zumindest in technischen Dingen, dem Maschinenbau und der Physik, versagt gegenüber dem Menschen total. Die Politik ist aber eine Wissenschaft, die mit Menschen zu tun hat. Hier hilft keine Schachbrettlogik mehr. Man kann die Resultate aus der Geschichte ablesen, am deutlichsten in unserem Jahrhundert, weil es die Früchte der Vorzeit trägt.

Schau nur auf die Landkarte von Afrika: sie ist nicht genau nach dem Schachbrett geteilt, aber ungefähr nach demselben Prinzip. Afrikas Grenzen sind mit dem Lineal auf Konferenzschreibtischen von Generälen gezogen worden. Sie nahmen nicht die geringste Rücksicht auf Stammesgebiete, Völker oder Nationen, sondern nur auf Breitengrade oder Quadratkilometer. Es wird noch Jahrhunderte dauern, bis wir die schädlichen Auswirkungen dieser Rechenstablogik überwunden haben werden.

[Aus dem Norwegischen von Jürgen Wierzoch]

Maria G. Baier D'Orazio
Die Antwort der Masken

Dumpf und rhythmisch durchdrangen ferne Trommeln die hereinbrechende Nacht. Vom schwarz gewordenen Meer her stieß der Abendwind regenschwere, salzige Luft ans Land. Katharina richtete sich auf und legte den Stift beiseite. Sie sah auf den niedrigen Tisch vor sich: ausgefüllte Fragebögen, eine Vielzahl besprochener Kassetten neben einem kleinen Aufnahmegerät, sauber abgeheftete, randvoll beschriebene Blätter – ihre Untersuchung über das Handwerk in Togo. Katharina lehnte sich in ihren Stuhl zurück, ein zufriedenes Lächeln auf dem Gesicht. Vor ihr lag das Ergebnis wochenlanger, harter Arbeit. Sie war viel herumgereist in diesem kleinen Land, das kaum größer ist als Bayern. Unzählige Befragungen hatte sie durchgeführt, hatte Handwerker aufgesucht und Funktionäre interviewt, ja sie hatte selbst die Mühe nicht gescheut, in abgelegene Dörfer zu fahren, um dort auf Versammlungen über den Sinn ihrer Untersuchung zu sprechen. Denn Katharina nahm ihre Arbeit ernst, und immerhin sollte diese Untersuchung zur Grundlage werden für eine umfassende Entwicklungsplanung in der Zentral- und Nordregion Togos.

Freilich gab es da so manche Dinge, die sie nicht verstand – sie ließ ihren Blick über den Rand des Hotelschwimmbeckens hinweg zu den strohgedeckten, kleinen Hütten schweifen, die sich in der Ferne abzeichneten –: Jenen *guerisseur* zum Beispiel, der sich beharrlich geweigert hatte, ihr ein Interview zu gewähren. Oder der Dorfchef von Sabaringade, dessen Miene zur steinernen Maske geworden war, als sie die Einladung in sein Haus ablehnte – und dabei hatte sie damals wirklich keine Zeit gehabt. Und auch die Redefreudigkeit des Schmiedes von Koloware war eigenartig gewesen und hatte so gar nicht zur nüchternen, wortkargen Art der Cotocoli passen wollen.

Unablässig stärker werdend, trug der Wind das dunkle Rollen der fernen Trommeln näher. Katharina schauderte in der kühlen Abendluft. Wie dem auch sei, dachte sie, als sie ihre Sachen zusammenpackte, um auf ihr Zimmer zu gehen – ihre Untersuchung war so gut wie fertig, und sie war stolz auf sich. Es war nicht mehr viel, was ihr fehlte – nur noch ein Abstecher ins moderne Handwerkszentrum von Kloto, welches sie, da es ihre Untersuchung nur am Rand berührte, vorerst ausgelassen hatte, und ein Besuch bei den Weberinnen von Nima, den sie sich, als kleine Belohnung für sich selbst, eigens für den Schluß aufgehoben hatte. Es würde eine sehr gute Studie werden, die sie der Consulting-Firma »Co-Dritt-Welt« liefern würde, dessen war sie sich gewiß.

Als sie die Eingangshalle des Hotels durchquerte, blieb ihr Blick ungewollt an einem Gemälde hängen: Es zeigte zwei Masken, nichts weiter. Und doch hielt etwas an diesem Bild ihren Blick fest. Katharinas Schritt zögerte im Weitergehen. Sie bemerkte, daß noch eine Reihe weiterer Gemälde an der Wand hing. Hatten sie vorher nicht hier gehangen, oder hatte sie sie nur nicht bemerkt? Katharina blieb stehen. Ihr Blick kehrte zu jenem Bild zurück: Ausdruckslos starrten die Masken sie aus leblosen Augen an, und doch schien es, als läge ein tiefes Lachen in diesen toten Gesichtern. Ein seltsames Gemälde.

Eine plötzliche Windbö fuhr durch die offenstehende Eingangstür des Hotels, ließ das dumpfe Rollen der fernen Trommeln anschwellen zu pulsierender Wucht.

»Madame?« Eine dunkle weiche Stimme hinter ihr ließ sie herumfahren. »Pardon, Madame, ich wollte Sie nicht erschrecken.« Ein junger Mann stand hinter ihr, ein gewinnendes Lächeln auf dem vornehm geschnittenen, schwarzen Gesicht.

»Ich fühle mich geschmeichelt, daß meine Werke Ihnen gefallen.«

»Ihre Werke?« Katharina sah zu den Masken, dann zum jungen Fremden.

»Ja, es sind meine Bilder. Darf ich Sie zu einem Drink einladen?« Er machte eine auffordernde Geste zur Hotelbar hinüber und ging Katharina voraus, so wie wenn er nicht erwartete, daß sie ablehnen könnte.

»Sie haben jenes Bild lange betrachtet«, nahm er das Gespräch wieder auf, als sie an der Bar beieinandersaßen. Katharinas Blick ging zu den Masken an der gegenüberliegenden Wand.

»Jenes Lächeln in den leblosen Mienen, es ist sehr eigenartig«, unsicher hielt sie inne und sah den jungen Künstler fragend an.

Er hob leicht die Augenbrauen, ohne etwas darauf zu erwidern. Dann meinte er plötzlich: »Wir haben uns ja noch gar nicht vorgestellt. Ich bin Dominique. Und Sie? Oder darf ich du sagen?«

»Ich heiße Katharina«, antwortete sie und ging auf seine Frage nicht ein.

»Katharina«, er ließ ihren Namen mit französischer Aussprache wiederklingen. »Ein schöner Name«, stellte er dann fest. »Und was machst du hier? Touristin?«

»Nein«, antwortete sie und rückte auffällig die schwarze Mappe auf ihren Knien zurecht, aus der ein ganzes Bündel Papiere hervorschaute. »Ich mache eine Untersuchung.«

»Ah! Eine Untersuchung«, wiederholte er gedehnt und setzte sein Glas ab. Für einen kurzen Augenblick war, nahezu unmerklich, ein Schatten über sein Gesicht geflogen. »Und worum handelt es sich bei dieser Untersuchung?«

»Um das togoische Handwerk«, sagte Katharina.

»Ah.« Er nickte langsam. Dann lehnte er sich an die Theke zurück und nahm sein Glas wieder in die Hand. Spielerisch und scheinbar gedankenverloren ließ er die Eiswürfel darin kreisen, sanft und leise klirrend.

»Und hast du schon viele Freunde gewonnen?« fragte er, ohne sie dabei anzusehen.

»Freunde?« Katharina schaute verständnislos. »Freunde – nein!« Sie war doch zum Arbeiten hergekommen und nicht, um Freundschaften zu schließen, dachte sie bei sich.

Ganz plötzlich hob er das Glas und lachte. »Laß uns die Ankunft Katharinas in Togo begießen!« meinte er – und der etwas schmerzliche Ausdruck seiner dunklen Augen wollte so gar nicht zu seinem fröhlichen Lachen passen.

[...]

Am folgenden Tag brach Katharina aus der Hauptstadt Lome auf zum *Centre artesanal de Kloto*. Seine herrlichen, kunstvollen Schnitzereien hatten das Handwerkszentrum von Kloto sehr bekannt gemacht – für Touristen nahezu ein Pflichtbesuch. Auch Katharina hatte sich dieses Zentrum nicht entgehen lassen wollen. Und sie genoß diesen Abstecher in den tropischen Südwesten Togos – Papayabäume, beladen mit reifen, prallen Früchten, wuchtige Ölpalmen, wild in der feuchten Schwüle wuchernde Bananenstauden –, verschwenderische Fülle empfing sie. Und dazwischen drängten sich Hütten, vom mannshohen Gras fast verdeckt, winkten ihr Kinder zu, fröhlich – das ewig entwaffnende Lachen Afrikas auf ihren vorwitzigen, vergnügten Gesichtern. Es schien ihr, als seien die dunklen, stämmigen Ewe, welche den Süden bevölkerten, der lebensfreudigste, offenste Stamm Togos.

Im Verkaufsraum des Handwerkszentrums nahm Katharina sich viel Zeit, die ausgestellten Holzschnitzereien zu bewundern: furchterregende Gottheiten, erotische Fruchtbarkeitsstatuen, Frauenköpfe aus dunklem, hartem Ebenholz, die so fein geschnitzt waren, daß man in ihren eleganten Zopffrisuren selbst einzelne Haare zu erkennen glaubte, oder wuchtige Elefanten, die, bis zur Hüfte reichend, jeden Traum, sie als »Mitbringsel« zu erwerben, zerstörten.

Katharina hatte sich drei kleine, in zarten Zügen geschnitzte Frauenstatuen aus Ebenholz ausgesucht – sie hatte sich kaum entscheiden können, was von all diesen handwerklichen Kostbarkeiten sie erwerben sollte – und ging, sie zu bezahlen. Ein untersetzter Mann mit flinken, wachen Augen im noch jungen Gesicht rechnete die Beträge zusammen.

»Zweitausenddreihundert Francs«, sagte er ohne aufzublicken. Katharina hielt mitten im Geldzählen inne – er hatte es auf deutsch gesagt. Er mußte sie als Deutsche erkannt haben.

»Sie sprechen deutsch?« fragte sie ihn auf französisch.

Ein dünnes Lächeln erschien auf seinem glatten Gesicht. Er sah auf, und Katharina blickte in kalte Augen, die sie, unter halbgeschlossenen Lidern hervor, hochmütig ansahen.

»Eins, zwei, drei –«, zählte er in deutsch und Katharina erstarrte: die angestaute Bitterkeit eines halben Lebens klang aus den wenigen, verächtlich hingeworfenen Worten.

»So zählten die Deutschen, sagt unser Großvater«, fuhr er in französisch fort, »wenn sie ihn zur Arbeit prügelten.« Er nahm das Geld entgegen, das Katharina ihm mit fassungslosem Entsetzen stumm hinhielt, und wandte sich, ohne ein weiteres Wort zu verlieren, einem anderen Kunden zu. Katharina stand wie versteinert – sollte jene weit zurückliegende Zeit der deutschen Kolonialherrschaft bis heute an das Herz dieser Menschen rühren? Andererseits hatte dieser Mann jene Zeit doch gar nicht selbst erlebt. Benommen starrte sie auf die drei kleinen Holzstatuen, die sie in ihrer Hand hielt – sie fühlten sich plötzlich kalt an und sehr fremd, und es schien Katharina, als sei jede Schönheit aus ihnen gewichen.

»Laß dich nicht verwirren, Katharina!« Eine ruhige, wohlbekannte Stimme ertönte plötzlich neben ihr – Katharina blickte auf und geradewegs in das lächelnde Gesicht Dominiques.

»Was machst du denn hier?« brachte sie überrascht hervor.

»Ich wollte sehen, ob sie hier nicht ein paar meiner Bilder ausstellen könnten.« Er hielt ein großes, verschnürtes Paket hoch. »Welch ein Zufall, nicht wahr? Wenn du willst, so warte auf mich – ich brauche nicht lange, dann können wir zusammen etwas trinken gehen.«

Blühender Hibiskus und mit grüngelben, dicken Früchten behangene Pampelmusenbäume umgaben die *paillote*, unter der sie kurz darauf beieinandersaßen. Katharina spielte lustlos mit ihrem Glas.

»Reicht denn die Kolonialzeit so weit in die Gegenwart, daß man uns auch heute noch die Ereignisse jener Zeit nachträgt?« fragte sie, ohne die Augen zu heben.

»Die Kolonialzeit?« Dominique lehnte sich in seinen Stuhl zurück. »Nein, Katharina, das hat nichts mehr mit den Kolonialherren alter Zeiten zu tun.« Er blickte hinüber zu den Dächern des Handwerkszentrums, seine Augen waren schmal geworden. »Es ist sehr ungewöhnlich, wie dieser Mann reagierte, aber ich kann ihn verstehen. Tagein, tagaus bevölkern Touristen dieses Zentrum – weiße Touristen, die gekommen sind, unser Land, den Schwarzen Kontinent kennenzulernen. Und sie stürzen sich auf geschnitzte Elefanten, Ziertrommeln und Kauriketten, schleppen sie in ihre ferne Heimat wie die Kolonialherren damals die Leopardenfelle als Trophäen ihrer Beutezüge. Doch mit den Menschen dieses Kontinents wollen sie nichts zu tun haben – genau wie die Kolonialherren damals.«

»Aber warum sagte er mir das?« begehrte Katharina auf. »Ich bin doch hier, um etwas Sinnvolles für dieses Land zu tun.« Dominique hob bedauernd die Hände.

»Ich weiß es nicht, Katharina. Du wirst wohl ein unschuldiges Opfer seiner wunden Seele gewesen sein. Weißt du«, er hielt unvermittelt inne, als wenn er sich seine Worte noch einmal überlegen müßte, und in seine Augen war eine eigentümliche Ferne getreten, »oft sind es nur Kleinigkeiten, die ihr selbst vielleicht nicht einmal als solche erkennt, welche unser Herz berühren – ein herablassendes Wort, ein abschätziger Blick, ein unterlassener Gruß.« Er schüttelte den Kopf, und die fremdartige Unerreichbarkeit, welche ihn kurz umgeben hatte, verschwand plötzlich, wie sie aufgetaucht war. Nur noch ein winzig kleiner Funke Schwermut hielt sich versteckt in jenen dunklen Augen, die Katharina nun wieder anlachten. »Wohin geht deine Reise jetzt, Katharina?« lenkte er das Gespräch in andere Bahnen.

»Nach Norden«, antwortete sie. »Nach Nima.«

»Das trifft sich aber gut! Ich hatte nämlich vor, in mein Dorf zu fahren, und Nima liegt auf der Strecke dorthin. Wenn du Lust hast, können wir zusammen reisen?« Katharina war einverstanden, und sie setzten ihren Weg gemeinsam fort.

Das muselmanische Cotocoli-Dorf Nima, das direkt an der Hauptstraße lag, welche die Küste Togos mit dem Hinterland verband, war an sich kein besonderes Dorf; klein und unauffällig hatte es nichts an sich, was einen Reisenden veranlaßt hätte, anzuhalten und es zu besuchen. Doch in Nima gab es eine Besonderheit, und das waren die Weberinnen. Im ganzen Süden des Landes hatte die Tradition das Weben den Männern vorbehalten, und auch in der benachbarten muselmanischen Stadt Sokode, der zweitgrößten Stadt Togos, gingen vorwiegend Männer diesem Handwerk nach. Aus diesem Grund hatte Katharina Nima ausgesucht – als ganz besonderen Schlußpunkt für ihre Untersuchung.

Vor der Hütte des Dorfchefs hatten sich Männer und Frauen des Ortes versammelt. Auf einem winzigen Klappstuhl thronte mit erwartungsvoller, wichtiger Miene der beleibte Dorfchef. Rechts von ihm saßen, hoch erhobenen Kopfes und mit ernsten Gesichtern, die Weberinnen – allesamt alte Frauen, in prächtige Festtagstücher gehüllt, blinkende Ohrringe unter den langen Kopfschleiern.

Ein noch junger Mann, der sich als der Neffe des Dorfchefs vorgestellt hatte, erbot sich zu dolmetschen, und Katharina begann vorzutragen, weshalb sie hier war: »Ich bin gekommen, euer Dorf zu besuchen, um das Handwerk hier kennenzulernen. Wir machen eine Untersuchung über das Handwerk in Togo, um zu erfahren, wie hier gearbeitet wird, welche Techniken man verwendet, und wie man diese verbessern könnte. Denn wir möchten euch helfen. Wenn es nötig ist, können wir unsere Leute schicken, die euch zeigen, wie man besser webt. Ich würde mich freuen, wenn ihr mir von eurer Arbeit erzählen würdet und mir vielleicht zeigen könntet, wie ihr webt.«

Mit ausholenden Handbewegungen übersetzte der junge Mann eifrig und wortreich, was Katharina gesagt hatte. Die Augen der Versammelten hingen an ihm, aufmerksam lauschten sie seinen Worten. Als er geendet hatte, trat Stille ein. Der Dorfchef wiegte gedankenvoll seinen Kopf und sprach dann leise zu den Weberinnen. Mit unbewegten Mienen hörten die Frauen zu, ohne ihn dabei anzusehen. Dann steckten sie die Köpfe zusammen; sie schienen zu beratschlagen. Nach einiger Zeit richtete die Älteste von ihnen sich würdevoll auf. Die undurchdringliche Miene auf ihrem kantigen Gesicht, das mit den vorgeschobenen Lippen und dem herrischen Blick eher an einen alten Krieger erinnerte als an eine Handwerksfrau, ließ nicht die geringste Regung erkennen. Und während sie starr durch Katharina hindurchsah, sprach sie mit halblauter Stimme einige wenige Worte. Der Dorfchef nickte bedächtig, dann richtete er sich in voller Größe auf seinem Sitz auf und begann feierlich zu sprechen.

»Der Dorfchef grüßt die Weiße und heißt sie in seinem Dorf willkommen«, übersetzte der junge Mann. »Es ist ihm eine große Ehre, daß die Weiße von so weit gekommen ist, um sein bescheidenes Dorf aufzusuchen. Er ist deshalb sehr traurig darüber, daß sein Dorf ihrem Wunsch nicht nachkommen kann, denn leider gibt es im ganzen Dorf zur Zeit kein Garn. Vielleicht könne die Weiße ein andermal wiederkommen, wenn es wieder Garn gäbe, damit man ihr dann zeige, wie man webt. Die Weiße möge das Dorf und sein Unvermögen entschuldigen.«

Das Leuchten in Katharinas Augen erlosch.

»Das heißt, man wird mir nichts zeigen?« stieß sie, an den Übersetzer gewandt, mit flacher Stimme sichtlich enttäuscht hervor.

»Oh, Madame muß Geduld haben«, erwiderte dieser mit eigenen Worten, ein beflissenes Lächeln auf dem Gesicht. »Später, ja, später wird unser Dorf Ihnen alles zeigen!« Er machte eine Handbewegung, die selbst den Himmel mit einschloß. Der Dorfchef hatte sich inzwischen erhoben – die Versammlung war beendet.

Von den Anwesenden unbemerkt hatte Dominique, direkt hinter den Weberinnen im Halbschatten einer Hütte stehend, das ganze Geschehen mitverfolgt.

Katharina schwieg eine ganze Weile. Mit verschlossener, unzugänglicher Miene saß sie neben Dominique im Bus, der sie nach Sokode bringen sollte, wo Katharina übernachten wollte. »Ich verstehe nicht, warum sie mir nichts zeigen wollten«, stieß sie schließlich bitter hervor, den Blick unverwandt auf die vorbeifliegende Landschaft gerichtet, auf die sich schwarz und still die Nacht herabzusenken begann. Auf den abgebrannten Feldern, die zwischen hohen, dünnen Teakbäumen lagen, ragte das verkohlte Strauchwerk düster in den Abendhimmel. »Sicher, es ist nicht das erste Mal, daß man mir einen Wunsch abschlägt, aber diesmal trifft es mich besonders! Und das mit dem Garn, ich weiß nicht. Als ich an einer der Hütten vorbeiging, war mir, als hätte ich eine Menge Garn in der dunklen Ecke liegen sehen.«

Dominique schwieg eine Weile, dann sagte er:

»Willst du wissen, Katharina, wie der Dolmetscher deine Worte übersetzte? So höre: ›Mein Dorfchef und alle Versammelten, diese Weiße grüßt euch nicht, sie fragt nicht nach eurer Gesundheit und auch nicht nach euren Kindern. Doch das müßt ihr den Weißen nachsehen, die Weißen sind alle so. Sie sagt, sie sei hierhergekommen, um etwas von uns über unser Handwerk zu erfahren. Doch ich weiß nicht, weshalb sie wirklich gekommen ist. Sie sagt, daß man uns helfen kann, und daß Männer kommen werden, die dann das Weben verbessern. Sie möchte, daß man ihr zeigt, wie wir weben, doch weiß ich nicht wirklich, was sie mit diesen Kenntnissen machen wird.‹«

»Das hat er übersetzt!« Katharina sah Dominique entsetzt an.

»Ja, Katharina. Es ist kein Wunder, daß sie abgelehnt haben. Eine der Weberinnen sagte, sie würde dir schon gerne etwas zeigen, doch die anderen redeten auf sie ein. Es würden *Männer* kommen, hatte der Dolmetscher übersetzt, und die Weberinnen hatten Angst, daß jene *Männer* ihnen ihre geachtete Stellung wegnehmen und sie am Ende gar durch Männer ersetzen könnten.« Katharina schüttelte ungläubig den Kopf.

»Aber warum verändert der Dolmetscher denn meine Worte?«

»Du bist in Afrika.« Dominique lächelte nachsichtig. »Der Dolmetscher hier versteht sich nicht als dein Sprachrohr, sondern als Mittler zwischen zwei Welten. Du sagtest, es kämen *Leute*, doch unsere Sprache ist sehr genau, und *Leute* ergibt in diesem Zusammenhang keinen Sinn. Es kann sich nur um Männer oder um Frauen handeln. Da jene Leute achtbare alte Frauen unterweisen sollten, hätte es sich nach afrikanischem Verständnis nur um ältere Frauen handeln können, also um solche, die bereits Mann und Kinder haben. Wie aber sollten jene Mann und Kinder alleine lassen, um hierher zu kommen? Also folgerte er, könne es sich doch nur um Männer handeln, die da kämen. Ja, Katharina, am besten wäre es«, er machte eine vielsagende Pause, »du selbst würdest die Sprache beherrschen.«

»Nur für eine solche Untersuchung eigens eine Sprache erlernen?« Katharina zog die Stirn kraus.

»Wenn dir die Wahrheit wichtig ist –« er hob die Schultern. »Ganz abgesehen davon, daß es hier in Afrika das Herz der Menschen öffnet, wenn du ihre Sprache sprichst«, fügte er hinzu, und ein warmes Lächeln huschte dabei über sein Gesicht. »Manchmal genügen sogar wenige Worte.«

Er hielt inne und verschränkte seine Hände ineinander.

»Und außerdem: Wie würdest du es empfinden, wenn ein Afrikaner in dein Land käme und eine Untersuchung über euch anstellte, ohne auch nur ein einziges Wort deiner Sprache zu sprechen?« Katharina stutzte, dann lachte sie belustigt auf.

»Das kannst du doch nicht miteinander vergleichen. Natürlich müßte er unsere Sprache beherrschen. Das ist doch etwas ganz anderes, als wenn wir hierher kommen.«

»Und was ist daran anders?« Dominique hatte sich leicht nach vorne gebeugt, wie ein Tiger, der zum Sprung ansetzt. »Daß wir schwarz

sind und ihr weiß seid? Ist es das, was daran *anders* ist?« Katharina
wich unwillkürlich zurück – sie hatte Dominique bisher noch nicht
so reden hören. Und seine schneidenden Worte begannen, sich ungewollt in ihr festzusetzen: Ja, was war denn nun eigentlich anders
daran? Und je mehr sie versuchte, jene Antwort zu greifen, die ihr
eben noch so selbstverständlich erschienen war, um so mehr entzog sie sich ihr. Verstohlen blickte sie zu Dominique, er mußte
sehr böse auf sie sein. Doch genau in diesem Augenblick wandte er
sich ihr zu, ein freundliches Lachen auf dem Gesicht: »Hast du
Lust, Katharina, für ein paar Tage mit mir in mein Dorf zu fahren?« fragte er – und da war nichts mehr, was an jenen Dominique
hätte erinnern können, der soeben noch vor verhaltenem Zorn gezittert hatte.
Katharina sah ihn erstaunt an: »In dein Dorf?« Sein Angebot kam
für sie sehr überraschend. Sie überschlug im Geist, wieviel Zeit ihr
noch verblieb – ja doch, ein paar Tage Urlaub konnte sie sich noch
erlauben.
»Vielen Dank, Dominique!« erwiderte sie zustimmend.
Es war schon Nacht, als sie in Kparatao, Dominiques Dorf, ankamen.
[...]
Die Nachricht von ihrer Ankunft hatte sich in Windeseile herum-
gesprochen, und ohne Unterlaß kamen Nachbarn, Verwandte oder
auch einfach nur Neugierige, um Katharina zu begrüßen oder
heimlich durch die eng beieinanderstehenden Hütten hindurch wenigstens einen Blick auf sie zu werfen.
Spät am Abend brachte Dominiques Schwester verschiedene
Schüsseln mit Maisbrei, Soße und Fleisch. »Eine Anleihe bei den
Nachbarn! Dir zu Ehren!« bemerkte Dominique. »Ich hoffe, es
stört dich nicht allzusehr, bei uns gibt es keine Gabeln. Aber mit
den Fingern geht es ganz leicht, sieh her, so.« Und er machte ihr
vor, wie man einen kleinen Klumpen Maisbrei mit drei Fingern zu
einer Kugel formt, dann eine Mulde hineindrückt und damit die
Soße aufnimmt. Und obgleich Katharina beträchtliche Schwierigkeiten hatte mit der ungewohnten Eßweise, genoß sie es, am Leben
Dominiques, so wie es war, teilzuhaben – es war ein neues, schönes
Gefühl.

[...]

Als Katharina sich an diesem Abend schlafen legte, träumte sie von dunklen Masken, die ihr geheimnisvoll zulächelten.

Dominique wollte unbedingt, daß Katharina die Felder seines Bruders sähe – die schönsten weit und breit, wie er meinte –, bevor sie das Dorf verließe, und nahm sie am dritten Tag mit hinaus, weit hinter sein Dorf. Schwitzend stapfte Katharina hinter Dominique einen schmalen Pfad entlang, da blieb sie unvermittelt stehen: Im Schatten eines weitausladenden Mangobaumes, der den Mittelpunkt eines Hofes zwischen drei Hütten bildete, saß ein Mann, über eine alte Nähmaschine gebeugt.

»Dominique«, sie deutete auf den dünnen, ärmlich gekleideten Mann, »mir ist so, als kenne ich ihn. Ja«, sie kniff die Augen ein wenig zusammen, »ich glaube, es ist einer der von mir interviewten Wanderschneider.«

Jener bemerkte sie nun und erhob sich eilfertig. Ein Lächeln ging über sein hageres, dunkles Gesicht, als er sich eifrig Fadenreste von der Kleidung klopfte und auf sie zukam. »*Bonjour!*« grüßte er mit leicht gebeugter Haltung zu Katharina hin, dann wandte er sich an Dominique. Mit einem Seitenblick auf Katharina redete er leise und schnell in Tem auf Dominique ein. Katharina sah, wie Dominique aufmerksam zuhörte, dann und wann die Augenbrauen hochzog und dazwischen immer wieder den Kopf schüttelte. Der Schneider hatte geendet. Unsicher blickte er auf Dominique. Dieser lachte und begann, so konnte man aus seinen Gesten schließen, etwas zu erklären. Und je länger er sprach, um so mehr hellte sich die Miene des anderen auf, die Anspannung wich aus seinem dünnen Körper, und ein gelöstes Lachen machte sich auf seinem Gesicht breit. »*Eh, eh – budscho mbele!*« Er nickte verstehend, dann ging er auf Katharina zu und streckte ihr die Hand hin. »*Bien – merci!*« Sein französischer Wortschatz schien sich auf drei, vier Worte zu beschränken, dafür schüttelte er Katharina um so ausgiebiger die Hand, die Augen zu Boden gerichtet, ein verlegenes Lächeln um den Mund.

»Was ist denn gewesen?« fragte Katharina neugierig, als sie ihren Weg fortsetzten. »Oh!« Dominique schüttelte den Kopf, als wenn er Mühe hätte, das soeben Erlebte zu fassen, dann blieb er unvermittelt stehen.

»Katharina, könntest du nicht zwei, drei Wochen länger bleiben?«

»Zwei, drei Wochen!« Katharina zog die Stirn in Falten. Sie dachte an die Studie, welche sie zu einem festen Termin in München abzuliefern hatte. »Nun, es wäre schon möglich«, überlegte sie zögernd.

Wenn Sie wollen, können Sie etwas länger bleiben, hatte Herr Barle zu ihr gesagt, als er ihr den Auftrag gegeben hatte, *doch geht dies von Ihrem Urlaub ab, und außerdem müssen Sie mir dann schon etwas ganz Besonderes bringen.*

»Aber wozu, Dominique? Warum fragst du mich das?«

»Damit du einige Handwerker aufsuchst, sie zu befragen – mit mir zusammen«, erwiderte er.

»Aber ich habe doch meine Untersuchung schon fertig!«

»Ja«, bedächtig nickte er mit dem Kopf, »doch scheint es, als seist du zu sehr fragwürdigen Ergebnissen gekommen. Dieser Mann zum Beispiel gestand mir, daß er, als er dich mit Papier und Stift auf sich habe zukommen sehen, Angst gehabt habe, du seist in Wirklichkeit von der Steuerinspektion, und so habe er nahezu alle Angaben verfälscht: Arbeitsumfang, Verdienst, ja selbst bei den Fragen zu Kinderzahl oder Lehrzeit habe er Falsches angegeben. Ich fürchte, Katharina, daß er nicht der einzige gewesen ist. Du wirst manches an deiner Untersuchung in Frage stellen müssen.«

Der Schock war für Katharina nicht leicht zu verkraften gewesen: die ganze Untersuchung neu durchführen? Und eine Zeitlang hatte sie mit dem Gedanken gespielt, es einfach dabei zu belassen. Wer würde es denn schließlich merken in Deutschland? Doch dann hatte sie an Dominique gedacht, an seine Familie, seine Freunde, das Dorf, und sie spürte, daß sie dies nicht tun konnte, es wäre wie ein Verrat gewesen – ein Verrat an ihnen allen, an ihrer Gastfreundlichkeit, an Dominiques Freundschaft.

Und so begann sie ihre Arbeit von vorn, diesmal ohne Fragebögen und ohne Aufnahmegerät, dafür mit einem Freund an ihrer Seite, und ihre Untersuchung wuchs erneut heran – auf der Grundlage von Vertrauen und Aufrichtigkeit, begleitet von Einladungen und sehr langen Gesprächen, eingebettet in frohe Späße und viel Gelächter. Und nicht nur ihre Arbeit veränderte sich – Katharina begann auch selbst mehr und mehr in den afrikanischen Alltag einzutauchen: Sie lernte, mit den Fingern zu essen und sich ein Tuch so umzubinden, daß daraus ein Rock wurde; es machte ihr nichts mehr aus, sich mit einer Kalebasse im Freien zu »duschen«, und sie gewöhnte sich sogar daran, auf einer harten Matte am Boden einer einfachen Lehmhütte zu schlafen. Sie lernte viele kleine und große Geheimnisse des afrikanischen Lebens kennen: so, wenn Dominique ihr von den Zauberern erzählte, die nachts als winzige Irrlichter in den Bäumen sitzen, von den *guerisseuren*, die selbst Wahnsinn zu heilen vermögen, oder von den geheimnisvollen Kräften jener Diebe, die den Schlafenden weißes Pulver in die Augen streuen und ihnen dann selbst das Kissen unter dem Kopf wegstehlen können.

»Du hast schon tief in unsere Seele geschaut, Katharina«, hatte Dominique einmal gesagt. »Ich wünschte, du würdest eines Tages Afrika ganz verstehen – mit deinem ganzen Herzen.«

Der letzte Tag war gekommen.
Ruhig und gleichmäßig schickte eine große Trommel ihren Klang durch die Nacht – Katharina schien es, als rufe sie lockend zu diesem Abschiedstanz, den man ihr zu Ehren gab. Neugierig betrat sie den weiten, nur von einer einzigen Gaslampe erleuchteten Dorfplatz, auf dem sich bereits alle versammelt hatten. »Komm nach, wenn du fertig bist«, hatte Dominique zu ihr gesagt. »Folge einfach dem Klang der Trommeln.«
Einige Frauen, die bereits dabei waren, sich mit wiegenden Hüften in den Tanz einzustimmen, bemerkten Katharina – lachend klatschten sie in die Hände und fingen an, um sie herumzutanzen. Die schnellen, hellen Töne kleinerer Trommeln begannen sich zum Rhythmus der einsamen großen Trommel zu gesellen, vielstimmiger Männergesang erhob sich. Katharinas Blick flog über die Versammelten – wo mochte Dominique stecken?
Doch die Frauen ließen ihr keine Zeit zum Nachdenken. Der Rhythmus der immer stärker werdenden Trommeln war in ihre Glieder gefahren, tanzend und lachend zogen sie Katharina in ihren Kreis. Katharina wußte nicht, wie sie sich anstellen sollte; nie hatte sie gelernt, zur Trommel zu tanzen. Zögernd begann sie die Schritte der Frauen nachzuahmen. Ein wahrer Begeisterungssturm brach

unter den Anwesenden los, und Katharinas Schritte wurden allmählich unbekümmerter. Ihr Körper begann den treibenden, anschwellenden Schlag der Trommel in sich aufzunehmen. Die Trommeln drangen in sie, überrollten ihre Gedanken, löschten ihre Fragen, wurden immer fordernder, immer heftiger, rissen sie mit sich.

Mit einem Schlag verstummten die Trommeln bis auf eine. Die Tanzenden hielten inne, alle sahen zu den Spielern. Katharinas Blick fiel auf schlanke, schwarze Hände, die geschmeidig und kraftvoll auf die runde Oberfläche zweier großer Trommeln schlugen: »*Dänsä nja. Katharina! Wir grüßen dich, Katharina!*«

Ein strahlendes Gesicht darüber – Dominique!

Der europäisch wirkende Künstler, der in der Hauptstadt lebte, im Ausland studiert hatte, da stand er, ein ganz anderer, mit bloßem, vor Schweiß glänzendem Oberkörper, ein strahlendes Lachen auf dem schwarzen Gesicht, und schien eins zu sein mit den Trommeln, eins mit jenen Boten afrikanischer Ur-Zeiten, in denen sich Vergangenheit und Gegenwart trafen zum unvergänglichen Herzschlag Afrikas. *Ich wünschte, du würdest eines Tages Afrika ganz verstehen, mit deinem ganzen Herzen.* Ohne ein Wort zu sagen, hatte er sie mit hineingenommen in die afrikanische Seele, hatte sie verstehen, spüren lassen, was Bücher nicht zu erklären vermochten, was ohne einen Freund nicht zu finden war. Sie sah zu ihm hinüber, und er fing ihren Blick auf, mit einem fröhlichen Lachen, beantwortete ihn mit einem kraftvollen Wirbel auf den Trommeln.

Schweigend, in Gedanken versunken saß Katharina neben Dominique am Flughafen. Sie wartete darauf, daß ihr Flug aufgerufen würde, ihr Flug zurück nach Deutschland. Sie blickte hinaus auf die breitgefächerten Palmen, die die dichtgedrängten Bananenstauden unter sich überragten. Afrika! Was hätte sie ohne Dominique von der Wirklichkeit dieses Landes, dieses Kontinents mit nach Hause genommen? »Weißt du, Dominique«, sagte sie unvermittelt, »jetzt fehlt eigentlich nur noch eines.«

»Was denn?« Dominique sah sie überrascht an.

»Die Masken – dein Bild, das uns zusammenführte und das der Ursprung war für all das, was ich erleben durfte.«

»O ja, Katharina!« Dominique lachte. »Jetzt werde ich es dir erzählen, jetzt, wo wir Freunde geworden sind. Und du wirst verstehen, warum ich es nicht früher tat.

Vor einigen Jahren waren Franzosen in mein Dorf gekommen, im Rahmen eines sogenannten Entwicklungsprogramms. Sie wollten Maisanbau und die Bestellung der Felder verbessern. Ich kam gerade zu Besuch nach Hause und schloß mich ihnen aus Neugier an, da sie auch meinen Bruder Idrissou mit betreuten. Und bald merkte ich, daß sie auf meine Freundschaft nur eingingen, weil ich, äußerlich, so war wie sie, mit meinem gepflegten Französisch und meinem westlichen Benehmen. Über das, was an mir afrikanisch war, sahen sie deshalb großzügig hinweg. Die Vorstellungen der Bauern mitsamt ihren Zweifeln, ihre andere Arbeitsweise, ihre Gedanken – sie nahmen sie nicht zur Kenntnis, denn sie waren ja gekommen, ihnen zu helfen, und darunter verstanden sie: ihnen das beizubringen, was sie für richtig hielten. Sie nahmen auch nie an unserem Leben teil, besuchten niemanden von uns in seinem Haus, aßen unser Essen nicht, gingen nicht zu unseren Festen – sie suchten unsere Freundschaft nicht.

Zum Tabaski-Fest hatte mein Bruder einen Hammel geschlachtet und wollte die Franzosen in sein Haus einladen. Es gibt ein Sprichwort bei uns: Du bist dann mein Freund, wenn du mein Haus betreten hast. Doch sie lehnten ab, sie wären zu dieser Zeit verreist, sagten sie. Der Zufall wollte es, daß ich an einem dieser Tage an ihrem Haus vorbeikam und sie reden hörte, wie sie so beieinandersaßen, und ich hörte, wie sie sich über Idrissou lustig machten, daß dieser doch tatsächlich geglaubt habe, sie würden seine ärmliche Hütte betreten, um dort zu essen – seinen Hammel könne er seinen Hunden vorwerfen. Ich kann dir nicht beschreiben, Katharina, was ich damals fühlte. Besinnungslose Wut brannte in mir. Nein, das war keine Hilfe, die sie uns brachten – nur Demütigung, Verachtung! Und ich begann, jenes Bild zu malen. Es sollten häßliche Fratzen werden, Masken der Heuchelei. Doch noch während ich malte, wurde ich ruhiger. Was konnten sie uns denn anhaben, jene Masken? Wehrten sich unsere Bauern nicht heimlich, indem sie deren Ratschläge einfach nicht befolgten? Und lachten wir im stillen nicht über sie, die sich uns in allem so überlegen fühlten und es dabei nicht einmal schafften, von einem Dorf zum anderen zu Fuß zu gehen, die ihren

Körper bei abgehackter Musk häßlich verrenkten und nicht an die Magie der Seele glaubten? Und so schlich sich ein Lächeln in die toten, ausdruckslosen Gesichter – unser Lächeln, das Lächeln dessen, der hinnimmt und schweigt und der, da er nicht aus Feigheit schweigt, sondern weil es nicht nottut zu sprechen, sich über die Verachtung des anderen erhebt.

Deshalb ging ich nie ein auf deine Fragen nach der Bedeutung der Masken – wie hätte ich dir das damals auch erklären sollen?« Dominique richtete sich auf, wie um ein drückendes Gewicht erleichtert, und lachte Katharina an. »Dir, die du damals so von deiner Untersuchung, deinen Befragungen überzeugt warst! Wie hätte ich dich damals verstehen lassen können, daß Afrika anders ist, daß für uns das Miteinander-Leben wichtig ist, daß für uns Arbeit und Freundschaft nicht zweierlei sind wie für euch.« Dominique machte eine Pause und sah Katharina an. »Was mir den Mut gab, es noch einmal zu versuchen, mich zu öffnen? Ich weiß es nicht. Vielleicht war es wirklich jener Moment, als ich dich in mein Bild versunken erblickte.«

Ihr Flug wurde aufgerufen. Genau in diesem Augenblick erhob eine Trommel aus einem nahe gelegenen Dorf dunkel und rollend ihre Stimme.

Begriffserklärung:

guerisseur	Heilkundiger
paillote	offene Rundhütte
Kaurikette	Ketten aus Kaurimuscheln
Cotocoli	überwiegend muselmanischer Volksstamm Zentraltogos
Tem	Sprache der Cotocoli
Kalebasse	aus einem Kürbis hergestelltes Gefäß
Wanderschneider	Schneider, der mit seiner Nähmaschine über die Dörfer zieht

Cecil Rajendra
Tourist, mach kein Bild von mir

Tourist, nimm mich nicht auf.
Ich bin zu häßlich.
Ich bin zu schmutzig.
Ich bin viel, viel zu dünn.
Mach kein Foto von mir, weißer Mann.
Um Herrn Eastmans Willen
mach es nicht: es wird ihm nicht gefallen.
Ich bin zu schmutzig, ich bin zu häßlich.
Sicherlich wird deine Kodak davon kaputtgehn.

Ich bin zu schwarz, Tourist.
Laß mich in Ruhe, Weißer.
Mach kein Bild von meinem Esel.
Dieses Tier ist überladen,
kraftlos und schwach auf den Beinen.
Er hat noch nichts gefressen, dieser Esel.
Mach kein Bild von ihm.

Tourist, mach kein Foto von meiner Behausung,
weder von der aus Stroh
noch von der aus Lehm und Guineagras,
beide fallen auseinander.
Geh und fotografiere den Palast
und die Kunst der Zweihundertjahrfeier.

Mach kein Bild von meinem Garten.
Ich habe keinen Pflug.
Ich habe keinen Traktor.
Ich habe überhaupt keine Maschine.
Meine Bäume sind wertlos.

Meine bloßen Füße sind zu schmutzig,
um angeschaut zu werden.

Meine Kleidung? Alles schon zerrissen...
Der arme Neger sieht einem Weißen nicht
ins Gesicht, Tourist. Schau dir mein Haar an.
Deine Kodak ist an diese Farbe nicht gewöhnt,
dein Friseur würde nicht einmal
den Versuch wagen,
es zu glätten.

Tourist, mach kein Bild von mir.
Du verstehst meine Haltung nicht.
Du verstehst überhaupt nichts.
Es geht dich nichts an, sage ich.
Gib mir fünf Cents, Tourist,
und dann mach, daß du weiterkommst!

[Aus dem Englischen von Gabriele Cenefels]

Waltraud Anna Mitgutsch
In fremden Städten

Als Claudine zur Welt kam, drehte sich Lillians Bewußtsein zurück zu ihrer eigenen Kindheit. Aber es war eine Kindheit in einer anderen Sprache, in einem anderen Land, und die erinnerten Erfahrungen, ihre Orte, ihre Gerüche und ihre Laute waren doppelt entrückt. Sie waren von ganz anderem Stoff als das Vorhandene, waren magische Kinderwelt, die jede Gegenwart zu absorbieren suchte.

Solange ihr das Kind noch ganz gehörte, redete sie mit ihm nur in der eigenen Sprache, sang ihm die Lieder vor, die ihr die Welt zurückverwandelten, Erinnerungen an längst Vergessenes tauchten auf, alles, was unzugänglich und verloren schien, war plötzlich frisch und gegenwärtig. Sie glaubte, die Farben wieder zu riechen, mit denen die Tische im Lesesaal der Bibliothek an der Main Street lackiert gewesen waren, wo der Vater an manchen Vormittagen Bücher holte und wo sie sich in der Kinderecke Bilderbücher ansah. Der Spielplatz mit dem hellen Dünensand von der nahen Küste, in dem man nach jeder Talfahrt von der steilen Rutschbahn wadentief versank, im Sommer war er warm und trocken, im Frühling blieb er an den Beinen kleben, und im Schatten unter den alten Bäumen halb verborgen standen die Palisaden und Klettertürme zum Indianerspielen. Die Umgebung, in der Claudine aufwachsen mußte, erschien ihr armselig verglichen mit den Reichtümern ihrer eigenen Kindheit.

Doch die Erinnerungen, deren Spuren sie in der Gegenwart nicht finden konnte, sonderten sie von andern ab. Sie hätte gern irgend jemandem davon erzählt, um sie ein wenig greifbarer zu machen, doch niemand wollte ihre alten Geschichten ohne Pointen hören. Man lächelte höflich und ließ sie eine Zeitlang reden, bis sie von selbst verstummte, weil sie die unterdrückte Langeweile spürte oder man sie einfach unterbrach. Sie konnten sich die Welt, die für Lillian wirklich war, nicht vorstellen, und was sie sich nicht vorstellen konnten, interessierte sie auch nicht. Jetzt bist du hier, sagten sie ungeduldig, und meinten damit, es sei nicht gut, zu sehr in der Vergangenheit zu leben. Andere Frauen mit kleinen Kindern schienen nicht denselben Drang zu spüren, sie eifersüchtig in längst Vergangenes einzuführen und sich dort zu verschanzen, als sei die Wirklichkeit, die sie umgab, bedrohlich. Die Kindheit, die Claudine erlebte, war nicht Wiederholung, sie war ein Bruch, den Lillian verhindern wollte.

Lillian setzte sich abseits von den anderen Müttern auf eine leere Parkbank, die Gespräche mit ihnen strengten sie zu sehr an, es fehlten ihr die Wörter und die Sicherheit. Deutsch war für sie eine erwachsene Sprache, in der sie besser dachte als fühlte, es fiel ihr leichter, komplizierte Ideen in ihr auszudrücken als einfache alltägliche Erfahrungen mit einem Kind.

Solange Claudine ihr gehörte, war sie glücklich. Sie fuhr mit ihr hinaus aufs Land, dorthin, wo die Vorstadt in Villenparks und Schrebergärten endete, und sie benannte unermüdlich alle Dinge mit den Worten ihrer Sprache, nahm sie in Besitz, als wären sie bisher namenlos gewesen und unbeachtet wie Kulissen.

Look at the trees! See the birds?

Die Dinge wurden wirklich, sie belebten sich, erhielten Farben, erschienen freundlich, lieblich oder bedrohlich, je nach Witterung und Stimmung, sie waren greifbar, fühlbar, reine Gegenwart. Unbändig war ihr Glück, wenn das Kind die Wörter nachsprach, voll Vertrauen in die Einheit von Namen und sichtbarer Welt, und ihr den Riß schloß, den die stumme Wirklichkeit von ihren willkürlichen Definitionen trennte. *Bird*, sagte das Kind und zeigte auf die Krähenschwärme über den Äckern, es war Oktober, und die Feldraine waren weiß und lila von spät blühendem Unkraut, an den Straßenrändern wirbelte der Wind das erste gelbe Laub auf. *What's that?* fragte das Kind und zeigte auf einen Drachen, der hoch über den Baumwipfeln in einen düsterroten Abendhimmel stieg, zu taumeln anfing und im schwarzen Ästegewirr der Obstgärten hängenblieb. *A kite.* Lillian benannte alles, was sie sahen und hörten, als sei es ihre eigene Erfindung, und sie war stolz darauf wie auf ein besonders kostbares Spielzeug, das sie dem Kind anbot, es zu bestaunen und zu besitzen. Auch Trotz mischte sich darunter – als wäre sie die letzte Trägerin einer vergessenen Kultur, als wäre einfaches Benennen in ihrer Sprache bereits Rebellion, auf die Strafe stand. Und war sie, Lillian, nicht das einzige Bindeglied zwischen Claudine und einem Land, von dem sie nur durch Lillian erfahren konnte? Die andere Zugehörigkeit war allein schon durch die tägliche Gegenwart im Vorteil. Von Anfang an war ihr Besitzanspruch ein Kampf, unter den mißtrauischen Blicken der anderen. Was war für Josef die Märchenwelt, in die sie dieses Kind verstrickte? Das sei doch nicht die Wirklichkeit. Sie wird es einmal schwer haben, warnte er. Sollen Mütter nicht die Mittlerinnen zwischen Kind und Umwelt sein?

Aber Claudine war neugierig und frühreif, eine Weile bewegte sie sich mühelos zwischen den beiden Sprachen hin und her, dem Code der Mutter und der Welt der anderen, sie blieb neutral, denn sie beherrschte und benutzte beide zu ihrem Vorteil. Bis sich der Schwerpunkt ihres Kinderlebens auf die Erlebnisse mit Gleichaltrigen verlagerte und sie vom Kindergarten heimkam mit Neuigkeiten, die keine englische Entsprechung hatten, mit Heinzelmännchen und Bibabutzemännern, Kasperl und Rübezahl. Sie breitete die neuen Schätze vor ihrer Mutter aus und suchte Anteilnahme, den glücklichen, gemeinsamen Eifer der ersten Jahre, die Freude an der gerade erst entdeckten Welt. Doch Lillian fühlte sich bedroht, sie nahmen ihr das Kind weg, so schnell ging das, mit fremden Kinderreimen und fremden Spielen, und sie stand daneben, bestohlen und beraubt, und konnte sich nicht wehren. Wie sollte sie sich auch noch freuen, mitsingen und in die Hände klatschen?

Hölzern und schweigsam stand sie am Rand bei jeder Weihnachtsfeier, jedem Faschingsfest, was sollte sie dabei, es waren fremde Bräuche, die ihr dumm erschienen, sie schüttelte den Kopf, bat um Entschuldigung, ich kenne dieses Lied nicht, es tut mir leid. Nein, sie wollte nicht versuchen mitzusummen, sie wollte es nicht lernen. Tadel und Mißmut trafen sie, sie schloß sich aus, das könne ihrem Kind nur schaden. Sie fühlte sich gedemütigt und ausgestoßen, niemand war neugierig auf ihre Bräuche. Dachten sie denn, sie hätte keine? Wie kamen sie dazu, ihr etwas aufzuzwingen, was sie nicht wollte? Die anderen durften nicht nur ihre eigene Kindheit weitergeben, die wurden dafür noch gelobt, ihr Eifer zeigte, daß sie gute

Eltern waren. Doch bei ihr war es anders, als sei Claudine bereits Besitz des fremden Landes, ihr nur auf Zeit geborgt, und jeder hätte das Recht, sie zu enteignen, ihr zu erklären, wie sie es machen müsse. Sie nahmen sich die Freiheit, ihr eine fremde Sprache und fremde Bräuche aufzudrängen, sie maßen ihre Liebe zu dem Kind an der Begeisterung, mit der sie sich verleugnete und aufgab, sich und das Kind, das einzige, was sie in dieser Fremde hatte. Fremd hörte sich an, was Claudine von draußen mit nach Hause brachte. Ja, sagte Lillian, ist schon recht, aber zu Hause reden wir englisch.

Sie kämpfte verzweifelt, um sich das bißchen Heimat, das sie zum Leben brauchte, durch Claudine zu retten, und zwang dabei das Kind zu wählen: die anderen, das waren alle, oder ich, deine Mutter, und Claudine entschied sich. Rede nicht so mit mir, sagte sie streng, wenn Lillian englisch mit ihr sprach, sie schämte sich ihrer Mutter, sie wünschte sich nichts sehnlicher als eine Mutter wie all die anderen. Je älter Claudine wurde, desto heftiger tobte der tägliche Kleinkrieg zwischen ihnen, denn keine war bereit, die Vernichtung der eigenen Welt zu dulden, beide hatten Angst, sich selber zu verlieren, wenn sie dem Fremden zuviel Platz einräumen mußten.

Als Lillian wieder schwanger wurde, ließ sie von Claudine ab und zog sich auf sich selbst und auf das Kind zurück. Sie konnte ihrer Tochter nichts mehr bieten, was in deren Welt von Wert gewesen wäre, es gab nichts mehr zu schenken, nichts mehr zu formen, die anderen hatten ihr das Kind gestohlen, auf das nächste würde sie besser achtgeben.

Aber ihr Standort verlor an Festigkeit. Der stumme Dialog, den sie seit ihrer Kindheit mit sich selber führte, die inneren Bilder, die Kommentare, die ihr Erfahrungen erklärten, hatten angefangen zu versiegen. Entblößt stand sie zwischen beiden Sprachen. Was sie erlebte, widerfuhr ihr auf deutsch, Fremdwörter begleiteten die Schwangerschaft wie kalte medizinische Geräte, nichts war lebendig in diesem klinischen Sprachbesteck, das ihren Körper untersuchte, seine Vorgänge sondierte und sie im Dunkeln ließ, denn vertraute Bezüge in der eigenen Sprache gab es keine: Schwangerschaft in der eigenen Sprache war ein weißer Fleck. Die weißen Flecken in der Sprachlandkarte mehrten sich, das Schweigen mehrte sich, die Ohnmacht und die Wut. Was blieb, war ein Gefühl der Kälte und der

Verlassenheit. Und der maßlose Besitzanspruch, mit dem sie dieses zweite Kind, einen Sohn, an sich riß: Den kriegt ihr nicht, dem soll nur vertraut sein, was ich liebe, unvorstellbar, ein fremdes Wort an ihn heranzulassen, eines der vielen Kosewörter, die sie rundum hörte, Liebling, Schatz und Herzchen, nie würde sie Verrat an sich und ihm begehen.

Niki war ein zartes Kind, still und langsam in allem, was er lernen sollte, auch in der Sprache. Ich möchte nicht, daß er belastet wird mit einer zweiten Sprache, sagte Josef, es wäre zuviel. Natürlich war die erste Sprache Deutsch, die zweite war das Überflüssige für die Robusten, Begabten, schädlich für alle, deren Gleichgewicht labil war. Doch Lillian wurde feindselig und unzugänglich: Er ist auch ein Teil von mir.

That's a deer, erklärte sie und zeigte auf Bambi im Bilderbuch.

Das ist ein Reh, berichtigte Josef, es klang wie eine Drohung.

A deer, rief sie, *that's a deer!*

Ein Reh, wiederholte Josef, zum letzten Mal, ein Reh, und seine Stimme bebte vor Wut.

Niki befreite sich verstört aus Lillians Armen und weigerte sich von nun an, in Gegenwart der Eltern Bücher anzusehen. Er entzog sich, indem er in zwei Sprachen schwieg.

Er muß in diesem Land aufwachsen, gab der Psychologe zu bedenken und war erstaunt über die Panik, die eine sachliche Behauptung bei Lillian hervorrief.

Er ist mein Kind! rief sie. Konnte denn kein Mensch verstehen, daß sie zu ihm nicht in der fremden Sprache reden konnte, ebensowenig wie zu sich selbst? Wie sollte sie ihn auf deutsch denn nennen, wie ihre Liebe zeigen, ihre Zärtlichkeit, wie ihm Gefühle mitteilen, die in den Worten waren, in ganz bestimmten Worten, für die es keine Übersetzung gab? Ich kann Gefühle nur in meiner Sprache ausdrücken, erklärte sie dem Psychologen.

Er wechselte mit Josef einen beredten Blick.

Niemand, auch ihre Freunde nicht, konnte verstehen, warum sie sich so sehr dagegen wehrte, mit ihren Kindern Deutsch zu sprechen. Du sprichst es fließend, sagten sie, gut genug für den Alltag, für die Kinder. Gewiß, sie machte Fehler, vielleicht solltest du mehr lesen, schlugen sie vor, vielleicht einen Uni-Kurs für Fortgeschrittene belegen. Sie benutzte manchmal Redewendungen wie zufällig herumliegende Werkzeugteile, sie paßten nicht, sie griff daneben, na und? Sie hatte nicht den Ehrgeiz, sich zu verbessern. Ist doch egal, sagte sie ungeduldig, wenn jemand sie korrigierte, du weißt schon, was ich meine. Die Wörter und Sätze waren wie fremde Kleider, die sie sich achtlos überwarf, Verkleidungen, die sie entstellten, ihr eigenes Pech, wenn sie nicht paßten, ausgeliehen wie sie waren. Gefühle waren Sache der eigenen Sprache, in der sie die Wörter langsam und zögernd setzte, präzise.

Auch das Deutsche ist reich an Gefühlen, erklärte man ihr.

Nichts war im Lauf der Jahre für sie so sehr zum Kampfgebiet geworden wie die beiden Sprachen, und nun verlangte man von ihr auch noch, daß sie ihre Liebe übersetzte, ihren Gefühlen Gewalt antat, endgültig resignierte.

Er ist noch zu klein, bat sie, er braucht noch meine Nähe.

Der Psychologe lächelte verständnislos: Und auf deutsch können Sie Ihrem Kind nicht nahe sein?

Zu Hause, wenn sie allein war, redete sie englisch mit ihm, und unterwegs, auf der Straße, unter Menschen flüsterte sie ihm schnell, voll schuldbewußtem Trotz englische Sätze zu, die Angst, ihn zu verlieren, war zu groß.

Eines Tages, als Niki vier war, kam er weinend in die Wohnung, die anderen Kinder wollten nicht mit ihm spielen, sie hätten ihn verspottet, weil er nicht von hier sei.

Jetzt hast du's, rief Josef. Willst du die Kinder für ihr ganzes Leben ruinieren mit deinem Egoismus, willst du sie zu Außenseitern machen durch deine sture Weigerung, dich anzupassen?

Sie fügte sich und gab auch dieses Kind frei, um ihm nicht im Weg zu stehen in einer Welt, der sie sich verweigern mußte. Wer sollte verstehen, daß sie den Platz nicht wollte, den man ihr anbot, wie sollte man es sich erklären, wenn nicht als Arroganz? Doch zwischen ihr und Niki blieb eine sprachlose Nähe, eine stumme Trauer über den Verlust des ersten Überflusses an Liebe, und manchmal fragte er sie: Wie hast du mich genannt? Honeypie, sugarplum, sagte sie leise, und die Erinnerung tat weh wie eine alte Narbe, wie erfrorene Glieder in der Wärme. Wie dieses Land es schafft, mich umzubringen, dachte sie, mir bei lebendigem Leib jedes Gefühl herauszuziehen, daß ich taub bin bis in die Finger und jede Berührung schmerzt, und ich vergessen habe, wie es ist, wenn man sich frei bewegt und jeder Teil von Kopf bis Fuß man selber ist.

Ludwig Fels
Galizien. Erster Versuch

Ich komme im Sommer
im Sommer, wenn ein kühler
Wind über die alten Landkarten weht
die ich besitze, die mir erzählen
von verschwundenen Menschen und Städten
namenlosen Dörfern
Liedern, die in den Theatern des Ostens gesungen wurden
zu ebener Erde, Stirn und Haar
voll schwarzer Erde. Der Boden
erzittert längst nicht mehr unterm
Hufschlag der Kosakenpferde.
Angst und Elend des jüdischen Proletariats
Büchern nachgeträumt, Büchern
alles wahr.
Ich komme im Sommer
wenn die Vergangenheit erträglich ist
die Kälte im leeren Bauch ein Gerücht.
Tot sind die Menschen von damals, lange schon tot
die Tiere im Himmel, das Gras auf den Wolken
meine Kindheit woanders
der Sommer ein Traum aus Lemberg
und das Vergessen ein Pogrom.

J. Monika Walther
Der siebte Kontinent

Ein Klassenphoto: Mein Kopf ist der siebte von links in der vierten Reihe. Weißer Bubikragen, eckige Ponyfransen, jede Woche von der Mutter nachgeschnitten. Du bist doch meine kleine Hübsche, meine Hübsche. Steh gerade, geh gerade, mach keinen Buckel.

Mein Kopf, der wievielte, ähnlich und vertauschbar, ähnlich den ähnlich geflüchteten Flüchtlingskindern, noch ähnlicher den fremden Kindern, weder männlich noch weiblich.

Mein fremder Zeitgeistkopf, der die Wege abmißt, der die Toten in der Familie zählt und addiert und das große Einmaleins nicht beherrscht, der das Leben der Einheimischen, alteingesessenen, derer, die dazugehören, auswendig lernt.

Seit ich weiß, daß jeden Tag Krieg beginnt, kann Stille mir sehr laut sein. Seit ich weiß, daß ich mich überall fremd und überall ein bißchen zu Hause fühle, ängstigen sich andere vor meiner Überempfindlichkeit und meiner Sehnsucht.

Ich kann nicht an Menschen glauben, die mit dem Mund so reden und anders handeln, die aus dem Gefühl der Pflicht oder der Resignation ihre Leidenschaft oder ihre Langeweile oder ihr Desinteresse oder ihre Mordgelüste verleugnen, vor anderen abstreiten, die das Schicksal oder die da oben oder die Umstände beschwören, wenn sie von sich und ihrem Leben erzählen; die im Guten wie im Bösen nie etwas verursacht haben wollen, immer nur ihre Pflicht haben sie getan möglich: nichts zu verursachen, nicht zu handeln, nicht zu denken.

Aber Leben bedeutet, daß es immer um Macht geht, wer sie hat, wer sie will, wie sie funktioniert. Wer darf wem was antun, wer kommt damit durch, bleibt ungestraft, wird dafür gelobt. Wer darf wem was antun, wer kommt wie damit durch.

Ein Klassenphoto: Mein Kopf ist der siebte von links in der vierten Reihe. Rechts neben mir »die Polin«, die Mutter hatte pommersche Großeltern, der Vater ist aus der Grenzmark Posen, er ist kein Pole und kein Deutscher, aber Marlies, das Mädchen rechts neben mir, wird von Lehrern wie Schülern, von Nachbarn und Ladenbesitzern nur die Polin geschimpft und gerufen.

Links vor mir der Kopf von Freda, eine Baltin mit einem wunderschönen schweren und breiten Dialekt. Die Eltern sprechen baltisch, Freda lernt statt Hochdeutsch gleich lieber Schwäbisch. Wo die Balten, Esten und Letten herkommen, wissen nicht einmal die Lehrer, die schwäbisch fühlen und denken und denen die Landeshauptstadt Stuttgart und die Schwäbische Alb schon weit genug weg sind.

Hinter mir duckt sich das Mariele, Tochter einer deportierten Fremdarbeiterin, irgendwo aus Rußland. Der Bauer hat nach dem Tod der Mutter das Mariele adoptiert und katholisch getauft. Sie spricht russisch und in schwäbischen Brocken.

Zweiundzwanzig Mädchenköpfe, zweiundzwanzig Schülerinnen der Klasse 4 d der Friedrichshafener Volksschule. In der 4 a lernen die einheimischen katholischen Mädchen mit den besseren Noten und mit der Befürwortung, daß diese Kinder aufs Gymnasium wechseln sollen. In der 4 b sitzen die katholischen Töchter kleinerer Leute und mit mäßigen Noten. In der 4 c lernen die evangelischen Flüchtlingskinder; in der 4 d, Klassenzimmer im Keller, sitzen die »Fremden«, die Andersgläubigen, Anderssprechenden, die, die kein Lehrer will, weswegen wir immer die Lehrer zugeteilt bekommen, die keine Lehrer sind, sondern Mathematiker, Biologen, ehemalige Hauswirtschaftslehrerinnen. Wir lernen viel und wechseln alle auf das Gymnasium über, bestehen die eine Woche sich hinziehenden Aufnahmeprüfungen. Dies eine Mal halfen sich die fremden Eltern untereinander: meine Mutter lehrte uns Hochdeutsch, deklinieren und konjugieren, Fredas Mutter preßte mit uns Blumen, wußte ihre Namen, manchmal sogar die lateinischen, und ließ sich von uns erklären, welche Länder an den Bodensee grenzten, wo der Rhein entsprang und mündete und was es mit dem Rittergeschlecht der Welfen auf sich hatte. Die Sprachbegabteren unter uns lernten nebenher ein bißchen Baltisch, Polnisch, Russisch, elsässisches Alemannisch und Dänisch. Das Jungchen der Ostpreußen ahmten wir ebenso nach wie das weiche Sächsisch und das Platt von der Ostseeküste.

Nach langen Beratungen ließen sie uns auf dem Gymnasium in einer Klasse: Latein und Französisch und Naturwissenschaften. Aber es dauerte nicht viele Jahre, nicht bis zur Mittleren Reife, und wir waren in alle Winde verstreut: Marlies' Vater war zurück nach Polen gegangen, die Mutter nach Lübeck gezogen; Fredas Eltern verließen mitten in den Wohlstandsjahren die Bundesrepublik und wanderten mit ihren Kindern nach Kanada aus, zu früher emigrierten Verwandten. Das Mariele tat nach Meinung der Adoptiveltern nicht gut, paßte nicht auf den Hof und in die Familie und wurde in ein hessisches Internat gesteckt. Später heiratete das Mariele einen Ami und verließ mit ihm die Bundesrepublik. Die anderen Eltern zogen entweder nach Norddeutschland oder zu Verwandten im Ausland. Eine Familie ging in die DDR und eine zurück nach Ungarn.

Viktor Wulff, mein niederländischer Halbbruder, meine englische Cousine Barbara Belley, deren Mutter noch als eine Blumenfeld im deutschen Judenpaß ausgewiesen war, und ich haben uns auf dem achtzigsten Geburtstag der einzigen Tante, die noch aus der »Heimat« stammt, wie die Älteren sagen, kennengelernt. Sie hatte an alle Mitglieder der Familie, deren Adressen sie erinnerte, Einladungen geschickt. Auf ihre Kosten sollte sich die Familie kennenlernen.

Wir drei beschlossen, an unsere Geburtsorte zu reisen, die früheren Selbstverständlichkeiten der Familie zu suchen, die Muttersprachen und Dialekte, die Wörter für Identität zu finden. Die Wörter Vaterlandsliebe und Heimat von anderen zu hören und nachzusprechen.

Unser erstes Ziel wird Tarnow sein, in Galizien, im Niemandsland, im Durchgangsland, weit entfernt gelegen von Regierungshauptstädten, Königssitzen und Machtzentren. Die Urgroßmütter waren von dort gekommen, weitergezogen nach Ratibor an der Oder, nach Oberschlesien und Polen, auf der Suche nach Arbeit und Auskommen, hatten eingeheiratet in große Bauernhöfe, in eine kleine Papierfabrik, hatten Kaufmannsverstand in die Familien gebracht und Unruhe, denn sie waren hellseherisch für alle wahrscheinlichen Unglücke. Sie träumten von westlichen Großstädten und Assimilation. Sie schickten ihre Söhne und Töchter weiter nach Westen, bis nach Berlin, Leipzig und Dresden.

Ich sage: Ich gehöre nirgendwo hin, bin nirgendwo zu Hause. Es gibt Geburtsorte, aber keine Heimat, und keinem deutschen und keinem anderen Land schulde ich Loyalität. Ich gehöre nirgends dazu, habe keine Religion, nur einen Glauben an Gott, bin also keine Christin, bin aber auch nichts anderes, weil die jüdischen Traditionen auf dem Weg von Ostpreußen und Galizien in den Westen in den Familien verlorengingen, sich in Erinnerungen und spöttischen oder wehmütigen Anekdoten auflösten.

Ich sage: ich will dazugehören. Ich will bleiben, Wurzeln schlagen. Ich gebe mir alle Mühe, aber dann fragt jemand freundlich und höflich, Sie sind doch nicht von hier. Nein, ich bin nicht von hier, ich bin drüben geboren und am Bodensee, in Hamburg, in Tübingen und Heilbronn aufgewachsen, und ich habe in den Niederlanden, in England, in den USA, in der DDR, in Polen, in Österreich und in der Tschechoslowakei Verwandte. Meine Eltern sind unzählige Male umgezogen, ebenso meine Großeltern und Urgroßeltern. Ich bin beim zweiundzwanzigsten Mal angelangt. Ich will bleiben, will dazugehören, aber über diesen Wunsch muß ich lachen.

Meine Cousine Barbara sagt: 1943 wurden wir als Nazis und jüdische Spione auf der Isle of Man interniert. Sie haben uns schlimmer als die Krauts behandelt. Sie haben Vaters winzigen Import-Export-Laden geschlossen. Sie haben unsere Englischbücher, aus denen wir lernten: How do you do mit die Gummischuh, beschlagnahmt, zerrissen. It's absolutly not necessary that you learn english.

Barbara sagt auch: Ich habe mit all meinen Chefs geschlafen, mit den lächerlichsten Männern. Mit Kleinstädtern, Kleinbürgern, Kleinköpfigen. Du siehst in ihre Augen, und du siehst dich scheitern. Sie pflegen ihre Dummheit ohne jeden Charme, töten jede Geste. Sie verwüsten, sich, ihre Frau, die Nachbarn, die Landschaften. Sie geben keine Ruhe, bis sie nicht alles nieder- und gleichgemacht haben. Sie sind keine Nazis, nicht einmal Reaktionäre. Sie kümmern sich nicht um Politik. Sie sind Opportunisten, die nie zu Fall kommen, die ihre Umgebung in Schach halten und deshalb nie zu Fall kommen. Sie sind überall zu Hause, gehören überall dazu. Sie erleiden nie die geringste Irritation. Allen geschieht Recht durch sie, und sie stürzen jeden ins Unrecht. Die Moden helfen ihnen: Sie tragen Unterhosen mit dem Sternenbanner, nehmen Geld von den Deutschen, intrigieren mit den Russen, tragen Bowler und Schirm, spenden Gaddhafi Waffen, hassen die Schotten, Irländer und Franzosen, essen italienisch...

Ich bin alt und nervös, sagt meine englische Cousine Barbara.

Mein niederländischer Halbbruder Viktor Wulff, neun Jahre älter, geboren noch in Hamburg, überlebte die deutsche Besatzungszeit in der Provinz Friesland, versteckt in einer reformierten Kirche. Er sagt heute, vierundfünfzigjährig: Ich bin Niederländer. Ich habe einen niederländischen Paß. Ich wurde als Reichsdeutscher geboren, wurde als jüdischer Deutscher ein Staatsbürger zweiter Klasse. Ich bin kein praktizierender Jude, so wenig wie unsere Mutter, die immer nur sich anpassen, assimilieren wollte. Ich bin ungläubig, allen Regierungen gegenüber illoyal. Verbunden fühle ich mich den Menschen, die mich fünf Jahre lang versteckt und versorgt haben. Die mir lesen und schreiben beibrachten, die mich aufzogen, weil sie es für ihre protestantische Christenpflicht hielten. Ich habe keinen Pfennig Geld als Entschädigung für das enteignete Leben bekommen. Ich habe erst mit fünfzig geheiratet, eine verwitwete Fischersfrau von der Lauwersoog. Sie hat drei Kinder und eine große Familie. Ich gehöre dazu. Ich habe seitdem überall Verwandte. Für meine Frau und ihre Familie tue ich, was ich kann.

Viktor sagt auch: Ich bekomme keine Luft. Ich fühle mich oft wie erstickt. Ich trete nicht fest auf mit meinen Füßen, sondern tapse und gehe leise.

In Amsterdam atme ich auf, unter den vielen Fremden bin ich nicht erkennbar als jemand anderer. Ich spreche niederländisch und friesländisch ohne jeden Akzent.

Ich hasse die Frage nach meinem Geburtsort. Als ich heiratete, wollte der Kantoorsbeamte so vieles wissen: Sie sind in Hamburg geboren? Sind Sie Deutscher? Ach, Sie haben einen niederländischen Paß! Sie sind ohne Bekenntnis? Und Ihre Eltern? Ich schämte mich, daß ich so voller Makel war.

Meine Frau sagt im Spaß oft: Du mußt solz sein, du bist ein Europäer, du kennst zwei Seiten.

[...]

217

Meine englische Cousine Barbara, mein niederländischer Halbbruder Viktor und ich stehen in Tarnow auf dem Marktplatz, das wuchtig quadratische Rathaus ist alt, die gotische Kathedrale auch, beide Bauten wirken für unsere Sinne fremd. Die Armut, der Mangel, den wir auf der langen Eisenbahnfahrt kennengelernt haben und der nicht durch südliche Folklore verzuckert ist, bedrückt uns.

Wir suchen Straßen, Namen, fragen nach den Blumenfelds, nach den Güllensterns und nach einer Freija Roth, einer Großtante, und sie lebt noch, sie kann erzählen. Sie lebt in der Familie ihres Sohnes, in einem Haus mit Küche und drei Zimmern. Sie weiß nichts mit uns anzufangen. Wir fragen, sie sagt, das ist doch alles schon lange her. Das ist alles nicht mehr wahr, vergeßt. Ihr müßt vergessen. Ihr müßt ein neues Leben anfangen – ohne uns. Ich lebe mit meinen Erinnerungen, den schönen und denen, die das Entsetzliche, die Qual, die Deportation bewahren. Freija Roth zeigt mit ihren Händen nach Osten und Westen und sagt: Dort, dort liegt ein siebter Kontinent, bewohnt von sieben Völkern. Und sein Geschäft ist nicht Handel und Aberglaube.

[...]

Wir reisen nach Elbing, Elblagg, zur Woiwodschaft Gdansk gehörend, bis zur Zerstörung im Krieg eine alte und schöne Stadt. Zerstört, mühsam der Aufbau wie überall außerhalb der Bundesrepublik.

Großmutters Gut wird vom Dorf gemeinschaftlich bewirtschaftet; die staatlich festgesetzten Preise verderben jede Freude an der Ernte, also zweigen die Bauern ab, verkaufen und handeln privat, so haben sie ihr Auskommen und die in der Stadt kaum Ware für die Staatsläden. Alle kritisieren das System, aber alle sagen auch, es war keine Grundlage da, zu viel zerstört, zu viele Menschen desorientiert, Fremde. Die Kommunisten im Dorf haben es gut gemeint, aber die Funktionäre, die Bonzen, sie sind überall gleich. Sie denken zuerst an sich und die Macht.

In der DDR wird das Reisen für uns schwieriger: fünf Stunden kontrollieren und befragen sie uns beim Grenzübertritt von Polen, jeden Abend müssen wir uns melden: beim Rat der Stadt Leipzig, beim Bürgermeister in Gera. Abweichungen von der eingereichten

Route sind verboten. Alle drei sind wir bedrückt, fast mürrisch und wissen nicht warum.

Offiziell und in Begleitung eines Polizisten erhalte ich als Miteigentümerin die Erlaubnis, die Idastraße, das Haus zu besichtigen, zu begehen. Von den Mieteinnahmen, die der Staat verwaltet, werden Bäder und Heizungen eingebaut, das Dach repariert. Die Außenseite, der Putz ist schwarz, die Granateinschläge aus dem Krieg noch zu sehen. Ich stehe in den Wohnungen und weiß nichts zu fragen. Ja, ich komme aus dem Westen, von drüben, aber ich wurde in diesem Haus geboren. Nein, meine Mutter war keine Leipzigerin, aber meine Großväter, die wären von weiter östlich, ich weiß nicht, warum ich mich so verquer ausdrücke, nach Leipzig gekommen, die hätten das Haus gebaut.

Ich gehe auch auf den Dachboden, und wie von meiner Mutter immer wieder beschworen, steht hinter dem letzten Kamin in der Ecke eine Truhe. Sie enthält Schutt, einen großväterlichen Säbel, zwei Aufsatzhefte meiner Mutter, eine Meißner Obstschale und verblichene Damasttischdecken. Auf eine ist mit einer inzwischen rostigen Sicherheitsnadel ein zerrissener Judenstern geheftet.

Die junge Frau aus der Mansarde, die mit auf den Dachboden gestiegen ist, seufzt leise, dann sagt sie: Klein und eng haben sie uns die Welt gemacht. Und so viel Ströme, in denen wir mit oder gegen den Strom schwimmen könnten, gibt es nicht. Hier nicht und auch nicht im Westen. Schauen Sie sich die Geschichte an, die einzige Sicherheit, die es für uns gibt, ist, daß die Reglementierungen gleich in welchem Bereich zunehmen: Jahr für Jahr. Mehr Gesetze, Verordnungen, Verbote. Auch in der DDR gibt es Gesetze, die aus der Nazizeit sind und immer noch gelten, das ist ein deutsch-deutscher Zustand. Ich höre den Beamten rufen, höre seine Schritte, nehme den zerrissenen Judenstern an mich, schließe die Truhe wieder.

Ich sage: Nehmen Sie die Sachen, sonst beschlagnahmt sie noch der Staat. Blumenfeld hieß mein Großvater, Richard Blumenfeld. Er war nie jemandem im Weg. Meine Großmutter und mein Vater waren der festen Überzeugung, daß der Mensch auf das Weltenrad aufspringen kann und damit beginnen, zu forschen und sich immer wieder zu entscheiden.

Barbara, Viktor und ich, wir haben alle drei noch Adressen, die

219

wir aufsuchen könnten, aber wir besuchen nicht einmal mehr die Friedhöfe, auf denen noch Gräber stehen.

Barbara sagte als erste: Ich möchte zurück. Ich möchte nach Hause. Diese Freija Roth aus Tarnow hat recht, wir sind Bewohner des siebten Kontinents, ohne Aberglauben und Handelswaren. Das ist doch etwas. Viktor sagte: Wir sind nicht die besseren Menschen, aber wir haben mehr Überblick als die meisten. Wir haben mehr gelitten, mehr gesehen, sprechen viele Dialekte, und jeder hat mehr als ein Zuhause.

Ich sage: Aber dazugehören werden wir nie.

Darin sind wir uns einig, bevor jeder wieder in sein Land, sein Zuhause fährt: Dazugehören, in aller Enge oder aller Geborgenheit, werden wir nie, aber überall Fremde sind wir auch nicht. Wir sind überempfindlich, und unsere Sehnsucht nach Heimat und erzählbarer Familiengeschichte, ohne zerrissene und schmuddelige Judensterne, macht uns noch empfindlicher.

Ich suche den siebten Kontinent, auf dem es keine anderen Wege gibt als den des Eingangs; die Sträucher brechen vor Antwort: es gibt Fernsichten, Einsicht und Zweifel sind erlaubt; jedem Wort und Gedanken folgt ein Echo; die Wahrheit verhüllt sich nicht: die Gewißheit verbiegt sich nicht. Im Leben gar nicht zu fassen. Und was aus mir noch alles werden kann...

Gewalt und Haß

> Rassenhaß ist der Kern der häßlichsten aller
> gewalttätigen kollektiven Gefühlsäußerun-
> gen.
>
> [Isaiah Berlin]

Andrea Dworkin
Eis & Feuer

Weder weinen noch lachen, sondern verstehen.
Spinoza

Wir waren winzig, in der dritten Klasse – wie klein sind Sieben- und Achtjährige? –, die kleinen Mädchen von meinem Block. wir waren auf einer großen Straße nicht allzu weit von der Schule, eine, durch die man mußte. Es war eine reiche Straße, ganz und gar anders als unsere. Es gab keinen Backstein. Die Häuser hatten große Fenster nach vorne raus, und jede Front sah anders aus, manche waren gerundet oder geschwungen. Es gab Geländer an den wenigen sehr hübschen Stufen, die zur Eingangstür führten, Verzierungen draußen an den Fenstern oder an der Fassade, breite Bürgersteige, hohe Bäume, die die Straße säumten, so daß es immer schattig war, selbst am frühen Nachmittag, wenn wir von der Schule nach Hause gingen. Wir waren klein und glücklich, trugen unsere Bücher nach Hause und schnatterten drauflos. Ein Trupp schwarzer Mädchen kam uns entgegen, umstellte uns. Sie waren doppelt so groß wie wir, richtig riesig, von der Oberschule. Sie umstellten uns und fingen an, uns zu ärgern und zu beschimpfen. Sie verlangten Dianes Halstuch. Wir waren stumm, hatten große Angst. Sie wollte ihnen schon das Tuch geben, als ich nein sagte, tu das nicht. Eine Minute lang herrschte verblüfftes Schweigen, dann brach ein heiseres Gelächter aus: Hey, was sagst du, Kleine? Tu's nicht, gib es ihnen nicht. Und warum nicht, Kleine, wir kriegen es sowieso. Weil Stehlen schlecht ist, sagte ich ehrlich. Sie umzingelten mich und fingen an, mich zu schlagen, zu boxen, zu treten. Sie boxten und traten mich immer weiter. Ich weiß, daß ich hinfiel und Speichel aus meinem Mund floß und daß ich schrie. Sie boxten mich weiter in den Magen, bis ich auf den Boden fiel, dann traten sie mich immer noch weiter in den Magen, und dann liefen sie weg. Ich lag eine ganze Weile am Boden. Keine kam mir zur Hilfe. Alle starrten mich bloß an. Ich stand auf, aber ich kam nicht richtig hoch, weil ich meinen Bauch nicht strecken konnte, es tat zu weh. Ich hielt ihn mir mit beiden Händen und stand gebeugt da. Keine faßte mich an oder half mir oder redete mit mir. Ich muß irgend etwas gesagt haben wie: mein Daddy hat gesagt, man soll nicht stehlen. Dann sagte eine, daß sie jemand kennt, der gesagt hat, mein Vater sei ein Schlappschwanz. Ein was? Ein Schlappschwanz. Er ist ein Schlappschwanz. Was bedeutet das, habe ich wohl gefragt. Damit du es weißt, alle Jungs sagen, daß er ein Schlappschwanz ist. Wütend und krumm ging ich nach Hause und wollte unbedingt die Mädchen finden, die mich verprügelt hatten. Aber meine Eltern verboten es mir, weil sie mich nur noch mehr verprügeln würden. Ich wollte in jede einzelne Oberschulklasse gehen und nach ihnen suchen. Aber das würde nur Ärger geben, und sie würden mich nur noch mehr verprügeln, sagten sie. Ich dachte an *Schlappschwanz*, und ich dachte an meine Freundinnen, die nichts unternommen hatten. Sie waren irgendwie schlimmer als häßlich und gemein. Nichts zu tun war schlimmer.

Wenn du verprügelt wirst, kriegst du nicht viel mit, du beginnst zu fallen und versuchst, nicht zu fallen, so daß du merkst, wie du fällst, und du merkst, wie du versuchst stehenzubleiben, und die Fäuste kommen aus allen Richtungen, auf den Kopf und ins Gesicht und am meisten in die Eingeweide, und du fällst so lange nicht hin, bis du keine Luft mehr kriegst, und dann fällst du. Du schlägst auf dem Pflaster auf und spürst, wie es dich niederschlägt, und du siehst, wie die Füße auf dich zu kommen, und versuchst, vor allem dein Gesicht zu schützen und deine Augen und deine Zähne, und falls du dich noch bewegen kannst, wenn du einmal liegst, versuchst du zurückzutreten, versuchst, sie mit den Beinen fernzuhalten, aber wenn du so hinfällst, daß die Beine irgendwie unter dir verdreht sind, geht das nicht, und du kannst fühlen, wie sich dir der Rücken vom Magen wegkrümmt, und es ist richtig anstrengend, nicht zu pissen, und wenn sie dann aufgehört haben, ist es richtig anstrengend, nicht zu kotzen. Von anderen Leuten kriegst du nichts mit, außer denen, die dich schlagen, wenn es ein ganzer Haufen ist und alle auf einmal auf dich einprügeln. Du denkst nicht, oh, meine Freundinnen stehen nur da und sehen zu. Das kommt erst nachher, wenn du plötzlich allein bist, wenn die Hitze der prügelnden Körper zum kalten Luftzug auf dem eigenen Schweiß wird und du plötzlich begreifst, daß du nicht mehr geschlagen wirst, es hat aufgehört, und du wirst nicht mehr getreten, es hat aufgehört, und du denkst, oh, ich bin nicht tot, ich kann atmen, mal sehen, ob ich mich bewegen kann, und du versuchst aufzustehen, egal, was es kostet, weil stehen das Beste ist, es gibt dir etwas wieder, und erst während du den Versuch machst aufzustehen, siehst du dich um und siehst, wie die Freundinnen zugucken, und erst während du dabei bist hochzukommen, merkst du, daß du es alleine machen mußt, und erst wenn du dabei bist aufzustehen, weiß du, ohne überhaupt nachzudenken, daß alle doch sehen können, wie sehr es dir wehtut, und die Freundinnen stehen da, gucken, halten Abstand. Erst das Aufstehen macht dir klar, was für eine Angst sie um sich selber hatten, nicht um dich, und was für eine Hühnerscheiße sie sind, und obwohl du winzig bist und sie winzig sind, weißt du, daß selbst winzig kleine Mädchen nicht so schrecklich winzig sind, in Wirklichkeit ist niemand auf der Erde so winzig, und dann sagen sie *Schlappschwanz*, und du begreifst, daß du selber und der Vater, daß ihr *für immer* anders seid als sie, und tief in ihrem Herzen ist etwas Erbärmliches, das bis zum Himmel stinkt. Du kannst sieben oder acht sein und all das wissen und es für immer behalten.

Diane hielt ihr Halstuch in der Hand, wirklich hübsch mit einer Menge sehr hübscher Farben, und es war Marcy, die sagte, dein Daddy ist ein Schlappschwanz.
Ich ging durch lange Blocks nach Hause, vornüber gebeugt und ohne zu weinen, und sie blieben alle auf Abstand, berührten mich nicht, hielten sich fern. Man hatte mir in den Magen getreten, aber mein Gesicht war nicht allzu sehr verletzt. Ich war gebeugt, und es gab keine Möglichkeit auf der ganzen Welt, wie ich meinen Rücken gradebiegen oder meinen Magen gradebiegen oder meine Hände von meinem Magen nehmen konnte, aber ich konnte sehen, wie ich weiterging und sie weitergingen: oh, und danach war alles wie immer, außer daß ich Marcy nie mehr so richtig mochte, solang ich lebe, werde ich es nicht: und ich hätte immer noch alles für Diane getan, und wir spielten unsere Spiele draußen: und es war mir egal, ob sie lebten oder tot waren.

Ganz am anderen Ende unseres Blocks, nicht in Richtung Schule, sondern dort, wo ich nie hinkam, gab es ein wirklich komisches Mädchen, H. Sie wohnte fast am äußersten Ende unseres Blocks, und wenn man dorthin kam, fiel man fast vom Rand der Erde herunter, und man mußte an so vielen Leuten vorbei, die man kannte, und eigentlich sollte man sich nicht so weit entfernen von dort, wo man wohnte, mitten im Block, und sie wußten nicht, wohin man ging und was man vorhatte, und ich kannte nicht besonders viele Leute in der Gegend, nur einige, die ich nicht besonders mochte, auch der Direktor der Hebräisch-Schule wohnte da, und ich ging überhaupt nicht gerne an seinem Haus vorbei, weil er mich in schwerem europäischen Tonfall dafür tadelte, daß ich am Leben war und mich ohne ersichtlichen Grund herumtrieb. Deshalb vermied ich es, jemals da vorbeizugehen, außerdem machte es mir Angst, so nahe ans Ende des Blocks zu geraten, aber das Mädchen war wirklich witzig, und deshalb ging ich manchmal doch hin. Sie hatte eine sehr nette Mutter und einen Flegel von jüngerem Bruder. Das Haus war im Prinzip wie unseres, aber mit viel mehr Dingen darin, viel hübscher, und ihre Mutter war immer fröhlich und auf den Beinen und starb nicht oben im Bett, und das war so angenehm wie nur irgendwas. Wir waren keine richtig engen Freundinnen, aber jede von uns besaß eine verwegene Ader, und beide paßten zueinander: sie, indem sie wirklich witzig war, irrsinnig witzig, und ich auf eine andere Weise, ich weiß nicht, auf welche Weise ich diese Ader besaß oder wie sie wußte, daß ich sie hatte, aber sie mochte mich immer, also muß sie es gewußt haben.

An einem normalen Samstagnachmittag ging H.s Mutter aus, und ihr Vater war zur Arbeit, und sie und ihr kleiner Flegel-Bruder wurden von einem Babysitter gehütet, ich ging sie besuchen. Die Babysitterin war ein absolut grauer Teenager mit Pickeln und Pferdeschwanz, und wir wurden immer wilder, bis wir schließlich auf ihr landeten und sie runterdrückten und sie boxten und sie schlugen und sie ärgerten und sie quälten und sie beschimpften und ihr sagten, wie häßlich sie sei: und dann kam der Flegel-Bruder runter, und eine Minute lang kriegten wir Angst, daß er uns verpetzen würde oder daß sie hochkäme, weil wir allmählich ganz schön müde wurden, aber er kam zu uns und setzte sich mitten auf sie, und wir fuhren fort, sie zu schlagen und wie verrückt zu lachen, und es brachte uns solchen Spaß, Witze darüber zu machen, wie wir sie schlugen und sie beschimpften, und wir machten uns auch darüber lustig. H. saß auf ihrem Kopf und drückte sie runter, indem sie sie an den Haaren zog und sich auf ihre Haare setzte und sie ins Gesicht schlug und auf ihre Brüste schlug. Der Flegel-Bruder saß halb auf ihrem Bauch und schlug unentwegt auf sie ein und kitzelte sie und bohrte seine Knie in ihre Seiten. Ich war zu ihren Füßen, saß darauf und grub meine Nägel in ihre Beine und boxte ihre Beine und schlug sie zwischen die Beine. Wir hielten sie stundenlang so fest, mindestens zwei Stunden, und wir hörten nicht auf, über unsere Witze zu lachen und darüber, wie blöde und jämmerlich sie war: und als wir sie losließen, rannte sie weg und ließ uns allein: und als H.s Mutter nach Hause kam, sagten wir, daß die Babysitterin uns allein gelassen hatte, um sich mit ihrem Freund zu treffen: und H.s Mutter war wütend auf die Babysitterin, daß sie uns allein gelassen hatte, weil wir doch Kinder waren, und sie rief an, um sich zu beschweren und sie zu beschimpfen, und bekam eine hysterische Geschichte zu hören, wie wir sie gefoltert hätten: und wir sagten, was soll das heißen? Was ist das? Was heißt Foltern?, sie ist weggegangen, um sich mit ihrem Freund zu treffen, wenigstens hat sie das gesagt: und die Babysitterin sagte, wir hätten sie geprügelt und gefoltert, und wir sagten nein nein wir wissen nicht was sie meint: und keiner hat ihr jemals geglaubt. Es war, weil sie nicht jüdisch war. Es war, weil wir unglaublichen Spaß hatten. Es war, weil sie doofer und schwächer war als wir. Aber vor allem: es war, weil wir unglaublichen Spaß hatten. Ich habe niemals im Leben so gelacht. Sie weinte, aber ich bin sicher, sie hat es nicht verstanden. Man kann nicht später Gewissensbisse haben, wenn man vorher so schrecklich gelacht hat. Ich habe mich niemals – bis zu eben dieser Minute nicht – einen Teufel darum geschert. Warum kann man, wenn man so schrecklich lacht, nicht weinen oder verstehen? Oh, ihr kleinen Mädchen, weint ohne aufzuhören oder versteht zu viel, aber fürchtet euch ein bißchen davor, zu schrecklich zu lachen.

[Aus dem Amerikanischen von Christel Dormagen]

Nadine Gordimer
Es war einmal

Jemand hat mir geschrieben und mich darum gebeten, zu einer Anthologie von Kindergeschichten etwas beizusteuern. Ich antworte, daß ich keine Kindergeschichten schreibe; und er schreibt zurück, daß ein gewisser Schriftsteller bei einem Kongreß oder einer Buchmesse oder einem Seminar gesagt hat, jeder Autor sollte eigentlich mindestens eine Kindergeschichte schreiben. Ich denke daran, ihm eine Postkarte zu schicken, auf der steht, daß ich es nicht akzeptiere, irgend etwas schreiben zu »sollen«.

Und dann wachte ich letzte Nacht auf – oder besser, ich wurde geweckt, ohne zu wissen, wovon.

Eine Stimme in der Echo-Kammer des Unbewußten?

Ein Geräusch.

Ein Knarren von der Art, wie es das Gewicht macht, das von einem Fuß nach dem anderen über einen Holzfußboden getragen wird. Ich lauschte. Ich fühlte, wie sich die Öffnungen meiner Ohren vor Konzentration weiteten. Wieder: das Knarren. Ich wartete darauf; wartete darauf, zu hören, ob es bedeutete, daß Füße sich von Zimmer zu Zimmer bewegten, den Flur heraufkamen – an meine Tür. Ich habe keine Sicherheitsriegel an den Türen, keinen Revolver unter dem Kissen, aber ich habe dieselben Ängste wie die Leute, die solche Vorsicht walten lassen, und meine Fensterscheiben sind dünn wie Rauhreif, könnten zersplittern wie ein Weinglas. Eine Frau wurde in einem Haus nur zwei Straßen weiter bei (wie heißt es immer) hellichtem Tag ermordet, das war im letzten Jahr, und die scharfen Hunde, die einen alten Witwer und seine Sammlung alter Uhren bewachten, wurden erwürgt, bevor ihn ein Gelegenheitsarbeiter, den er ohne Bezahlung fortgeschickt hatte, erstach.

Ich starrte auf die Tür, machte sie eher in meinem Kopf aus, als daß ich sie sah, im Dunkeln. Ich lag ganz still – schon ein Opfer –, aber die Arhythmie meines Herzens floh, schlug hier und dort gegen seinen Körperkäfig. Wie scharf abgestimmt die Sinne sind, wenn man gerade geruht, geschlafen hat! Ich könnte unter den Ablenkungen des Tages nie so konzentriert lauschen; ich entzifferte noch das schwächste Geräusch, identifizierte und klassifizierte seine mögliche Bedrohung.

Aber ich begriff, daß ich weder bedroht noch auch verschont werden sollte. Kein menschliches Gewicht drückte auf die Bretter, das Knarren war ein Aufbäumen, ein Epizentrum aus Belastung. Ich war darin. Das Haus, das mich umgibt, während ich schlafe, ist auf unterminiertem Grund gebaut; weit unter meinem Bett, dem Boden, den Fundamenten, haben die Stollen und Strecken von Goldminen den Felsen ausgehöhlt, und wenn eine Wand erzittert, sich löst und fällt, bewegt sich das Haus ganz leicht, und eine unbehagliche Spannung belastet das Gleichgewicht und Gegengewicht aus Backstein, Zement, Holz und Glas, die es als Struktur um mich zusammenhalten. Die Fehlschläge meines Herzens verklangen langsam wie die letzten gedämpften Wirbel auf einem der hölzernen Xylophone, welche die Wanderarbeiter der Chopi und Tsonga bauten, die hier unten gewesen sein mögen, unter mir in der Erde, in diesem Moment. Die Strosse, in welcher der Schlag war, mochte längst stillgelegt sein, Wasser aus den gebrochenen Adern tröpfelnd; oder es könnten jetzt dort unten in dieser tiefsten aller Grabstätten Männer verschüttet sein.

Wie ich mich auch hinlegte, mein Kopf ließ meinen Körper nicht los – wollte mich nicht wieder dem Schlaf überlassen. Also begann ich mir selbst eine Geschichte zu erzählen; eine Gutenachtgeschichte.

In einem Haus, in einem Vorort, in einer Stadt, gab es einmal einen Mann und seine Frau, die einander sehr liebten, und wenn sie nicht gestorben sind, dann leben sie noch heute. Sie hatten einen kleinen Jungen, und sie liebten ihn sehr. Sie hatten eine Katze und einen Hund, die der kleine Junge sehr liebte. Sie hatten ein Auto und einen Wohnwagen für die Ferien, und sie hatten einen Swimming-pool, der eingezäumt war, damit der kleine Junge und seine Spielkameraden nicht hineinfielen und ertranken. Sie hatten ein Hausmädchen, das absolut vertrauenswürdig war, und einmal die Woche einen

Gärtner, der von den Nachbarn sehr empfohlen worden war. Denn als sie begannen, so glücklich bis an ihr Lebensende weiterzuleben, wurden sie von jener weisen alten Hexe, der Mutter des Mannes, ermahnt, nur niemanden direkt von der Straße anzustellen. Ihr Hund hatte eine Hundemarke, sie waren gegen Krankheit, Feuer, Überschwemmung und Diebstahl versichert und Mitglied in der örtlichen Neighborhood Watch, die ihnen ein Schild für ihr Eingangs- und Gartentor lieferte. Darauf stand über der Silhouette eines Eindringlings SIE SIND HIERMIT GEWARNT. Der Mann auf dem Bild war maskiert; man konnte nicht sagen, ob er schwarz oder weiß war, und das bewies, daß der Besitzer kein Rassist war.

Es war nicht möglich, das Haus, den Swimming-pool oder das Auto gegen Schäden zu versichern, die aus politischen Unruhen entstanden. Es gab Unruhen, aber die trugen sich außerhalb der Stadt zu, wo Menschen anderer Hautfarbe einquartiert waren. Diesen Leuten war es nicht erlaubt, den Vorort zu betreten, es sei denn als zuverlässige Hausmädchen und Gärtner, sie hatten also nichts zu befürchten, erklärte der Mann der Frau. Aber sie hatte Angst, daß eines Tages solche Leute die Straße herunterkommen und das Schild SIE SIND HIERMIT GEWARNT abreißen und die Tore öffnen und hereinströmen würden... Unsinn, meine Liebe, sagte der Mann, es gibt Polizei und Soldaten und Tränengas und Gewehre, um sie fernzuhalten. Aber um ihretwillen – denn er liebte sie sehr, und in jenen Vierteln außer Sicht- und Hörweite der Vorstadt wurden Busse verbrannt, Autos mit Steinen beworfen und Schulkinder von Polizisten erschossen – ließ er an den Toren eine elektronische Überwachungsanlage anbringen. Jeder, der das Schild SIE SIND HIERMIT GEWARNT abriß und versuchte, die Tore zu öffnen, mußte seine Absichten erklären, indem er einen Knopf drückte und in einen Empfänger sprach, der das Gesagte ins Haus übertrug. Der kleine Junge war von dem Apparat fasziniert, und bei seinen Räuber-und-Gendarm-Spielen mit seinen kleinen Freunden gebrauchte er ihn als Walkietalkie.

Die Unruhen wurden unterdrückt, aber es gab viele Einbrüche in dem Vorort, und das vertrauenswürdige Hausmädchen von jemandem wurde, als sie allein das Haus ihrer Arbeitgeber versorgte, von Dieben gefesselt und in einen Schrank gesperrt. Das vertrauenswürdige Hausmädchen des Mannes und der Frau und des kleinen Jungen war so entsetzt über das Unglück, das einer Freundin zugestoßen war, die, wie sie selbst oft, allein die Verantwortung für den Besitz des Mannes und seiner Frau und des kleinen Jungen getragen hatte, daß sie ihre Arbeitgeber anflehte, Sicherheitsriegel an den Türen und Fenstern des Hauses anbringen und eine Alarmanlage installieren zu lassen. Die Frau sagte: Sie hat recht, laß uns ihrem Rat folgen. Aus jedem Fenster und jeder Tür des Hauses, in dem sie glücklich bis an ihr Lebensende lebten, sahen sie nun also die Bäume und den Himmel durch Gitter, und als die Katze des kleinen Jungen durchs Oberlicht zu klettern versuchte, um ihm in seinem kleinen Bett während der Nacht Gesellschaft zu leisten, wie sie das schon immer getan hatte, löste sie den Alarm aus.

Der Alarmsirene antworteten – so schien es – oft andere Anlagen in anderen Häusern, die von Hauskatzen oder nagenden Mäusen in Gang gesetzt wurden. Die Sirenen riefen einander über die Gärten hinweg ihr Schrillen, Blöken und Heulen zu, und jedermann gewöhnte sich bald daran, so daß das Getöse die Bewohner des Vororts nicht mehr aufregte als das Quaken von Fröschen oder das musikalische Aneinanderreiben der Zikadenbeine. Gedeckt vom Zwiegespräch der elktronischen Harpyien sägten Eindringlinge die Eisenstangen durch, nahmen Hi-Fi-Anlagen, Fernsehgeräte, Kassettenrecorder, Kameras und Radios, Schmuck und Kleidung mit, und manchmal waren sie hungrig genug, um alles im Kühlschrank aufzuessen, oder sie hielten sich kaltblütig lange genug auf, um den Whisky im Schrank oder in der Getränkebar zu trinken. Versicherungsgesellschaften entschädigten nicht für Single Malt, ein Verlust, der um so schärfer empfunden wurde, als die Besitzer wußten, daß die Diebe nicht einmal zu schätzen wußten, was sie da getrunken hatten.

Dann kam die Zeit, da viele von den Leuten, die keine vertrauenswürdigen Hausmädchen und Gärtner waren, in dem Vorort herumhingen, weil sie arbeitslos waren. Einige fielen mit Bitten um einen Job zur Last: Unkraut jäten oder das Dach streichen: alles, was sie wollen. *Baas*, Madam. Aber der Mann und seine Frau erinnerten sich an die Mahnung, nie jemanden von der Straße anzustellen. Einige tranken und verunstalteten die Straßen mit weggeworfenen Flaschen. Einige bettelten, sie warteten draußen, bis der Mann oder die Frau ihren Wagen aus dem elektronisch betriebenen Tor herausfuhr. Sie saßen mit den Füßen in der Gosse unter den Jakarandabäumen, die aus der Straße einen grünen Tunnel machten – denn es war ein schöner Vorort, nur durch ihre Anwesenheit verdorben –, und manchmal schliefen sie in der Mittagssonne ein, lagen direkt vor dem Tor. Die Frau konnte es nicht ertragen, jemanden hungern zu sehen. Sie schickte das vertrauenswürdige Hausmädchen mit Broten und Tee hinaus, aber das vertrauenswürdige Hausmädchen sagte, es seien Herumtreiber und *Tsotsis* [Spitzbuben], die hereinkommen und sie fesseln und in einen Schrank sperren würden. Der Mann sagte: Sie hat recht. Hör auf ihren Rat. Du ermutigst sie mit deinen Broten und dem Tee nur. Sie warten auf ihre Chance... Und er holte das Dreirad des kleinen Jungen jeden Abend aus dem Garten ins Haus, denn wenn auch das Haus gewiß sicher war, sobald es verschlossen und die Alarmanlage aktiviert wurde, konnte doch jemand über die Mauer oder das elektronsich verschlossene Tor in den Garten klettern.

Du hast recht, sagte die Frau. Dann sollte die Mauer höher sein. Und die weise alte Hexe, die Mutter des Mannes, zahlte für die zusätzlichen Backsteine als Weihnachtsgeschenk für ihren Sohn und seine Frau – der kleine Junge bekam einen Raumfahreranzug und ein Märchenbuch.

Aber jede Woche brachte mehr Einbruchsberichte: bei hellichtem Tag und mitten in der Nacht, in den frühen Morgenstunden und sogar in den wunderschönen Dämmerstunden des Sommers – eine gewisse Familie saß beim Abendessen, während ihre Schlafräume im ersten Stock ausgeplündert wurden. Der Mann und die Frau sprachen über den neuesten bewaffneten Raub im Vorort, als sie durch das Auftauchen der Katze des kleinen Jungen abgelenkt wurden. Sie überwand mühelos die zwei Meter hohe Mauer, kam erst mit schnellem steifen Abstützen der Vorderpfoten und dann mit elegantem Satz die glatte senkrechte Wandfläche herunter, um mit schlagendem Schwanz auf dem Besitz zu landen. Die weißgestrichene Wand trug die Spuren vom Kommen und Gehen der Katze; und auf der Straßenseite waren größere Schmutzflecken von roter Erde, die von den kaputten Sportschuhen stammen konnten, welche die arbeitslosen Nichtstuer trugen, die kein unschuldiges Ziel hatten.

Wenn der Mann und die Frau und der kleine Junge den Hund in den Straßen der Nachbarschaft ausführten, blieben sie nicht mehr stehen, um diese prachtvollen Rosen oder jenen vollkommenen Rasen zu bewundern; die waren jetzt hinter einem Aufgebot unterschiedlicher Sicherheitszäune, Mauern und Anlagen verborgen. Der Mann, die Frau, der kleine Junge und der Hund kamen an einer bemerkenswerten Vielfalt vorüber: da war die preisgünstige Möglichkeit von in Zement gesteckten Glasscherben auf der Mauerkrone, es gab Eisengitter, die oben mit Lanzenspitzen bestückt waren, es gab Versuche, die Ästhetik von Gefängnisarchitektur mit dem spanischen Villenstil (die Gitterspitzen rosa bemalt) und mit den Gipsurnen neoklassizistischer Fassaden (40-Zentimeter-Piken, gerippt wie das Zickzack des Blitzes und strahlend weiß gestrichen) zu versöhnen. Einige Mauern trugen eine kleine Tafel, auf der Name und Telefonnummer der Firma angegeben war, welche die Sicherheitsanlagen installiert hatte. Während der kleine Junge und der Hund vorwegliefen, wogen der Mann und die Frau die mögliche Effektivität jeden Stils gegen sein Aussehen ab; und nach mehreren Wochen, in denen sie vor dieser oder jener Barrikade stehenblieben, ohne etwas sagen zu müssen, kamen sie beide zu dem Schluß, daß nur eine in Betracht kam. Es war die häßlichste, aber in ihrer Andeutung puren Konzentrationslagerstils die ehrlichste, keine Kinkerlitzchen, nur offensichtliche Wirksamkeit. Über die ganze Länge der Mauer gelegt, bestand es aus einer sich fortsetzenden Spirale aus steifem, glänzendem Metall, zahnartig bewehrt mit ausgezackten Klingen. Es gab nicht die geringste Möglichkeit, darüber hinwegzuklettern, und keinen Weg durch seinen Tunnel, ohne von den Fängen erfaßt zu werden. Einmal darin, kam man nicht mehr heraus, kämpfte man darum, wurde es nur blutiger und blutiger, die Widerhaken gingen tiefer und tiefer ins Fleisch. Der Frau schauderte, wenn sie es nur ansah. Du hast recht, sagte der Mann, jeder würde es sich zweimal überlegen... Und sie folgten dem Rat auf einem kleinen Schild an der Wand: Wenden Sie sich an DRA-CHENZÄHNE. Die Experten für Totale Sicherheit.
Am nächsten Tag kam eine Gruppe Arbeiter und streckte die rasierklingenbewehrten Spiralen auf die Mauer um das Haus, in dem der Mann und die Frau und der kleine Junge und der Hund und die

Katze glücklich lebten. Das Sonnenlicht blitzte und stach an den Zähnen, das Gesims aus rasiermesserscharfen Dornen umgab schimmernd das Heim. Der Mann sagte: Mach dir nichts draus. Es wird verwittern. Die Frau sagte: Du täuschst dich. Sie garantieren, daß es rostfrei ist. Und sie wartete, bis der kleine Junge zum Spielen hinausgelaufen war, um zu sagen: Ich hoffe, die Katze paßt auf... Der Mann sagte: Keine Sorge, meine Liebe, Katzen gucken immer genau hin, bevor sie springen. Und in der Tat schlief die Katze von da an im Bett des kleinen Jungen und blieb im Garten, riskierte nie den Versuch, den Sicherheitsgürtel zu durchbrechen.

Eines Abends las die Mutter dem kleinen Jungen eine Gutenachtgeschichte aus dem Märchenbuch vor, welches die weise alte Hexe ihm zu Weihnachten geschenkt hatte. Am nächsten Tag wollte er der Prinz sein, der die schreckliche Dornenhecke überwindet, um den Palast zu betreten und Dornröschen wachzuküssen: er schleppte eine Leiter an die Gartenmauer, der schimmernde, gewickelte Tunnel war gerade weit genug für seinen kleinen Körper, und als die ersten Rasierklingenzähne sich in seine Knie und Hände und seinen Kopf verhakten, schrie er und kämpfte sich noch tiefer in das Gewirr. Das vertrauenswürdige Hausmädchen und der Gärtner, dessen ›Tag‹ es war, liefen herbei, die erste, um zu sehen und mit ihm zu schreien, während der Gärtner sich bei dem Versuch, an ihn heranzukommen, die Hände aufriß. Dann stürzten der Mann und die Frau wild in den Garten, und aus irgendeinem Grund (wahrscheinlich die Katze) setzte der Alarm heulend gegen die Schreie ein, während die blutende Masse des kleinen Jungen mit Sägen, Drahtschneidern, Beilen aus der Sicherheitsspirale herausgehackt wurde, und sie trugen ihn – der Mann, die Frau, das hysterische vertrauenswürdige Hausmädchen und der weinende Gärtner – ins Haus.

[Aus dem Englischen von Regine Laudann]

Alain
Der Menschenhaß

Zwei gut bewaffnete Feiglinge trafen sich eines Nachts auf der Brücke von Asnières. Blut floß. Nichts ist leichter zu erklären und nutzbringender zu analysieren als dieser private Krieg. Er zeigt, wie die Leidenschaften aus einem Übermaß an Vorsicht heraus in Gewalt ausarten. Die Gefühlsregung der Angst, selbst ohne tatsächlichen Grund, hat so viel Macht über uns und ist so drückend, daß wir darin immer eine Warnung sehen wollen. Jeder unserer Feiglinge verlangsamt seine Gangart und wendet sich ab. Nichts hat mehr Ähnlichkeit mit einem listigen Angriff als Vorsichtsmaßnahmen. Bei jedem von ihnen wuchs die Angst; einer von beiden wollte vielleicht schnell vorübergehen; der andere zückte seine Waffe. Das sind die Folgen eines törichten Mißtrauens und einer Mißdeutung von Zeichen.

Es ist der Jugend nicht gemäß, überall Feinde zu sehen. Doch verfällt der junge Mann im reifen Alter dann zu oft dem Mißtrauen, da er zunächst höflichen Zusicherungen Glauben geschenkt hatte. Im Zustand des Gleichgewichts und beflügelter Kraft findet sich ein lebhaftes und leichtes Spiel der Muskeln und des Blutes, ein ansteckendes Lächeln. Das führt dazu, daß der junge Mann glaubt, von Anfang an Sympathie zu empfinden, die ein Vorzeichen der Freundschaft ist. Der Austausch von Zeichen trägt dazu bei; man ist immer von ihm eingenommen. Ich bedaure den, der es zu Anfang allzu leicht hat. Es ist besser, von anderen nicht zu viel erwartet zu haben, denn es bedarf höherer Weisheit, um den Absichten und Gedanken der Menschen nie etwas zu unterstellen. Man ahnt den Weg von der Enttäuschung zum Mißtrauen. Viele sind ihn gegangen, unvorsichtig; auf diese Weise werden sie auch vom Mißtrauen hintergangen. An Zeichen fehlt es nie. Jeder Mensch ist ein Orakel; durch Müdigkeit, durch Launen, durch Sorge, Kummer, Langeweile und sogar durch die Spiele des Lichts. Nichts täuscht mehr als ein strenger oder zerstreuter Blick oder irgendein Zeichen von Ungeduld oder ein unangebrachtes Lächeln. Das sind Lebensregungen, die der Geschäftigkeit von Ameisen ähneln. Der betreffende Mensch ist oft himmelweit davon entfernt, an sie zu denken. Sie beschäftigen ihn, wenn er gleichermaßen mißtrauisch ist wie sie und aus denselben Gründen heraus. Einsamkeit und Nachdenken beeinflussen diese Zeichen; so erfindet man sich seine Feinde. Da diese an ihren Gedanken, sowie sie sie erraten, Anstoß nehmen, schafft man sich auf diese Weise Feinde. Welcher Natur auch immer die Zeichen sein mögen, immer ist es Torheit. Die Menschen haben nicht viel Tiefsinn.

Ein guter Beobachter hat nicht diesen aufmerksamen Blick für die Zeichen. Er wendet sich ab von expressiven Regungen, die nichts aussagen. Gelassen will er den Menschen eher durch die Form als durch die Bewegung begreifen, mit jenen halb zugekniffenen Augen, mit denen man die kaum sichtbaren Sterne zu erkennen vermag. Aber wenn er auf der Grundlage einer Idee beobachtete, würde er bemerken, daß er immer zu viel errät. Und diese schlechte Kunst des Erratens, wenn man selbst im Spiel ist, kann bekanntlich zu recht gefährlicher Torheit führen. Doch hat jene bittere Erfahrung immer übermäßigen Erfolg. Man müßte als guter Physiologe urteilen. »Da ist ein Muskel erschöpft; dort sind Beine, die Bewegung nötig haben. Dies ist ein unterdrücktes Gähnen. Hier ist ein hungriger Mensch; das Licht behelligt seine Augen; sein Hemdkragen engt ihn ein, seine Schuhe tun ihm weh. Dies Korsett ist unbequem. In jenem Sessel sitzt man schlecht. Dies dort ist ein Mensch, der sich gerne kratzen würde.« Ich habe eine rechthaberische Frau gekannt, die zuweilen ihrem Chef berechtigte Beschwerden vortrug. Oft wiederholte sie ihre Ausführungen für sich selbst, wobei sie sich fragte, ob sie ihm das Passende gesagt hätte. Der Chef war taub.

Niemand versucht, eine nervliche Krise zu verstehen, es sei denn aufgrund ihrer natürlichen Ursachen. Somit ist, sobald wir eine genaue Vorstellung der Ursache haben, der Zorn nur mehr Lärm, ebenso die Drohungen. Nur fällt es schwer, dem Eingeständnis von Schuld nicht zu glauben; dennoch ist es unerläßlich. Denn mit dem Eingeständnis eines Fehlers ist es wie mit jenen Berichten von einem

Traum, die man beim Sprechen erfindet. Angemessenes Verzeihen besteht nicht darin, den Fehler anhand seiner Motive zu verstehen, sondern vielmehr anhand seiner Ursachen. Nachsicht und Strenge sind nötig, denn bei den geringsten wie bei den schlimmsten Fehlern stößt man immer auf den müßiggängerischen König. Er ließ den Stoikern sagen, daß alle Fehler gleich sind. Daher mein Ratschlag, sich selbst nicht allzusehr zu hassen. Sehr oft glaubt man nicht, daß der Menschenhaß so weit ginge. Aber wir täuschen uns ebenso über unsere eigenen Gesten, unsere eigenen Worte und selbst über unsere eigenen Handlungen, wie wir uns in unseren Urteilen über andere täuschen. Wie viele jener Worte, die wir bedauern, sind wohlüberlegt? Unser Irrtum besteht darin, sie erst hinterher abzuwägen und in uns selbst eine schlechte Absicht, die es nicht gibt, oder, schlimmer noch, eine bösartige Veranlagung zu vermuten. Diesem Mechanismus wohnt weder Bösartiges noch Gutes inne. Nichts bindet dich, weder deine Fehler noch deine Tugenden. Kurz, es gibt zwei Irrtümer: zu glauben, daß die Menschen gutwillig sind, und zu glauben, daß sie böswillig sind. Beide Irrtümer hängen miteinander zusammen.

[Aus dem Französischen von Frauke Hamann und Peter Hammans]

Fremdenhass

Der deutsche Beitrag für Europa
Für die Welt

Klaus Staek

Bill Buford
Geil auf Gewalt

Der erste, der die Gruppe in Turin, am Fuß der Gangway, begrüßte, war ein Mann namens Michael Wicks. Mr. Wicks war der stellvertretende britische Konsul. Er war etwa fünfzig – in Tweedjacke, mit Foreign-Office-Akzent, ein gebildeter, unerschütterlich freundlicher Mann. Mr. Wicks lächelte fast immer, und er lächelte auch noch, als er den ersten von uns sah, der aus dem Flugzeug stieg, einen unerhört dicken Burschen namens Clayton.

Clayton hatte eine ganze Anzahl Probleme, aber sein größtes Problem war seine Hose. Sehr wahrscheinlich wird Clayton sein Leben lang Probleme mit seiner Hose haben. Sein Bauch war so weich und weit – kein Adjektiv scheint seinem Umfang gerecht zu werden –, daß seine Hose, obgleich ebenfalls von eindrucksvollen Ausmaßen, doch nicht weit genug war, um sich so hoch hinaufziehen zu lassen, daß sie nicht wieder hinunterrutschte. Clayton kam aus der Maschine und watschelte die Treppe hinab, wobei er seine Gürtelschnalle festhielt, bemüht, irgendwo auf seinem mächtigen Wanst einen Halt für sie zu finden. »Wir sind stolz, daß wir Briten sind«, sang er vor sich hin. Seine Augen waren geschlossen, und sein Gesicht war rot, und er wiederholte seinen Refrain immer von neuem, obwohl niemand sonst mit einstimmte.

Mick folgte nicht weit hinter ihm. Er hatte seine Flasche Wodka geleert und trank nun eine Büchse Carlsberg Sonderbräu, die er sich vor dem Aussteigen noch vom Getränkewagen geschnappt hatte. Als er am Fuß der Treppe anlangte, begrüßte ihn Mr. Wicks. Das verwirrte Mick. Mr. Wicks sah nicht wie ein Italiener aus. Mick blieb stehen und begann etwas zu sagen, in der schleppenden, wohlbedachten Redeweise eines Mannes, der innerhalb von neunzig Minuten einen Liter Schnaps konsumiert hat. Und dann rülpste er. Es war ein unüberhörbarer Rülpser, lang und gräßlich, ein brutales, langsames Platzen unzähliger Blasen giftiger Magengase. Es war ein

Rülpser, der zu Spekulationen aufforderte: über die Getränke, die Art der Speisen und die Mengen, die dazu beigetragen haben mußten, diesen gewaltigen Sprühdunst zu erzeugen, der nun endlos aus den Tiefen des gequälten Leibes aufzusteigen schien. Aber Mr. Wicks war unbeirrbar. Er gab sich damit zufrieden, Mick nicht anders als jeden beliebigen Touristen zu behandeln, dem die Aufregung einer Flugreise ein bißchen zuviel geworden ist. Mr. Wicks, offenbar Diplomat vom Scheitel bis zur Sohle, nahm keinen Anstoß. Ich glaube nicht, daß es möglich war, bei Mr. Wicks Anstoß zu erregen. Er lächelte bloß.

Dann kamen auch die anderen, ebenfalls singend, einzeln oder Arm in Arm mit Freunden, und auch ihre Lieder handelten alle irgendwie davon, wie prima sie es fanden, daß sie Engländer waren. Mit der ganzen Gruppe war kurz nach der Landung etwas geschehen, eine deutliche Änderung war eingetreten. Als die Maschine auf ihren Standplatz zurollte, hatte jemand die Armee ausgemacht: sie erwartete uns, in Formation angetreten.

Die Armee!

Das würde kein normaler Durchgang durch die Paßkontrolle werden: Die Maschine sollte offenbar umzingelt werden, und zwar nicht von den Polizisten – man sah sie in Grüppchen bei der Laderampe –, sondern von einem Trupp italienischer Soldaten. Die Soldaten sähen komisch aus, meinte Mick, der neben mir saß – wie gottverdammte Schwuchteln, drückte er sich aus. Sie trugen fremdartige Uniformen und grellfarbige Mützen; es waren keine englischen Soldaten – darauf kam es an; es waren *ausländische* Soldaten.

Die Wirkung war durchschlagend: Dies waren nun nicht mehr die Fans von Manchester United, sie waren die Verteidiger der englischen Nation. Sie kamen nun nicht mehr aus Manchester; ihre Herkunft hatte sich wie auf Löschpapier von einem Punkt auf der Karte über die Karte des ganzen Landes ausgebreitet. Sie waren nun Engländer; Engländer *und* offensichtlich gefährlich. Sie standen auf, bevor das Flugzeug zum Stehen gekommen war, und begannen sich umzuziehen, trotz der Ermahnungen einer Stewardess, daß sie sich wieder hinsetzen sollten. Wie auf Kommando wurde die Alltagskleidung, in der sie gekommen waren, durch ein Kostüm ersetzt, dessen wichtigstes Merkmal die britische Flagge war. Ganz plötzlich begannen Köpfe und Gliedmaßen sich durch Union-Jack-T-Shirts und Union-Jack-Badehosen zu wühlen, in einem Fall durch Union-Jack-Boxershorts (die aparterweise um die Stirn getragen wurden). Sie schienen alle auf diesen Augenblick vorbereitet, es sah aus wie einstudiert. Unterdessen hatten alle »Rule Britannia« angestimmt – durchdringend laut und spontan –, und dann sangen sie es noch einmal, lauter und lauter, bis es schließlich, als die Maschine auf den Standplatz zurollte, nicht mehr gesungen, sondern gebrüllt wurde:

Rule, Britannia! Britannia, rule the waves!
Britons never, never, never shall be slaves.
When Britain first, at Heaven's command,
Arose from out the azure main,
When Britain first arose from out the azure main,
This was the charter, the charter of the land,
And heavenly angels sung the strain:
Rule, Britannia! Britannia, rule the waves!
Britons never, never, never shall be slaves!
Rule, Britannia! Britannia, rule the waves!
Britons never, never, never shall be slaves!

Auch die Identität der Italiener hatte sich geändert. Sie waren nun keine Italiener mehr, sondern »Itaker«.

Das also waren die Ankömmlinge, die Mr. Wicks begrüßte, ein Mann, dessen freundliches Verhältnis zur Realität ich erstaunlich fand. Immerhin stand er nun hier, nachdem er sich entschlossen hatte, diese Fußballfans am Flughafen zu empfangen, die von dem Match, das sie nun besuchen würden, ausgesperrt werden sollten und die sich anschickten, über die Stadt Turin herzufallen. Was hätte er tun können? Im nachhinein ist es leicht gesagt: Er hätte die zivilen Luftfahrtbehörden auffordern sollen, diesem Charterflugzeug die Landeerlaubnis zu verweigern und alle Insassen der Maschine nach England zurückzubringen. *Das* hätte er tun sollen. Aber unter welchem Vorwand wäre so etwas möglich gewesen? Mr. Wicks' Alternative – seine einzige – bestand darin, seinen Glauben an die Menschlichkeit dessen kundzutun, was da aus der Maschine hervorkam, auch wenn er dazu über etliches hinwegsehen mußte: über Clayton, über Mick, die Union-Jack-Boxershorts als stammesgemäße Kopfbedeckung, über den Ausdruck blanken Entsetzens in den Gesichtern der acht Personen vom Bordpersonal oder über die Tatsache, daß 257 Liter hochprozentiger Spirituosen, vor anderthalb Stunden eingekauft, jetzt um 11 Uhr 30 vormittags schon ausgetrunken waren. »Alle«, sagte Mr. Wicks, immer noch lächelnd, als alle die Laderampe entlanggetorkelt kamen, »alle wollen wir uns hier einen schönen Tag machen.«

Jawohl, alle wollten sich hier einen schönen Tag machen, darin waren sich alle einig. Aber wo war der Veranstalter? Mr. Wicks fragte nach Mr. Robert Boss vom Reisebüro Bobby Boss, aber niemand konnte ihm helfen. Niemand wußte, wo er steckte. Niemand wußte ja auch, wo wir übernachten oder wo wir die Eintrittskarten für das Match herbekommen sollten. Im Grunde waren die meisten Leute, auch ich, so dankbar, daß eine Maschine auf dem Flughafen von Manchester auf uns gewartet hatte, und so erstaunt, daß sie uns tatsächlich nach Italien befördert hatte, daß wir gar nicht mehr sehr scharf darauf waren, noch weitere Fragen zu stellen – aus Besorgnis, das, was wir immerhin erreicht hatten, könnte sich verflüchtigen, wenn man es allzugenau ansah. Besser war es – und nach soviel schnell hinuntergeschüttetem Schnaps auch leichter –, zu glauben, daß alles schon irgendwie klappen würde.

Dann kam von den hinteren Sitzen der Maschine eine hübsche, quirlige Person, so forsch-fröhlich wie ein amerikanischer Cheerleader. Sie stellte sich vor – »Hi, ich bin Jackie« –, sagte, daß sie die Dinge in die Hand nehmen würde und daß für alles gesorgt sei. Es stellte sich heraus, daß Jackie eine ehemalige Polizeischülerin war, die ihre Ausbildung abgebrochen hatte, weil sie lieber reisen und etwas von der Welt sehen wollte. Bobby Boss hatte sie auf einer Party kennengelernt. Er versprach ihr die Welt – und gab ihr diesen Job. Der Flug nach Turin mit einer Gesellschaft von 257 Fußballfans war ihre erste Auslandsreise. Jackie war zweiundzwanzig.

Mr. Wicks machte sich seine Gedanken.

Was würdest du tun, fragte ich mich, wenn dein Instinkt dir rät, alle Anwesenden auf der Stelle verhaften zu lassen, während das

Rechtsempfinden dir sagt, daß so was nicht geht, und dein völlig verwirrter Verstand dir nur noch empfiehlt, unentwegt zu lächeln, und wenn du dann noch merkst, daß du statt der Person, die dich in diese Klemme gebracht hat, eine zweiundzwanzigjährige Aussteigerin aus der Polizeischule auf ihrer ersten Auslandsreise mit 257 betrunkenen jungen Männern vor dir hast?

Was würdest du da tun?

Was Mr. Wicks tat, war folgendes: Immer noch lächelnd, konfiszierte er sämtliche Pässe (daß auch ein amerikanischer darunter war, weckte für einen Augenblick, wie ich später erfuhr, die Befürchtung, daß die CIA ihre Hand im Spiel haben könnte). Offenbar dachte Mr. Wicks, er könnte vielleicht später kontrollieren wollen, wem die Abreise zu gestatten wäre. So kam es dann nicht – er wollte schlicht, daß restlos alle abreisten –, aber das war später. Im Augenblick versuchte er nur, die möglichen Folgen dessen zu begrenzen, wovon er zuinnerst gewußt haben muß, daß er es nicht verhindern konnte. Er hatte ein Informationsblatt mit nützlichen Telefonnummern vorbereitet, die mit einem ominösen Sinn für Prioritäten aufgelistet waren. Die Nummer des britischen Konsulats kam als erste, dann die der Polizei, des Krankenhauses, des Sanitätsdienstes und zuletzt die des Flughafens. Ein zweites Blatt enthielt eine Anzahl schadensbegrenzender Sätze auf italienisch (»Würden Sie bitte schnell einen Arzt rufen?«) und endete mit dem optimistischen Wunsch, daß jedes Mitglied der Gruppe sich im fremden Land als ein Botschafter Britanniens betragen werde – etwas, wozu man die Claytons und Micks und alle andern gar nicht erst aufzufordern brauchte, denn ihr Britenstolz war unerschütterlich und grenzte ans Imperiale. Mr. Wicks brachte wie ein braver Schulmeister alle durch die Paßkontrolle und versammelte sie dann zu einer kurzen Predigt – alle sollten sie ihr bestmögliches Betragen an den Tag legen –, die mit der Mitteilung schloß, daß er eine Polizeieskorte bestellt hatte. Sie bestand aus vier Motorrädern und zwei Mannschaftswagen für jeden der vier Busse, die draußen auf uns warteten. All diese gescheiten und sorgfältigen Vorbereitungen verrieten einen Mann von großem Weitblick. Und doch sah man Mr. Wicks an den Augen an – als er in seiner Tweedjacke im Schatten der Markise vor dem Flughafen stand und uns artig zuwinkte, bis die Busse einer nach dem andern zu ihrer lärmenden Fahrt in die Innenstadt gestartet waren –, daß er versagt hatte. Etwas ganz Furchtbares stand bevor, und irgendwie würde er schuld sein. Er hatte wohl begriffen – aus seinem Gesicht schienen der Kummer und die Reue darüber zu sprechen –, daß er soeben einen Trupp ungewöhnlicher Lebewesen losgelassen hatte, Wesen, die man gewiß auf humane Weise behandeln sollte (liebevoll füttern, betrachten, würdigen), denen man aber um keinen Preis das Betreten der Innenstadt von Turin hätte gestatten dürfen. Nie und nimmer, nicht mal an der Leine oder in einem Käfig! Und trotzdem, als unverbesserlicher Optimist lächelte Mr. Wicks noch immer.

Es ist ein erhebendes Gefühl, von einer Polizeieskorte begleitet zu werden. Ich fand es erhebend. Ich war nicht direkt erfreut, daß es mir so ging, aber ich konnte nicht leugnen, daß ich die Empfindungen der Leute um mich herum bis zu einem gewissen Grad teilte, deren Gebrüll durch den betäubenden Ton der Sirenen vorübergehend gedämpft wurde und die sich nun als etwas ganz Besonderes fühlten. Wer kriegt denn schon eine Polizeieskorte? Premierminister, Präsidenten, der Papst – *und* die britischen Fußballfans. Bis die Busse die Innenstadt erreichten – trotz des geringen Verkehrs hatte man die Sirenen gleich bei der Abfahrt vom Flughafen angestellt –, hatte sich der Status der Insassen unermeßlich erhöht. Jede Kreuzung, die wir passierten, war verstopft von Wagen und Zuschauern. In allen Straßen hatten sich Menschen versammelt, die wissen und mal nachsehen wollten, was all der Lärm zu bedeuten hatte; und ein paar Wohnblöcke weiter vorn gab es noch mehr Menschen, noch größere Ansammlungen, noch mehr Verstopfung. Der Ton von zwanzig Sirenen ist schwer zu überhören. Ganz Turin mußte begriffen haben, daß die Engländer gekommen waren.

Die Engländer selbst, durch die Aufmerksamkeit, die sie erregten, beflügelt, fingen an zu singen, und sie brachten es fertig, selbst die markerschütternden Sirenen, die ihr Erscheinen in der Stadt ankündigten, zu übertönen. Diese Lautstärke zu erreichen war keine geringe Leistung, auch wenn man den Lärm, der aus dem Bus hervorbrach, besser nicht als Gesang bezeichnet. Ein Lied hieß »England« – dieses Wort, immerzu wiederholt, bildete den gesamten Text. Ein anderes, das sprachlich anspruchsvoller war, beruhte auf der Melodie der »Battle Hymn of the Republic«. Der Text lautete:

Glory, glory, Man United
Glory, glory, Man United
Glory, glory, Man United
Your troops are marching on! on! on!

Jedes »on« wurde mit etwas mehr Nachdruck als das vorige herausgegrunzt, begleitet von der bekannten Siegesgeste mit den zwei hochgespreizten Fingern. Eine besonders schlichte Weise hieß »Fuck the Pope« – schlicht, weil die Worte »Fuck the Pope« wiederum der ganze Text waren. »Fuck the Pope« war besonders beliebt, und trotz der Sirenen und der Geschwindigkeit gelang es zumindest zwei Bussen (dem, in dem ich fuhr, und dem hinter uns), »Fuck the Pope« mit so etwas wie Einstimmigkeit zu singen.

Ich bemerkte Clayton, der einige Reihen vor mir saß. Irgendwie hatte Clayton sich wie ein schwer lenkbares Fahrzeug in eine Position gebracht, bei der das offene Fenster neben seinem Sitz von seinem plötzlich entblößten; sehr breiten Hintern ausgefüllt wurde: die Hose, diesmal vorsätzlich bis zu den Knien heruntergelassen, die beiden entblößten, sehr breiten Arschbacken in je einer Hand und auseinandergespreizt. In der Sitzreihe gleich dahinter stand ein Bursche, der aus dem Fenster pinkelte. Leute stellten sich auf die Sitze, rissen die Fäuste in die Höhe und senkten sie wieder, brüllten den Fußgängern, den Polizisten, den Kindern draußen – allem, was italienisch war – Kraftworte zu.

Dann schmiß jemand mit einer Flasche.

Das mußte ja kommen! Flaschen rollten auf dem Boden herum oder wurden von einem zum andern weitergereicht, und es war unvermeidlich, nachdem man alles andere ausprobiert hatte – obszöne Sprechchöre, Beschimpfungen, Pinkeln –, daß jemand diesen einen nächsten Schritt tat, eine der leeren Flaschen aufhob und nach einem Italiener schleuderte. Trotzdem, Wurfgeschosse jeder Art bedeuteten eine erhebliche Eskalation, und zumindest anfänglich war man sich halbwegs darin einig, daß Flaschenwerfen »gegen die Spielregeln« war.

»Was soll das, Scheiße noch mal?« brüllte einer aufgebracht, aber nicht ohne einen Anflug von Humor. »Bist wohl ein Hooligan, was?«

Eine wichtige Schwelle war überschritten. Sekunden später hörte man eine zweite Flasche splittern. Und dann eine dritte, eine vierte, und schon flogen Flaschen aus den meisten Fenstern aller vier Busse.

Ich fragte mich: Wenn ich ein Bürger von Turin wäre, wie fände ich das alles?

Jedenfalls würde ich dann hier am Fuß der Alpen wohnen, in einer der nördlichsten Gegenden Italiens, zwischen prächtigen historischen Backsteinbauten, in einer Stadt voller Kirchen und Plätze, Arkaden und Cafés, einer zivilisierten Stadt, einer Stadt der Intellektuellen, Hochburg der Kommunistischen Partei, Heimatstadt Primo Levis und anderer Schriftsteller und Maler, und wenn ich, ein Juventus-Fan wie alle Leute hier, während der Mittagspause losgegangen wäre, um mir eine Karte für das Match am Abend zu besorgen, dann würde ich jetzt diesen durchdringenden Ton hören, das gleichmäßig auf- und abschwellende Geheul vieler Sirenen. Krankenwagen? Eine Katastrophe? Ringsum würden die Leute stehenbleiben und die Hälse lang machen, die Augen gegen die Sonne beschirmen, bis man endlich in der Ferne die oszillierende blau-weiße Ampel der Polizeiwagen ausmachen könnte. Und wenn sie vorüberfahren würden – ein, zwei, drei, vier Busse –, ob meine Reaktion sich dann darauf beschränken würde, fasziniert zu sein, wenn ich in den Fenstern jedes Busses Gesichter von solch furchtbarer Aggressivität sehen würde – von erstaunlicher, heftiger, unerklärlich bösartiger Aggressivität? Vielleicht bekäme ich Urinspritzer ins Gesicht. Vielleicht müßte ich beiseite springen, um einer Flasche auszuweichen, die jemand mir an den Kopf schmeißen will. Und vielleicht hätte ich schließlich genauso reagiert wie ein junger Italiener, der, plötzlich zum Ziel eines unvorhergesehenen Geschosses geworden, Gleiches mit Gleichem beantwortete: er schmiß einen Stein zurück.

Die Wirkung auf die Insassen des Busses trat sofort ein. Daß sie plötzlich zum Angriffsziel geworden waren, versetzte ihnen einen Schock. Die Entrüstung kannte keine Grenzen: »Diese Schweine«, rief einer, »die schmeißen Steine in die Fenster!«, und aus seinem

Gesicht sprach ein so aufrichtiger Abscheu, daß man gar nicht mehr anders konnte, als zugeben, daß ein steineschmeißender Italiener wirklich ein ganz übles Subjekt war. Die Vorstellung – schließlich hätte ja ein Fenster zu Bruch gehen und jemand verletzt werden können – war zutiefst empörend, und alle wurden sehr, sehr wütend. Ich schaute mich um und begriff, daß ich nun nicht mehr von erregten, hysterisch nationalistischen Normverletzern umgeben war, sondern von hysterisch nationalistischen Normverletzern im Zustand der *Raserei*. Sie tobten jetzt, und alles, was ihnen in die Hände kam – Flaschen, Büchsen mit Erdnüssen, Obst, Fruchtsafttüten, einfach alles –, wurde unbesehen durch die Fenster geworfen. »Diese Schweine!« sagte einer neben mir durch die zusammengebissenen Zähne und zielte mit einer ungeöffneten Bierdose nach einem Grüppchen älterer Männer in dunklen Jacketts. »Diese Schweine!«

Alle waren jetzt in heller Aufregung. Aber niemand war aufgeregter als unser Busfahrer. Nur wenige hatten in dem Durcheinander bemerkt, daß unser Busfahrer verrückt geworden war.

Ich hatte mir schon eine ganze Weile seinetwegen Sorgen gemacht. Seit wir in der Innenstadt waren, hatte er immer wieder versucht, seine Passagiere zur Ordnung zu rufen. In dem großen Rückspiegel über seinem Kopf konnte er sehen, was vorging. Zuerst hatte er es mit Diplomatie versucht: er hatte ja keinen Grund anzunehmen, daß diese Fahrgäste von anderen, die er schon befördert hatte, grundsätzlich verschieden seien. Aber sein Appell, Ruhe zu bewahren, wurde nicht beachtet. Und darum protestierte er nun. Er beschwor uns mit den Händen, mit dem Gesicht, mit dem ganzen Körper, als ob er sagen wollte: »Bitte, es gibt nun mal Gesetze, und wir müssen sie befolgen!« Diesmal wurde er beachtet, aber die Wirkung war nicht die gewünschte. Der ganze Bus, der etwas über die Falklandinseln, Britannia oder die Queen gesungen hatte, setzte nun im Sprechchor zu einem einstimmigen »Fuck yourself« an die Adresse des Fahrers an. Dann wechselten sie die Sprache und sagten ihm ungefähr dasselbe auf italienisch.

Das hielt ich nicht für eine gute Idee. Ich kann gar nicht sagen, wie mulmig mir wurde. Schließlich wollte der Fahrer doch nur tun, was sein Job war. Unser Leben lag in seinen Händen – ganz *buchstäblich*. Und mit denselben Händen äußerte er seinen Unmut.

Am liebsten hätte er vermutlich den Bus zum Stehen gebracht und alle Leute hinausgejagt. Er hatte die Nase voll. Aber halten konnte er nicht, weil noch drei andere Busse mit voller Geschwindigkeit hinterdreindonnerten. Noch schneller fahren konnte er auch nicht, denn vor sich hatte er zwei Polizisten auf Motorrädern. Weil also nach vorn und hinten nichts zu machen war, äußerte er seine Wut durch seitliche Manöver; er riß das Lenkrad heftig nach links herum, dann nach rechts und dann wieder zurück. Die Jungs, die auf den Sitzen gestanden hatten, standen plötzlich auf gar nichts mehr. Nur die wenigsten blieben verschont: so ruckhaft waren die Fahrbewegungen, daß die meisten der schlüpfrigen Vinylsitze leergeräumt wurden. Jackie, unsere zweiundzwanzigjährige Betreuerin, war aufgestanden und hatte sich umgedreht, um ihre ungebärdige Gefolgschaft wie eine gestrenge Lehrerin zu schelten, aber als sie den Mund aufmachte, kam nur ein seltsames, unverständliches Glucksen heraus, und der Boden rutschte ihr unter den Füßen weg – uns ging es nicht anders. Das Interessante an der Rage des Busfahrers war, daß sie, indem er sie entlud, sich noch zu steigern schien, als ob er, indem er sie zum Ausdruck brachte, selber erst merkte, *wie* wütend er war. Sein Gesicht begann sich zu verfärben – es war nun ganz dunkelrot –, als er das Lenkrad noch mal herumriß, so daß wir alle nach links kippten, dann in die andere Richtung, und wir taumelten nach rechts. Ich befürchtete, als ich das schreckliche Farbenspiel in seinen Gesichtszügen sah, daß irgend etwas zu platzen drohte. Ich befürchtete, sein Herz könnte aussetzen, und mitten im nächsten wilden Schlenker würde er vielleicht das Lenkrad loslassen, sich an die Brust greifen, und der Bus würde in den entgegenkommenden Verkehr hineintrudeln.

Und dann: ein Regenbogen. Die Straßen, die zuletzt immer enger geworden waren, öffneten sich endlich und mündeten auf einen Platz: die Piazza San Carlo. Licht, Luft, Himmel – und langsam, aber sicher kam der Bus zum Stehen. Wir waren da.

Oder richtiger: wir waren noch am Leben, *ich* war noch am Leben. Wir hatten die Herfahrt vom Flughafen überstanden. Beim Aussteigen drehte der Bursche vor mir sich noch einmal um, kurz bevor er ins Freie trat, und brüllte den Fahrer an: Das sei vollkommen gegen die Spielregeln gewesen! Und dann zog er Schleim aus

den tiefsten Hohlräumen seines Innern hoch, versuchte, dem Fahrer
ins Gesicht zu spucken, traf nicht und hinterließ ein schlaffes, feuch-
tes elastisches Bällchen, das dem Mann von der Schulter trielte.

[Aus dem Englischen von Wolfgang Krege]

Klaus Kordon
Im Gefängnis

An den Sonnabendnachmittagen fährt Nguyen am liebsten mit der S-Bahn in die Innenstadt. Er spaziert die Straßen entlang, studiert die Schaufenster und sieht den vielen Wochenendbummlern nach. Stadtwandern ist ein billiges Vergnügen, macht Spaß und lenkt ab von dem Wohnheim, in dem seine Landsleute und er untergebracht sind. Alle arbeiten sie in der Großwäscherei draußen in Spindlersfeld; die Heimbewohner kennt er bis zum Überdruß. Wenn er in der Stadt spazierengeht, kommt er sich oft einsam vor, im Heim fühlt er sich erdrückt.

Immer die gleichen Gesichter, die gleichen Reden. Ein Stückchen Vietnam in der Fremde, sagen die Eltern. Für Nguyen ist das Heim kein Stückchen Heimat, für ihn ist es eine Art Gefängnis, aus dem er flieht, so oft es nur eben geht.

Er versteht die Eltern, begreift ihre Angst um ihn. Seitdem sich in Deutschland so viel verändert hat, ist schon der Weg zu einem dieser neuen Supermärkte Abenteuer genug. Sie wollen nicht mehr riskieren als unbedingt nötig, also bleiben die Eltern lieber im Heim. In ihren Briefen an die Verwandten zu Hause aber beklagen sie sich über dieses neue Deutschland, in dem sie nun leben müssen. Als sie die Heimat verließen, um in der DDR Geld zu verdienen, hatten sie nicht im Traum daran gedacht, daß es diesen Staat irgendwann nicht mehr geben würde. Sie waren nicht sehr traurig, als er zusammenbrach – so gut waren sie von den DDR-Deutschen nicht behandelt worden. Früher jedoch hat man sie nur schräg angesehen, jetzt werden regelrechte Treibjagden auf sie veranstaltet.

»Ausländer raus!« – »Schlitzaugen weg!« – »Ihr seid die Juden der Zukunft!« Solche Worte sind schlimm, die Gewalt aber, die sie seit neuestem erleben, ist schlimmer. Es gibt viele Leute, die alle Ausländer weghaben wollen aus Deutschland. Jugendbanden verfolgen wahllos jeden Ausländer, den sie als solchen erkennen, und manchmal enden diese Treibjagden sehr böse. Sogar Tote gab es schon.

Nguyen versteht diese Jugendlichen nicht. Sie sagen, die Ausländer würden ihnen die Arbeitsplätze stehlen. Aber wollen sie etwa seine Arbeit in der Wäscherei übernehmen? Und wenn ja, warum tun sie es nicht, wieso arbeiten fast nur Vietnamesen dort? Sieht er ein deutsches Gesicht in der Waschhalle, gehört es Friedel Bengsch, der Brigadierin, einer freundlichen Frau, mit der er sich gerne unterhält. Oder einer der Männer aus der Firmenleitung läuft mal rasch durch die Halle. Ansonsten blickt er nur in vietnamesische Gesichter. Klein-Hanoi nennen viele Deutsche die Großwäscherei. Na und? Wenn den Deutschen die Arbeit in der Wäscherei zu schwer und der Lohn zu gering ist, warum gönnen sie ihnen dann nicht eine Arbeit, die sie selber nicht machen möchten? Die Eltern sagen oft, wo ein Deutscher bereits hungert, werden noch gut und gerne drei Vietnamesen satt. Sie verlangen wirklich nicht zuviel, sind still und bescheiden – viel zu bescheiden sogar, wie Friedel Bengsch ihnen oft vorwirft –, und doch sollen sie möglichst bald wieder verschwinden; und zwar dorthin, wo es keine Arbeit gibt und wirklich gehungert wird.

Der Gedanke, Deutschland verlassen zu müssen, bedrückt Nguyen. Seit sieben Jahren lebt er nun schon in Berlin; er war zehn, als die Eltern mit ihm hierherkamen. Es war eine Ausnahme, daß er überhaupt mitdurfte. Normalerweise nahm die DDR keine Familien mit Kindern auf. Wurden Frauen schwanger, schickte man sie einfach wieder zurück. Er wollte damals nicht weg aus ihrem Dorf, und er will auch jetzt nicht weg. Berlin ist nicht seine Heimat, seine Heimat ist sein Traum von Vietnam; also etwas, das es gar nicht gibt. Weil er das weiß, will er nicht dorthin zurück. Er will hart arbeiten, wenn es sein muß, auch für wenig Geld, aber er will wie ein Mensch leben. Wenn er hierbleiben kann, wird er eines Tages vielleicht sogar hier heiraten – am liebsten die kleine Trinh, die ihm manchmal zulacht. Bisher ist er zu schüchtern gewesen, um sie anzusprechen. Irgendwann aber wird er es tun – und vielleicht werden sie dann gemeinsam mit der S-Bahn in die Stadt fahren.

Natürlich wandert Nguyen nie abends durch die Stadt, sondern immer nur am Tag. Und sieht er von weitem ein paar von den jungen Glatzköpfen, macht er einen solchen Bogen um sie, daß sie unmöglich in ihm den Vietnamesen erkennen können. Notfalls läuft er sogar den Weg, den er gekommen ist, wieder zurück oder versteckt sich in einem Hausflur. Es ist einfach zuviel passiert in der letzten Zeit. Wer sich nicht vorsieht, spielt mit seinem Leben.

An jenem Sonnabend im August will Nguyen zur Schönhauser Allee – keine Prachtstraße wie Unter den Linden, sondern eine eher einfache, aber fast immer sehr belebte Straße. Hier sind vor allem Einheimische unterwegs, nicht so viele Touristen aus Westdeutschland oder anderen Ländern. Außerdem liegt die Schönhauser Allee im Stadtbezirk Prenzlauer Berg. Dort gibt es weniger Ausländerfeinde als zum Beispiel in Lichtenberg, wo es schon fast reiner Selbstmord ist, als »Schlitzauge« nur mal durch den Bahnhofstunnel zu laufen. Vietnamesen, die geschmuggelte Zigaretten verkaufen, tun das am liebsten in der Schönhauser, dort fühlen sie sich noch halbwegs sicher. Kommt die Polizei, laufen sie einfach weg, und die Leute hindern sie nicht daran.

Wie immer steht er an der S-Bahn-Tür und läßt Bahnanlagen, Schrebergärten, Neubauten und Straßenzüge an sich vorübergleiten. Hält der Zug an einem der Bahnhöfe, wendet Nguyen sich kurz um und studiert die Gesichter der Menschen, die einsteigen. Er stellt sich immer an die dem Bahnsteig abgewandte Seite des Waggons. Auf diese Weise dreht er den Einsteigenden den Rücken zu und ist nicht gleich als »Schlitzauge« zu erkennen.

Die meisten Reisenden sind harmlose Leute: Rentner mit Körben voller Äpfel, die sie in ihren Gärten gepflückt haben; junge Familien mit Kindern, die von einem Ausflug heimkehren; Liebespaare, die miteinander tuscheln; Gruppen von Mädchen oder Jungen, die irgendein gemeinsames Ziel haben. Erntet er trotzdem einen mürrischen Blick, dreht er sich gleich wieder weg. Manchmal trifft er aber auch auf freundliche Leute, die ihn ansprechen und wissen wollen, aus welchem Land er kommt. Mit denen unterhält er sich dann höflich und fährt manchmal sogar weiter mit, als er eigentlich vorhatte. Solche Gelegenheiten muß er ausnutzen.

S-Bahnhof Schöneweide. Nguyen wendet sich kurz dem Bahnsteig zu – und erschrickt über sein Pech: Fußballfans! Ausgerechnet Fußballfans haben sich vor dem Waggon, in dem er sich befindet, zusammengedrängt. In ihren mit Vereinswappen verzierten Jeansjacken stehen sie vor dem Zug und grölen ihre Schlachtgesänge, während sie die aussteigenden Fahrgäste an sich vorüberlassen. Nicht alle Fußballfans sind aggressiv, manche sind sogar sehr friedlich; die Ausländerfeinde unter ihnen aber sind in der letzten Zeit immer mehr geworden. Rasch dreht Nguyen sich wieder um und blickt aus dem Fenster. Doch zu spät, einer der Jungen, die sich nun mit ihren Fahnen und Tröten in den Waggon hineindrängen, hat ihn schon entdeckt. »Kiekt mal, da hat eener die Gelbsucht!« schreit er und lacht über seinen Witz. Ein anderer, schon halb betrunkener Junge lacht nicht, sondern bedroht Nguyen sofort mit seiner Fahnenstange. »Ausländer raus!« schreit er dabei. »Deutschland den Deutschen.« Ängstlich weicht Nguyen der Fahnenstange aus. »Macht doch keinen Mist! Laßt mich in Ruhe. Ich hab euch doch gar nichts getan.« Es ist immer gut, seine Angst zu zeigen. Das beruhigt die Jungen vielleicht. Wer den Helden spielt, reizt sie nur noch mehr.

An diesem Tag klappt das nicht. »Mist?« Ein rundes, sommersprossiges Gesicht verrät echte Empörung. »Wir machen Mist? Du willst wohl aufrechte Deutsche beleidigen, du asiatisches Stinktier.« Nguyen erwidert nichts mehr. Auch dieser Junge ist schon angetrunken, und mit Betrunkenen kann man nicht reden. Jedes Wort macht die nur noch gereizter.

»He! Du sprichst wohl nicht mit jedem?« ruft ein anderer Junge wütend, und ein etwas kleinerer mit einer Tröte in der Hand ergänzt: »Macht mal die Tür auf und laßt ihn aussteigen – aber erst, wenn der Zug richtig schnell fährt.«

Alle lachen, und der erste versetzt Nguyen einen Schlag vor die Brust. Und als sei das ein Signal oder eine Aufforderung für die anderen, prügeln nun auch sie auf ihn ein. Von allen Seiten hageln Schläge herab. Und da kommt auch schon, was Nguyen in der letzten Zeit so oft gehört hat: »Ihr macht euch hier breit, und wir finden keine Arbeit. Macht, daß ihr zurück in eure Erdlöcher kommt, ihr gelben Wanzen!«

Nguyen wehrt sich nicht; das würde die Jungen nur noch wütender machen. Er hebt nur die Arme hoch, um seinen Kopf zu schützen. Auf die Hilfe der anderen Fahrgäste hofft er nicht. Nur selten kommt es vor, daß sich ein Deutscher für einen Ausländer einsetzt.

»Aufhören! Hört sofort auf!« ertönt da auf einmal eine Männerstimme neben ihm – und dann werden die Schläge und Stöße auch schon weniger und hören schließlich ganz auf. Vorsichtig nimmt Nguyen die Arme herunter und sieht einen Mann neben sich stehen, der ihm zuvor gar nicht aufgefallen ist. Ungefähr vierzig Jahre alt ist er, nicht besonders groß, nicht besonders breit. Er trägt Jeans und ein kurzärmeliges Hemd und hält eine Aktentasche in der Hand, so, als käme er gerade erst von der Arbeit. »Hört auf!« sagt er noch einmal ganz ruhig und lächelt dabei sogar ein bißchen. »Das ist doch Blödsinn, was ihr da macht. Der kann doch nichts dafür, daß er nicht so schön ist wie ihr.«

Einige Jungen protestieren laut, andere beschimpfen den Mann als Kommunistensau.

»Wußte ich noch gar nicht, daß ich ein Kommunist bin.« Der Mann muß lachen. »Aber wenn ihr meint...« Dann wird er wieder ernst. »Laßt ihn in Ruhe. Die einen sind weiß, die anderen gelb, wieder andere schwarz. Irgendwie stammen wir doch alle von Adam und Eva ab. Und daß es an Arbeit fehlt, daran sind doch nicht die paar Ausländer schuld, die es bei uns gibt.«

Die Jungen hören gar nicht richtig zu, das sieht Nguyen ihnen an. Es sind dumme Gesichter darunter; Gesichter, die hassen wollen, ganz egal, wen und warum.

Der Mann redet weiter auf die Jungen ein. Freundlich fragt er sie, ob sie etwa glauben, sofort Arbeit zu finden, wenn die Ausländer verschwänden. Und ob denn nicht alle Menschen irgendeine Arbeit bräuchten.

»Spiel hier nicht den Messias!« schreit einer der Jungen. »Die Vietnamesen sind doch alles Ratten. Hocken vor den Bahnhöfen und verkaufen geschmuggelte Zigaretten, anstatt zu arbeiten.«

»Was denn?« spottet der Mann neben Nguyen. »Ich denke, die sollen nicht arbeiten? Merkt ihr denn nicht, wie ihr euch selbst widersprecht?« Darauf wissen die Jungen nichts zu antworten. Haßerfüllt blicken sie den Mann an, der ihnen so eindeutig überlegen ist.

Nguyen zögert einen Augenblick, dann faßt er sich ein Herz und sagt, viele Vietnamesen würden doch nur deshalb mit Zigaretten handeln, weil sie keine Arbeit mehr hätten. Von irgendwas müßten sie doch schließlich leben.

Wütend wenden die Jungen sich wieder ihm zu, und dann trifft ihn auch schon ein Schlag mit der Fahnenstange quer über Nase und Stirn. Vor Schmerz schießen ihm die Tränen in die Augen, doch er wehrt sich noch immer nicht. Widerstand zu leisten wäre das dümmste, was er jetzt tun könnte.

»Schämt ihr euch denn nicht?« Nun verliert der Mann, der Nguyen zu Hilfe geeilt ist, doch seine Ruhe. Zornig entwindet er dem Jungen, der zugeschlagen hat, die Fahnenstange und zerbricht sie über seinem Knie, bevor er sie ihm wieder in die Hand drückt. Zuvor hat er Nguyen seine Aktentasche zu halten gegeben.

Lautes Protestgeheul ertönt. »Dich machen wir alle«, schreit einer der Jugendlichen, wagt sich aber nicht an den Mann heran. Ein anderer schreit: »Unter Adolf wäre so etwas nicht frei herumgelaufen.« Wieder ein anderer verlangt eine Entschädigung für die zerbrochene Fahnenstange.

Der Mann beachtet die Jungen nicht mehr. »Wo mußt du aussteigen?« fragt er Nguyen leise, als er ihm die Aktentasche wieder abnimmt.

»Egal.« Nguyen preßt sich sein Taschentuch unter die blutende Nase. »Ich... fahr nur so spazieren.«

Der Mann schaut ihn besorgt an. »Nicht sehr klug von dir in dieser Zeit.«

Das weiß Nguyen selbst. Aber soll er etwa an den Wochenenden immer nur im Heim herumhocken? Dann kann er wirklich gleich ins Gefängnis gehen.

Der Mann seufzt. »Ich steige am Bahnhof Ostkreuz aus. Wenn die Jungen dann noch im Abteil sind, steig am besten mit aus. Ich möchte dich nicht gern mit denen allein lassen.«

Der Zug hat den S-Bahnhof Ostkreuz erreicht. Der Mann nickt Nguyen noch einmal aufmunternd zu, dann steigt er aus. Nguyen schaut zu den Jungen hin und bemerkt mit Erleichterung, daß auch sie den Zug verlassen. Also kann er weiterfahren. In dem Moment, in dem er das denkt, aber überkommt es ihn auch schon heiß: Und der Mann, der ihm geholfen hat? Der ist doch nun allein. Wenn nun die Jungen nur deshalb ausgestiegen sind, um ihn für seine Ausländerfreundlichkeit zu bestrafen?

Nur kurz zögert Nguyen, dann, gerade noch rechtzeitig, bevor die Türen des Zuges wieder geschlossen werden, steigt auch er aus. Er hat Angst vor dem, was nun vielleicht kommen wird, aber er kann nicht anders. Er darf den Mann jetzt nicht im Stich lassen, muß wenigstens nachschauen, ob die Jungen ihn verfolgen, und sofort die Polizei holen, sollten sie ihn tatsächlich angreifen.

Die Jungen überholen den Mann nicht, bleiben aber immer dicht hinter ihm. Er bemerkt sie nicht, liest beim Gehen in seiner Zeitung und hat den Zwischenfall im Zug sicher längst vergessen. Nguyen bemüht sich, von den Jungen nicht entdeckt zu werden. Es sind sehr viele Leute, die zusammen mit ihnen die Bahnhofstreppe hinabsteigen, irgendein Rücken ist immer da, hinter dem er verschwinden kann.

Als der Mann die Straße betreten hat, werden die Jungen schneller. Unter den verdutzten, zum Teil ängstlichen Blicken der anderen Fahrgäste umringen sie den Mann, der verblüfft aus seiner Zeitung aufschaut, und dann schlägt der Junge, dem er die Fahnenstange zerbrochen hat, auch schon zu. Und wie im Zug ist der erste Schlag das Signal für die anderen, ebenfalls zuzuschlagen. Voller Zorn läßt der Mann Tasche und Zeitung fallen und schlägt zurück, doch die Jungen sind zu viele; sie schlagen und treten so heftig nach dem Mann, daß er stürzt. Die Jugendlichen aber halten noch immer nicht ein. Sie treten und stoßen mit den Füßen nach dem Mann und werfen ihm immer neue Schimpfwörter an den Kopf: »Kommunistenschwein«, »schwule Sau«, »Vaterlandsverräter«.

Nguyens Gedanken überstürzen sich. Wenn er dem Mann zu Hilfe eilt, liegt er bald neben ihm und kann ihm auch nicht mehr helfen. Hastig blickt er sich nach Passanten um, doch es ist wie im Zug: Niemand kümmert sich um das, was hier geschieht, alle tun, als ginge sie dieser Vorfall überhaupt nichts an.

Ein Tritt gegen den Kopf, der Mann stöhnt laut auf. Da läuft Nguyen los, hetzt die Bahnhofstreppe hoch und gleich in das Stationshäuschen hinein. Mit sich überschlagender Stimme schildert er dem Zugabfertiger, was sich in diesem Augenblick vor dem Bahnhof abspielt.

»Und was soll ich dabei tun?« Der Mann in der Uniform guckt mürrisch. »Ich kann hier nicht weg.«

»Rufen Sie die Polizei. Bitte! Schnell!«

Der Beamte überlegt kurz, dann nimmt er den Telefonhörer und wählt eine Nummer.

Ungeduldig starrt Nguyen den Zugabfertiger an. Warum ist der so ruhig, warum empört er sich nicht?

Ein Zug fährt ein. Schnell legt der Beamte den Hörer zurück. »Tut mir leid. Meldet sich niemand. Und jetzt habe ich keine Zeit mehr. Am besten, du hilfst deinem Freund selbst.«

Einen Augenblick lang steht Nguyen nur fassungslos da, dann läuft er zum Ausgang zurück und hastet die Treppe hinunter. Die Jungen sind inzwischen geflüchtet, der Mann aber liegt noch immer auf dem Pflaster. Sein Gesicht ist blutverschmiert, und als Nguyen sich über ihn beugt und ihn vorsichtig anspricht, reagiert er nicht.

Voller Panik richtet Nguyen sich wieder auf: Haben die Jungen den Mann etwa totgeschlagen? Erneut blickt er sich hilfesuchend um, und diesmal hat er Glück: Eine ältere Frau mit einer schweren Einkaufstasche steigt die Bahnhofstreppe herab. Sie sieht den Mann und kommt gleich auf Nguyen zu.

Hastig schildert Nguyen der Frau den Überfall der Jungen und bittet sie, den Zugabfertiger zu unterrichten, damit der wenigstens einen Krankenwagen kommen läßt. Die Frau fragt gar nicht erst, warum er denn nicht selbst geht. Sie drückt Nguyen ihre Einkaufstasche in die Hand und läuft die Bahnhofstreppe wieder hoch, während er sich mit der Tasche in der Hand weiter über den Mann beugt.

Der Krankenwagen ist längst wieder davongefahren, die Polizisten sind noch geblieben. Nguyen soll ihnen die Jungen ganz genau beschreiben, sie haben den Mann so schwer verletzt, daß es fraglich ist, ob er durchkommen wird.

Nguyen gibt sich die allergrößte Mühe, doch was kann er schon sagen? Jungen, wie die von ihm beschriebenen, gibt es Tausende in der Stadt. Unmöglich, sie ausfindig zu machen. Die Polizisten geben es bald auf, notieren sich nur noch Nguyens Wohnheimadresse – für den Fall, daß sie noch Fragen haben – und besteigen ihren Streifenwagen. Als sie alle wieder drin sind, kurbelt einer von ihnen noch mal das Seitenfenster herunter und schaut Nguyen nachdenklich an.

»Fahr jetzt am besten gleich nach Hause«, sagt er. »Ein solches Erlebnis am Tag sollte dir reichen.«

Nach Hause? Meint der Polizist damit Vietnam oder das Wohnheim?

Er muß das Wohnheim gemeint haben – »jetzt gleich« nach Vietnam, das geht nicht. Und doch, das sieht Nguyen der Streifenwagen-Besatzung an, am besten fänden sie es schon, wenn er »richtig« nach Hause fahren würde. Daß er schon seit sieben Jahren in Berlin lebt, wie er ihnen eben erst mitgeteilt hat, interessiert sie nicht.

Auch der Polizeiwagen fährt davon, und Nguyen steigt nachdenklich die Bahnhofstreppe hoch. Natürlich wird er »nach Hause« fahren. Es reicht ihm tatsächlich, was er erlebt hat. Und er wird auch am nächsten Wochenende »zu Hause« bleiben und am übernächsten. Er wird überhaupt nicht mehr stadtwandern fahren, wird nur noch vor dem Fernseher hocken wie alle anderen Hausbewohner auch.

Mitten auf der Treppe bleibt er stehen. Den Mann, den sie seinetwegen halb totgeschlagen haben, den müßte er doch wenigstens mal besuchen. Er weiß ja, in welches Krankenhaus sie ihn gebracht haben. Ob sich aber der Mann, wenn er tatsächlich wieder gesund werden sollte, über seinen Besuch freut? Oder ob er lieber nicht an ihn erinnert werden möchte? Was passiert ist, hat er ja nur ihm zu verdanken. Nur weil er unbedingt spazierengehen wollte, haben die Jungen ihn so zugerichtet...

Ein Zug fährt in den Bahnhof ein. Nguyen stürzt die Treppe hoch, sieht, daß es der Zug in Richtung Spindlersfeld ist, und steigt sofort ein. Erst als der Zug schon fährt, sieht er, daß der Waggon, den er bestiegen hat, voller Fußballfans ist. Diesmal sind es Fans eines anderen Vereins, rotschwarz anstatt blauweiß. Die Blicke aber, die ihn treffen, sind die gleichen.

André Poloczek

Charlotte von Mahlsdorf
Ich bin meine eigene Frau

Die dreißig Skinheads näherten sich Mahlsdorf mit Eisenstangen, Gaspistolen, Leuchtspurmunition und herausgebrochenen Zaunlatten.

Ich spähte aus dem Fenster meines Gründerzeitmuseums in den Garten. An den Wäscheleinen schaukelten Monde aus Papier im Wind. Die rund achtzig noch verbliebenen Gäste feierten ein unbeschwert-harmonisches Frühlingsfest: Die Tina-Turner-Dublette hatte sich schon abgeschminkt, auch die Bauchtänzerin wippte nicht mehr vor den Gästen, sondern stand mit ihnen an der Cocktailbar. Würstchen wurden gegrillt, Schwule und Lesben tanzten, und der Mond schien wie auf einer Kitschpostkarte durch die Bäume des Parks.

Schnell noch das Licht ausmachen und mal draußen gucken, dachte ich. Den ganzen Abend hatten meine Mitarbeiterin Beate und ich an diesem Maitag 1991 Gäste von nah und fern im Halbstundentakt durchs Museum geführt.

Die letzte Lampe kaum gelöscht, hörte ich jenes Geräusch, klirrend hell, gegen das ich seit nunmehr vierundfünfzig Jahren allergisch bin: zersplittertes Glas. Ein junger Mann stürmte, blaß wie eine Leiche, ins Museum. »Du mußt die Polizei rufen!«

Die Neonazis droschen mit den Latten wahllos auf die Gäste ein. Alles ging wahnsinnig schnell. Meiner zweiten Mitarbeiterin Silvia schoß ein besonders Mutiger aus nächster Nähe mit der Leuchtpistole ins Gesicht, knapp neben das Auge. Bei einer jungen Frau aus München verfehlte das Geschoß sein Ziel nicht: Ihre Netzhaut wurde schwer verletzt. Einer Achtzehnjährigen schmetterten sie eine Zaunlatte auf den Schädel.

Geschrei und Stöhnen mischten sich in das krachende Bersten der Info-Stände, die die Ostberliner Schwulengruppe aufgebaut hatte, und der Musikanlage, auf die der rohe Haufen martialisch einschlug.

Die Bomberjacken stürmten die Tanzfläche. Dort stand, einem Leuchtturm gleich, ein Transvestit, im ausladenden Fummel und mit großem, rotem Schwingerhut. Sie wollten auf ihn einprügeln, zögerten aber feige, denn er hatte sich inzwischen ebenfalls mit einer Zaunlatte bewaffnet, war von gleißendem Scheinwerferlicht umhüllt und brüllte die Meute an: »Warum seid ihr so brutal?« Das wiederholte er zweimal, und plötzlich blieben sie stehen, blickten sich verwirrt an. Jemand rief: »Die Bullen kommen«, und die Jungnazis stoben auf und davon wie eine Herde in Panik geratenes Vieh. Mit ihrer Munition schossen sie noch auf den benachbarten Lumpenhof, tausend Tonnen Altpapier gingen in Flammen auf. Schreie, Durcheinanderlaufen, die Feuerwehr rückte an mit fünfzig Mann, löschte, fuhr die Verletzten ins Krankenhaus – es war ein einziges Chaos.

Mit einer eisernen Hacke in der Hand lief ich aus dem Haus. Silvia und Beate kamen mir entgegen und berichteten, es sei alles vorbei. Sie hielten mich fest und bugsierten mich wieder ins Haus. Sie wußten, wenn mir jemand unter die Hände gekommen wäre, hätte ich zugeschlagen, ohne Rücksicht auf Verluste.

Eine Stunde später ging ich mit der Taschenlampe in den Garten, sah die zerschlagenen Stände, die Flaschenscherben, den zerstörten Plattenspieler und die zertrümmerte Musikbox. Ich fegte die Scherben der Kellertürscheiben vom Parkweg und dachte: Wie sich die Bilder gleichen!

Ich fuhr mit der Straßenbahn durchs Mahlsdorf-Süd Richtung Köpenick und sah aus dem Fenster: Der Lebensmittelladen Egona war ebenso zerschlagen wie das jüdische Seifengeschäft Wasservogel, auch das jüdische Kaufhaus Cohn in Köpenick hatte keine Fensterscheiben mehr. Die Straßenbahn hielt in der Altstadt, direkt gegenüber einem Textilgeschäft. Die junge Inhaberin, tränenüberströmt, fegte die Reste ihrer Habe zusammen. Drei SA-Männer standen breitbeinig neben ihr: »Du olle Judensau, jetzt lernste endlich mal arbeiten.« Ich war so wütend, krallte meine Hand um eine

Haltestange in der Bahn. Sie traten die Frau mit ihren schweren Stiefeln in die Hüfte, sie fiel in die Glasscherben. Die Straßenbahn fuhr weiter. Als ich von der Schule zurückkam, waren alle Geschäfte mit Brettern vernagelt. Es war der Morgen des 10. November 1938.

Zu Hause erzählte unser Dienstmädchen, wie die Nazis in den anderen jüdischen Geschäften gewütet hatten: »Herr Brauner«, sagte sie mit vor Empörung zitternder Stimme zu meinem Großonkel, »Sie machen sich ja keine Vorstellung, wie bei Tietz, bei Wertheim und Brandmann die Geschäfte zerschlagen wurden. Bei Brandmann haben sie alle Standuhren durch die Schaufensterscheibe auf die Straße geworfen. Und die SA-Männer sind mit Stiefeln in die Glaskästen und haben die Gewichte, die schweren Gewichte, auf die Zifferblätter geworfen und sich die Taschen gefüllt mit Gold und Juwelen. Das ist ja ein Verbrechen!«

Konnte das wahr sein? Die in ganz Berlin bekannte Firma Brandmann, deren Werbung ich im Radio immer mit Wonne gehört hatte, zerstört? Bim, bam! tönte es aus dem Radio, und dann folgte die Werbung für die Brandmann-Standuhren in der Münzstraße. Wie oft gingen mein Großonkel und ich an den Auslagen vorbei, und was war ich beglückt, die schönen Uhren im Schaufenster zu sehen.

Unwillkürlich begann mein Großonkel zu flüstern: »Emmi, behalten Sie das alles für sich, wir müssen vorsichtig sein. Wer weiß, was noch alles kommt.«

Eckhard Bahr
Interview mit einem Skin

1 Am unteren Ende der Treppe, die vom Bahnhof Dimitroffstraße herabführt, blieb ich unschlüssig stehen, blickte in Richtung Zionskirchplatz und dann die Dimitroffstraße in Richtung
Osten, soweit sie einsehbar war.

Vor Gericht habe er nicht gestanden, weder als Angeklagter noch als
Zeuge, hatte mir Richard gesagt, der Gerichtsreporter. Aber ich
solle mich trotzdem vorsehen. Dann hatte mir Richard die Adresse
von Insa gegeben.

Zu ihr war ich nun auf dem Weg.

Die Märznacht war kalt. Windböen mit nassen Schneeflocken und
kleinen Eisbrocken jagten Schauer in die Glieder. Obwohl es noch
gar nicht spät war, begegnete ich nur wenigen eiligen Fußgängern.
Jemand torkelte aus der Eckkneipe, an der ich einbog. Polizei war
nirgends zu sehen. Ich vermißte sie nicht. Kein Mensch bemerkte,
wie ich in die Toreinfahrt trat. Tastend durchquerte ich den mir
unbekannten Flur und trat auf den Hinterhof, den ein blaues Him-
melsgeviert in diffuses Licht tauchte. Quergebäude, hatte Richard
gesagt.

Im Treppenaufgang befand sich ein Lichtschalter, der über ein laut
anschlagendes Relais eine trübe Lampe zum Leuchten brachte.
Keine Namensschilder an den Türen; das Haus kam mir unbewohnt
vor. Im zweiten Stock aber schrie ein Baby. Hier mußte Insa wohnen. »Herb«, stellte ich mich vor, nachdem ich geklopft hatte und
sie sofort an der Tür war. Das Baby auf dem Arm.

Glatzköpfe in diesem Alter sind keine Seltenheit, trotzdem
schluckte ich. Und Insa mochte auch schlucken. Ein Mann von dreißig ohne Haare mußte entweder krank und ein Intellektueller sein
oder... Meine John-Lennon-Brille hatte ich abgesetzt, weil die Gläser anzulaufen begannen. Insa führte mich ins Zimmer. Meinen
Brief hatte sie also bekommen. Seit einem halben Jahr war sie nicht

mehr mit Bernstein verheiratet, dafür nach ihrem Babyjahr nun als Gerichtsprotokollantin tätig, wußte ich von Richard. Damit mußte Insa für diejenigen aus ihrem Umkreis ähnlich suspekt sein wie ich, wenn sie mich denn kennenlernen würden.

Was mochte Insa, ein Jahr lang mit einem Skin verheiratet gewesen und auch nach ihrer Scheidung wohl noch immer freundschaftlich mit ihm verbunden, zur Aufnahme ihrer neuen Arbeit veranlaßt haben? Schließlich mußte sie sich noch einmal einer Ausbildung unterziehen. Womöglich hochnotpeinlichen Überprüfungen. Konnte sie nicht ebenso von ihrer Szene bei Gericht eingeschleust sein? Doch Mißtrauen war nicht angebracht, sonst hätte ich ja gar nicht erst zu kommen brauchen. Insa hatte mir ganz selbstverständlich ihre Tür geöffnet, und kein Kommando Glatzköpfe hatte den meinigen empfangen, obgleich Insa meinen Freund Richard erst durch ihre neue Tätigkeit kennengelernt hatte. Von einer Bürgschaft konnte also keine Rede sein. Nun, und meine Professorin hatte ihren Ruf, der schon zu Zeiten Egon Erwin Kischs keineswegs der beste war...

Das Zimmer wirkte kahl. Ich hatte Zeit, mich umzusehen, denn meine Gastgeberin war mit ihrem Kind beschäftigt. Außerdem suchte sie nach einem Stuhl. Im Raum war nur einer vorhanden, ein Drehstuhl, ehemaliger Klavierhocker, auf dem ich Platz genommen hatte. Der zweite, so rief Insa mir aus dem Klo zu, das sich überraschenderweise innerhalb der Wohnung befand, stecke bestimmt unter der Wäsche. Ein ganzer Berg davon war nur notdürftig von einer Decke verborgen, die mit einem Zipfel noch das Hochbett berührte, auf dem Insas Stammplatz zu sein schien.

Hochbett hieß nichts weiter als ein riesiger Stapel Matratzen, der sich, ziemlich breit, in einer Ecke des eigentlich geräumigen Zimmers türmte. Gegenüber stand ein Schrank aus rohem Holz. Mit etwas gutem Willen hätte man ihn als Bauernschrank bezeichnen können. Solche Möbelstücke waren in Mode gekommen. Man mußte die spärliche Einrichtung also nicht unbedingt als ein Zeichen von Armut deuten. Dem hätte auch widersprochen, daß, vermutlich nur an einem kleinen Nagel jeweils aufgehängt, zwei reiche Brokatkleider eine sonst völlig weiße Wand des Zimmers zierten. Neben ihnen hing ein Lederanzug, darunter standen Schuhe mit Stahlspitzen. Ein Gegensatz, wie ich ihn mir nicht krasser, nein, eigentlich überhaupt nicht hätte vorstellen können.

Insa kam in den Raum zurück. Sie schien meinen Blick wahrgenommen zu haben. »Die Kleider sind aus dem Fundus. Hab auch mal am Theater geklägt.«

»Als Kostümschneiderin?«

»Mädchen für alles. So, nun aber leise, Paul schläft.«

Ich senkte meine Stimme. »Mein Großvater hieß auch Paul. Er war Bankkaufmann in Dresden. Und Antifaschist«, sagte ich provozierend langgezogen.

»Aus Sachsen stammst du also.«

Ich hatte Insa herausfordern wollen und den treffenderen Ausdruck Demokrat durch das Klischeewort ersetzt. Und wirklich bemerkte sie nach einer Weile etwas nachdenklich: »So richtig mit KZ? Antifaschist?« Sie buchstabierte es wie ein Fremdwort.

»Nicht alle haben sie eingesperrt«, entgegnete ich lakonisch.

»Für mich ist seine Haltung das Normale, das Unnormale der Stacheldraht.«

»Auch damals? Und heute? Es gibt immer noch Stacheldraht.«

Insa wischte meine Bemerkung mit einer Geste ihrer schmalen, fast zarten Hand weg. »Ich habe ihn einfach Paul genannt, weil sie mich in unserem Klub immer Pauline nennen.«

Ich betrachtete ihr in diesem Augenblick fast verschmitztes Jungengesicht, das in wärmerer Jahreszeit vermutlich dicht mit Sommersprossen übersät sein würde. Die blauen Augen standen ziemlich nah beieinander. Ein Ohr wirkte deutlich größer als das andere, ein Eindruck, den ein überdimensionales Gehänge noch verstärkte, das sie ausgerechnet an dieser Seite trug. Das Haar war ganz kurz, tiefrot, an einigen Stellen aber schon wieder nachgewachsen. Dort kringelte es sich frech nach allen Seiten. Ich spürte, daß Insa männlichen Wesen nicht ungewogen war. Vielleicht erriet sie den Gedanken. Jedenfalls lächelte sie etwas spöttisch. Sie fragte mich aber nichts und wartete auch keine Fragen ab. Sie plauderte einfach frei von der Leber weg drauflos. Zu Hause, in Thüringen, in einer kleinen Stadt, sei sie einfach ausgerückt. Mit achtzehn schon. Das langweilige Leben. Die Lehre in einer Wäscherei, in der auch Mutter und Vater arbeiteten. Dann Krankenhaus. Eine Abtreibung. Das Gerede in der ganzen Gegend. Das Kind hatte sie damals nicht gewollt, ihren ersten Freund daraufhin geradezu gehaßt. Eine Freundin aus der Kreisstadt wollte nach Berlin gehen, da sei sie eben mit. Dann der erste Typ, der sie einigermaßen beeindruckt habe. Schauspieler. Gleich zusammengezogen. Liebe war es wohl nicht. Zuerst vielleicht. Nach einigen Tagen habe der Kerl Kollegen oder sonstwas für Bekannte angeschleppt. Auch Mädchen. »Alle auf einmal...«, Insa verzog die Lippen. Das erste Mal habe sie mitgemacht. Dann sei sie einfach davongelaufen. Auch gleich weg vom Theater, wo der Schauspieler sie beruflich untergebracht hatte. Sie wollte einfach sauber bleiben, obwohl – rein arbeitsmäßig – habe es ihr eigentlich gefallen.

»Dann kam Bernstein. Hat mich einfach von der Bank weg aufgesammelt.« Insa deutete mit einer Kopfbewegung auf die Lederklamotten an der Wand. Ohne daß ich einen Einwand geltend gemacht hatte, verteidigte sie sich: »Prima Typen sind da drunter. Laß ich nichts drauf kommen«, sagte sie eindringlich und blickte mich dabei fast streng an. »Keine Assis oder so. Zwei Jahre kenn' ich die jetzt, das kann ich dir versichern!«

Ich entgegnete ihr noch immer nichts.

»Theater war out. Megaout. Das hatte Bernstein gleich am ersten Tag verlangt. Hab dann wieder als Wäscherin angefangen. Im Dienstleistungskombinat.« Insa blickte auf ihre Hände. »War ja nicht so lange. Dann kam Paul.«

»Aber aufs Gericht? Wie bist du nun darauf gekommen? Hätte ich nicht gehabt, so eine Idee, an deiner Stelle.«

»An meiner Stelle, das ist gut. Du an meiner Stelle...«

»Warum nicht?«

Wieder die alles fortwischende Handbewegung. »Ich habe einfach überall gesucht. Waschen macht mir keine Freude. Außerdem wollte ich von Bernstein fort. Fand ihn fies, vor allem seine Freunde.«

»Fies?«

»Na ja, ich weiß nicht recht, ganz komm ich nicht weg dort vom Klub. Vielleicht liegt das auch an ihm. Eigentlich ist er okay, aber dann wieder...«

»Hm.«

»Im Grunde ist er ein toller Bursche. Tischler. Der baut Schränke, sag ich dir, da schnallste ab! Den da drüben, den hat er wieder aufgebaut. War völlig in Bretter zerlegt und in Koffern verpackt. Hätte ihn sonst niemals hierhergekriegt aus Thüringen und ohne Spedition.«

»Ganz schön verrückt.«

»Na, bin ich vielleicht. Jedenfalls stinkt mich das mit der Zeit an. Die Aktionen. Hohle Parolen und so. Die nehmen sich vor, irgend jemanden aufzumischen, grundlos, bloß weil er ihnen nicht paßt...«

»Grundlos? Ich war jetzt mal bei einer alten Dame. Jenny Guhl. Sie war in jungen Jahren Protokollantin beim Reichstagsbrandprozeß in Leipzig. Später, nach dem Krieg, war sie Sekretärin eines Politikers, eines Ex-Generals. Ja, schon in der DDR. Sie hatte begonnen, über Gründe nachzudenken. Bis vor kurzem lebte sie noch. In einem Altersheim. Über ihre Vergangenheit war wenig bekannt. Was sah sie für Gründe? Mich interessierte einfach, wie das damals war, in Leipzig und noch zuvor. Wahrscheinlich hat sie auch erst einmal nur protokolliert. Wie wir jetzt«, setzte ich hinzu.

»Da gehst du so einfach hin?«

»Leider ist sie kürzlich verstorben. Bevor sie mir mehr erzählen konnte. Kurz vor ihrem 95. Geburtstag, zu dem sie mich eingeladen hatte.«

»Vielleicht hätte sie dir so viel erzählt, daß du es nicht hättest veröffentlichen können.« Insa lächelte. Und ich auch, bemüht, daß es nicht gequält wirkte. »Mich interessiert es erst einmal gar nicht, ob es veröffentlicht wird. Irgendwann kann man alles veröffentlichen.«

»Hatte mir schon so was Ähnliches gedacht«, sagte Insa, wohl mehr im allgemeinen auf mich bezogen und zu sich selbst. Ich hoffte, sie richtig zu verstehen. Sicher würde ich auch diese Reportage niemals veröffentlichen können. Immerhin bemerkte ich, daß mir schon die Begegnung mit dem Mädchen Insa zu einigem Verständnis verholfen hatte, noch bevor ich eine Frage an ihren Ex-Gatten oder einen anderen Skin losgeworden war.

»Bist du jetzt wieder vernehmungsfähig?« fragte Insa, die meine momentane Abwesenheit bemerkt hatte.

Ich lächelte und fühlte mich ihr schon vertraut, mehr als sonst einem Gesprächspartner bei der ersten Begegnung. [...]

2 »Also gehen wir«, sagte Insa, nachdem sie noch einmal nach Paul gesehen hatte. »Er ist fest eingeschlafen.«
»Du läßt ihn immer allein?«
»Wenn er so fest schläft. Kann doch nicht jeden Abend in der kahlen Bude hocken!«
Mir wurde bewußt, daß ich mit dieser Frage auch von einer anderen ablenken wollte. Gehen, wohin? Etwa...? Und noch heute abend? Mir war etwas mulmig zumute. Wie würde man mich aufnehmen? Wie sollte das gutgehen?
Insa schien meine Gedanken wieder einmal erraten zu haben.
»Deshalb bist du doch gekommen, daß wir zusammen zu meinen Kameraden gehen? Ich werde dich einfach als meinen Mann vorstellen. Meinen neuen Partner. Das müssen sie akzeptieren.«
Natürlich habe ich in diesem Moment etwas verblüfft dreingeschaut. So schnell ist man geschieden und wieder verheiratet. Bei aller Überraschung war mir nicht ganz wohl in meiner Haut. Würden meine Glatze und Insas großzügiges Angebot ausreichen, um die Skins zu überzeugen? Als einer von ihnen konnte ich mich ebensowenig ausgeben, wie gleich ganz offiziell als Journalist vorstellen. Am ehesten wohl als Sympathisant – möglicherweise durch Insa bestärkt in meiner Hinwendung zu dieser für mich schon etwas dunklen Lebensauffassung. Und wenn sie wußten, daß auch Insa schon halb und halb mit ihren Ansichten gebrochen hatte? Wenn sie es nur fühlten...
»Natürlich wirst du ihnen komisch vorkommen«, sagte Insa ungerührt. »Du bist ja auch etwas komisch. Aber mir ist das gleich. Du willst es, und ich helfe dir. Wie du es anstellst, mußt du selber wissen.« Damit waren wir schon auf der Straße. Ein hauchzarter Teppich aus kaltfeinem Schneegriesel hatte die Bürgersteige bedeckt und ließ das etwas düstere Viertel freundlicher erscheinen.
»Wir werden etwa eine halbe Stunde gehen«, eröffnete mir das Mädchen. Es war kalt, und ich wollte sie unterhaken. Schließlich mußten wir uns auf unsere Rollen auch etwas einstellen. Aber Insa verweigerte mir die Kavaliersgeste.

»Bei mir geht das nicht so schnell. Soll Paul denn morgen Papa zu dir sagen?« – Meinte sie das ernst? Obwohl ich lächeln mußte, war mir nicht gerade heiter zumute. Was hatte diese Insa wirklich vor?
[…]
Wir passierten die Eisenbahnbrücke, schmal und in beträchtlicher Höhe über den Gleisen.
»Hier haben sie schon mal einen Punk abspringen lassen.«
»Abspringen lassen?«
»Ja, weiß ich nicht mehr genau, ob er gesprungen ist. Ich glaube, es kam noch jemand hinzu. Dem haben sie dann aber auch gleich mächtig die Schnauze eingerieben.«
Insa schien sich verändert zu haben, seitdem wir aus der Wohnung fortgegangen waren. Sie rückte nicht nur von mir immer weiter ab. Ich mußte an das Märchen von der Schneekönigin denken, in dem die Herzen zweier Kinder, je näher sie dem Zauberreich kommen, immer mehr einzufrieren drohen. Sind die Glatzen Eispanzer? Pulsiert kein Blut unter diesen Stirnen?
Wie weit sind die Herzen zugefroren? Bei allen gleich?
Ich rückte an meiner Brille, als ob ich aus ihr Mut schöpfen könne. Mein Großvater hatte sich einmal mit einem Eichendorff-Gedicht aus einer Verhör-Situation gezogen. Der Gestapo-Mann bekam feuchte Augen, als der Großvater auf eine Frage, die ihn fast bloßgestellt hätte, mitten im Gebäude der »Sachsenbank« die Verse zitierte:

Der Dichter frisch voran
und die im Thal verderben
in trüber Sorgen Haft
er möcht sie alle werben
zu dieser Wanderschaft…

Der heimatverbundene Volksgenosse hatte sie einem Aufenthalt des Dichters im Elbtal zugeschrieben, der, wie mein Großvater wußte, nie stattgefunden hatte. Welche Verse würden mich schützen? *Das Lied vom bösen Onkel* war gegen Eichendorff der blanke Hohn. Die Gaststätte, oder sollte man doch sagen der Klub – denn eine Diskothek spielte Musik, und es gab eine Bar –, befand sich in einem ländlich wirkenden Haus, erbaut noch vor der Jahrhundertwende. Bomberjacken und Lederstiefel, aber auch Turnschuhe neben echten Doc Martens mit Stahlkappen allenthalben. Lederjacken, wie man sie allerorten sieht. An manchem Revers ein Hakenkreuz, sogar Stickers mit dem Bildnis des Schnauzbarts.

»Was 'n das für einer?« fragte in der Nähe des Eingangs ein etwa fünfundzwanzigjähriger Mann, der nicht ganz glatzköpfig war und einfache schwarze Baumwollkleidung trug.

»Unser Chef«, flüsterte Insa mir zu; laut sagte sie: »Wirst ihn jetzt öfter mit mir seh'n.«

Während die Gespräche im vorderen Teil des Raumes einen Moment lang stockten – oder kam es mir nur so vor? – und Insa auch an der Bar und in einem kleinen Nebenraum einige Bekannte begrüßte, setzte ich mich auf die Rückseite einer der breiten Eichenbänke und nickte zwei gegenüber an der Tür postierten Typen, kaum achtzehn Jahre alt, flüchtig zu. Sie verzogen keine Miene, aber ich spürte, wie sich mich fortdauernd musterten, während sie lässig an ihren Zigaretten zogen. Glücklicherweise rauchte Insa wie ich nicht, so daß ich mich notfalls – meiner neuen Rolle folgend – mit ihr und ihrem Kind entschuldigen konnte. Reichlich naive Gedanken – würden die mir dann nicht gerade ein Stäbchen aufzwingen? Bei der Armee hatte ich dem – trotz elf nicht gerade zimperlicher Quarzer im Zwölfmannzimmer – eisern widerstanden. Aber hier? Zum Glück schien es darauf zunächst einmal nicht anzukommen.

Irgendwann fiel ich nicht weiter auf. Insa brachte mich nach einiger Zeit sogar zur Bar und riet, Klaren zu bestellen.

Dabei machte sie mich mit zwei Skins bekannt. Einer davon war Bernstein. Das Interview konnte beginnen.

3 Die Skins würdigten mich keines Blickes. Nach einer Weile schienen sie mich vergessen zu haben, und auch Insa – anfangs noch mit einem Mädchen hinter der Bar zu sehen – war verschwunden.

Ich nahm Wortfetzen wahr. »Gar kein richtiger Kameradschaftsabend heute…« Der Lärm im vorderen Teil des Raumes stieg an. Einer stimmte die Hymne an: »Wir sind häßlich, gewalttätig, brutal…«, klang es in einem dem Text angemessenen Sound durch die

Rauchschwaden. Alle hatten sich von den Plätzen erhoben, regten sich in wachsender Ekstase. Als mich Bernstein ziemlich finster anblickte, bewegte ich intuitiv die Lippen. Aber auch einigen anderen schien es ähnlich zu gehen. Waren sie wie ich das erste Mal dabei? Ein dicker Mann von vielleicht fünfunddreißig, der keinen Glatzkopf hatte, saß – ganz anders als das Gros der Versammlung – gelangweilt in einer Ecke.

Derjenige, den mir Insa als Chef vorgestellt hatte, sprang auf einmal in die Saalmitte und begann einen Kreistanz. Es erinnerte fast an Indianerfilme, wie alle, Mann für Mann, in geduckter Haltung, hinzusprangen und mit karateartigen Bewegungen gegeneinander anzufechten schienen, wobei sie kehlige Laute ausstießen. Nur war mir anders zumute als im Kino.

Wenn das so weiterging, würde der ganze Raum mit Mann und Maus von diesem Taumel befallen werden – und ich würde mich wohl oder übel – das war wörtlich zu nehmen – entscheiden müssen: mitzutun oder... Was oder? Was kann man denn dann noch entscheiden! Wo Insa nur steckte. Ich blieb zunächst, die Bar im Rücken, also ziemlich gedeckt, stehen. Aber auch Bernstein und sein Kumpel schienen nun nicht mehr zu halten. Da rief jemand aus der Umgebung des Anführers: »Punks im Ring!«

Es klang wie ein Schlachtruf, und es war auch einer.

Mit einem Schlag trat Stille ein. Danach wie auf Kommando: Gejohle. Wieder die Hymne. Schließlich Bewegung. Truppweise leerte sich der Klub. Die Skins rückten ab.

Endlich tauchte Insa auf. »Willst du mit?«

»Dann gehen wir aber zusammen.«

Mit Mühe folgten wir den Kahlköpfen. Sie hatten sich nach einem System aufgeteilt. Mehrere Gruppen sicherten einander ab, vor allem aber die Chefs. Draußen ging es ohne großen Radau vonstatten. Ab und zu erklang das Lied, eine Zeile oder einzelne Rufe waren zu hören. Eine ebenso einfache wie strenge Hierarchie regelte das Vorgehen. Die Jüngeren, weniger Erfahrenen oder ganz Neuen folgten den Älteren. Weniger aufs Wort, sie ahmten nach, was jene taten. Gingen aber schließlich voraus, zeigten sich besonders agil, wollten sich beweisen. Und trotzdem wurden sie gleichsam wortlos und unsichtbar geführt.

Ich erkannte auch einen Begriff wieder, der mir von der Armee her noch nach Jahren tief in den Knochen saß: »Die Sprutze zuerst! Laßt sie nur!« So hatten die EKas, die »Erfahrenen Kämpfer«, seinerzeit uns aus dem ersten Diensthalbjahr genannt und entsprechend zu behandeln versucht. Ich hatte ehemalige Strafgefangene, Leute mit Sechs- oder Achtklassenabschluß, in der EKa-Rolle erlebt, aber auch einige Abiturienten, die es dann meist noch toller trieben, mit zynischer Freude an der Verfeinerung der »Spielchen«. Menschen, die einen schwachen Charakter hatten und auf Kosten der anderen ihren Frust abwälzen, auch mal befehlen wollten. Die Krankheit, mit der die Deutschen so furchtbar geimpft worden waren, kam erneut zum Ausbruch. Die Erreger waren resistent geworden, und neue Bürokratismen, gepaart mit verständlichen Schuldgefühlen, die neue Gehorsamkeiten heraufbeschworen, wirkten wie Agar, Nährboden. Das alles stand mir plötzlich grell vor Augen, als ich an der Seite von Insa durch die Märznacht lief, den Skins hinterher. Vor ihnen davon.

Zu einer Schlägerei wie seinerzeit an der Zionskirche und inzwischen noch mancherorts kam es jedoch an diesem Abend nicht. Entweder waren mutmaßliche Irokesen, wie die Skins die Leute mit den gestylten Haarkämmen abfällig nannten, verschwunden oder – was ich eher vermutete – nie vorhanden gewesen. Das Ganze eine Art Mut- oder Kampfprobe, eine Alarmübung... Zelebriert mit derselben Mentalität, wie sie die Großkopfeten der »Volksarmee« ausgezeichnet hatte.

In einer Ecke des Klubs war Streit entstanden. Noch waren nicht alle wieder zurück, doch erkannte ich deutlich Bernstein und den Anführer. Insa neben mir war furchtbar erschrocken. »Wenn er sich mit dem anlegt, kommt er nicht ohne Abreibung davon«, flüsterte sie, und ihre Heiserkeit machte mich beklommen.

Wir blieben in der Nähe der Bar stehen. Weit genug entfernt, um nicht ins Gedränge zu geraten, und nah genug, um die Worte zu verstehen. »Ich mache den Quatsch nicht mehr mit«, sagte Bernstein. »Wenn wir was Ordentliches aufreißen, Ordnung schaffen, von mir aus Schwule klatschen, aber nicht diesen Unsinn.«

»Die Vögelchen müssen fliegen lernen, Berni«, entgegnete der Chef mit unüberhörbarem Zynismus in der hellen Stimme. »Immer bereit sein, das ist das A und O. Die Jungburschen müssen lernen, wenn es sein muß, sich selbst zu kastrieren.« Drohendes Schweigen, aber auch Ablehnung in manchen Gesichtern. Oder täuschte ich mich da?

»Ohne mich.« Bernstein schien entschlossen zu gehen. Konnte sich aber nicht verkneifen, noch zu fragen: »Und wer ist auch dieser Meinung?«

Das war Anstiftung zum Aufruhr.

»Wie du willst«, der Anführer flüsterte kaum noch und trat zwei Schritte zurück. Dann brüllte er: »Zu ihm, wer so denkt!«

Bernstein blieb allein. Eine Sekunde verharrte er.

Er war schon fast an der Tür, als der Boß zischte: »Dann ist er frei, vogelfrei für die Zuckerküken!« Seine Kopfstimme überschlug sich.

Noch vor der Meute preschte Insa hinter Bernstein her. Ich spürte, daß ich Wächter bekam. Gleichzeitig hörte ich, wie der Anführer zu einem seiner Gefolgsleute raunte: »Was wir mit dem Tollenclown neulich nicht gepackt haben, wird diesmal nötig sein.«

Natürlich war ich mir nicht ganz sicher, aber die Tonart – so hatte ich sie noch nicht einmal in irgendeinem Film gehört – ließ mich unwillkürlich an die Brücke denken...

4 Auch der dicke Zivilist hatte sich zum Anführer gesellt. Er sprach sehr leise. Ich verstand nur soviel, er war nicht ganz zufrieden mit dem Ausgang des Abends. Was mochte er für eine Rolle spielen?

Worauf hatte ich mich nur eingelassen. Dreißig oder vierzig völlig außer Rand und Band geratene Menschen, die gute Hälfte von ihnen noch halbe Kinder. Damit hatte ich nicht gerechnet.

Mit einem Außenseiter hatte ich sprechen, mich mit ihm unterhalten, sein Schicksal kennenlernen wollen – nun sah ich mich geballter, von diffuser Ideologie durchdrungener Kriminalität gegenüber, wie ich sie in diesem Teil der Stadt damals keineswegs vermutet hatte. Ideologie in Reinkultur gebiert wohl immer Gewalt. Einheitlichkeit führt ins Verderben. Ausweglosigkeit ufert aus.

Was also tun? Was also jetzt tun? Zunächst mußte Bernstein geholfen werden. Er war in Bedrängnis. Ich hatte kein Verlangen, mit besagtem Brückengeländer näher Bekanntschaft zu schließen.

Trotzdem ging ich langsam zur Tür. Der Klub war menschenleer. Nur meine mutmaßlichen Bewacher gammelten gelangweilt herum. Aber sie ließen mich durch. Ich konnte gehen.

Draußen sah ich, daß auch der Dicke, der Chef und ein paar andere noch vor den Toren standen. Sie entfernten sich bald Richtung Brücke. Kurz entschlossen ging ich in die entgegengesetzte Richtung. Entweder waren Insa und Bernstein entkommen, dann aber wahrscheinlich nicht zur Wohnung, die ja den Skins bekannt sein mußte. Eher zum S-Bahnhof, in eine belebtere Gegend. Oder aber sie waren an der Brücke gestellt worden. Dann fand ich sie auch nach einem kleinen Umweg, wenn ich mich beeilte.

An der Ecke ein Blick: offensichtlich keine Verfolger. Also weiter mit Zwischenspurt. Beim S-Bahnhof überquerte ich die Gleise, lief eine Parallelstraße Richtung Brücke. Für einen kurzen Blick öffnete sich die Tür zu einem Mietshaus, an dem ich eigentlich schon vorüber war. Ich wußte weder, weshalb ich mich umgesehen hatte, noch warum ich Insa dort vermutete. Lief aber dennoch zurück, stieß die Tür mit der Schulter auf und fragte halblaut ins Dunkel: »Insa?«

Keine Antwort. Nach einem unsicheren Blick auf die Straße trat ich in den Hausflur. Kaum war ich drin, wurde ich von hinten gepackt.

»Er ist es«, sagte Insa.

»Luft rein?« Das war Bernstein.

»Noch, ja. Kommt mit zur S-Bahn, wir fahren zu mir. Keiner weiß, wo ich wohne.«

»Gar keine schlechte Idee. Aber auf keinen Fall mit der Bahn«, entschied Bernstein.

Ich dachte noch daran, vielleicht doch die Polizei zu rufen; immerhin konnte ich – wenn ich die Worte des Anführers richtig gedeutet hatte – einen Mordversuch oder doch zumindest eine Morddrohung bezeugen. Aber würde man mir glauben? Und was würde das Bernstein auf die Dauer helfen. Seine Widersacher waren zu viele. Mit Gewißheit würde ich überdies bei ihm und Insa Kredit einbüßen. Die Zeit drängte zur Eile. Es war überhaupt ein Wunder, wie Bernstein und das Mädchen die Meute abgeschüttelt hatten. Und daß sie noch keiner von denen gefunden hatte.

Der Dicke? Er wollte wohl kein Blutvergießen. Oder nur jetzt nicht?

Hielt sie der nahe S-Bahnhof ab? Aber hatten sie nicht schon einmal einen ganzen Bahnhof abgeriegelt und die aussteigenden Passagiere durch ein Netz aus schwingenden Lassos getrieben, an deren Ende Rasierklingen befestigt waren? Als die Polizei endlich gekommen war, waren alle längst fort gewesen...

Zum Glück sah ich durch den Türspalt ein Auto, vermutlich ein Schwarztaxi. Es hielt auf unser Winken. Als wir einstiegen, bogen drei der Skinheads um die Ecke. »Sie haben uns gesehen«, brummte Bernstein. Insa beruhigte: »Wohin wir fahren, das wissen sie nicht.« Wenn nur der Chauffeur nicht einer von ihnen war. Ausgeschlossen schien gar nichts mehr. Der Fahrer nahm den Blick nicht von der Straße. Er konnte Angst haben oder gleichgültig und nur auf seine paar Mark scharf sein. Wortlos nahm er den Geldschein.

5 In meinem Zimmer saßen wir erst einmal stumm da und lauschten in die Nacht. Jedes Geräusch ließ uns erschrecken. Insa hatte in der Küche Kerzen aufgetrieben, sie entzündet und das Lampenlicht gelöscht. Ein leiser Regen, der – den Schnee auslöschend – über die kahlen Linden vor meinem Fenster glitt, beruhigte uns langsam.

Insa und Bernstein wollten rauchen. Mit einem Mal hatte das Mädchen seine guten Vorsätze vergessen. Ich holte einen Aschenbecher.

»Grade noch mal gutgegangen«, brach Insa das Schweigen. Bernstein antwortete mit einer Handbewegung.

»Das alles wollten wir doch abschaffen und gegen Ehrlichkeit und deutsche Härte eintauschen.«

Ich mußte mich zur Ruhe zwingen. »Was ist denn der Dicke für einer?«

»Schwammi? Der ist der schlimmste. Der verkörpert den neuen Trend, ›getarntes Vorgehen‹, oder wie sie es nennen. Das könn'se stecken lassen. Ein Skinhead ist ehrlich, kahl wie sein Schädel, bedingungslos und ohne Falsch.« Bernstein meinte es ernst. Er wirkte gequält. »Menschen schlagen, durch Angst demütigen, hältst du das denn für gut?« wagte ich einzuwenden.

Bernstein sah mich zum ersten Mal an. »Überall wird doch einge-schüchtert, merkst du das nicht? Armee, Polizei, Gesetze – wenn du das mitmachst, bist du für Ungerechtigkeit.«

»Hm.«

»Machst du dies, geschieht jenes. Du darfst das, das darfst du nicht. Diese ganzen Schlips-und-Kragen-Typen! Igeln sich doch nur ein hinter ihren Paragraphen. Weil sie zu schwach sind, das Faustrecht ehrlich zu gebrauchen.«

»Hm.«

»Stimmt's, du bist gegen Gewalt? Deine Glatze ist nicht echt. Weil du wahrscheinlich ein Feigling bist wie die meisten.«

»Immerhin hat er uns da rausgehaun«, wandte Insa ein.

»Rausgeholt, nein, versteckt hat er uns, aber nur bis zu dieser Mi-nute.«

Bernstein stand auf.

»Und warum, meinst du, geht euer Chef ab von deinem Kurs?« versuchte ich es noch einmal unverblümt.

»Weil er Macht will, King sein im Kietz. Am liebsten wär' er's in der ganzen Stadt. Das ist Verrat. Er paßt sich an. Auf seine Weise. Aber ohne mich.«

»Und auch, weil er's liebt, die Jungs zu trietzen, nicht whar?« fragte Insa.

»Aber das ist doch pervers!« rief ich ganz spontan aus.

»Eben.« Bernstein sah mich überrascht an und setzte sich wieder. Aber es war nur der Anschein eines Einverständnisses.

»Ruf doch die Bullen«, Bernstein war erneut aufgesprungen. »Hast du vergessen, da drüben steht ein Telefon. Du bist doch auch bloß einer von den Quatschern. Müßte man wie eine Laus zerdrücken, das ganze Gesindel.« Bernstein stand dicht vor mir. Sein Atem ging leise.

»Dann mach's doch, Bernstein, komm, versuch's, ich rühr' mich nicht von der Stelle.« Langsam geriet auch ich in Rage.

Bernstein wandte sich ab.

»Vielleicht wollte er uns wirklich nur helfen«, meinte Insa im Ge-hen. »Zu mir können wir jedenfalls nicht. Hoffentlich ist Paulchen okay...«

Mehdi Charef
Tee im Harem des Archimedes

Als er unten in der Eingangshalle ankommt, begegnet ihm beim Verlassen des Aufzugs der alte Pelletier, ein ziemlich gebeugter Fünfzigjähriger, total stolz auf seinen Hund, einen eindrucksvollen und überdies bissigen deutschen Schäferhund, den er an der Leine hält. Das Tier hebt drohend den Kopf, Madjid weicht zurück.

Das entlockt Pelletier ein zufriedenes Lächeln. Die Angst herrscht in der Siedlung. Man jubelt sie sich unter, weil man sich sonst nichts zu geben hat und es auch nicht will. Auf gar keinen Fall. Es scheint einfacher, sich selbst und anderen Angst einzujagen, indem man sich in seiner Wohnung isoliert, einen deutschen Schäferhund zu seinen Füßen, als auf die Leute zuzugehen, um sie und sich zu verstehen.

Die Furcht beherrscht die Siedlung und ihre Einwohner. All diese Jugendlichen, die Drogen nehmen und Passanten berauben, die die Alten überfallen, wie man sagt, das macht bange! Das macht hysterisch: alle wollen sich bewaffnen. Die Schlosser werden nicht arbeitslos bei all den neuen Schlössern, die einzubauen sind, und den Alarmanlagen, die klingeln und heulen, die einem elektrische Schläge versetzen, die explodieren... Die Auswahl ist groß, die Prospekte verstopfen die Briefkästen.

Es wird sogar gemunkelt, in den Kellern käme es zu Vergewaltigungen.

Aber wenn man einen deutschen Schäferhund besitzt, noch dazu ein so schönes großes Tierchen, hat man weniger Angst... Man geht an einer Gruppe Jugendlicher vorbei, die sich vor dem Eingang eines Gebäudes langweilen, man streift sie, man provoziert ein bißchen. Man könnte glatt Streit anfangen, wenn man so ein Monster bei sich hat, die Schnauze im Maulkorb, das nur eins will: angreifen. Der Maulkorb läßt sie noch bösartiger aussehen, diese Mistviecher.

Was das Hundeherrchen angeht, das frohlockt, das spielt sich auf, das kommt sich stark vor. Das hat keine Angst vor diesen jungen Idioten, die rumgammeln und Autos in Brand stecken.

Madjid dreht sich nach Pelletier und seinem Tier um. Kein Vertrauen. Man kann nie wissen, ob er nicht sein Monster losläßt, sobald man ihm den Rücken zukehrt! Sie sehen sich fest in die Augen. Böse. Sie kennen sich. Sie haben sich beinahe schon geprügelt wegen Pelletiers Tochter, die mit ihrem hübschen kleinen, stramm in die Jeans gegossenen Arsch sämtliche Typen der Siedlung aufregt. Madjid wäre gern mit ihr ins Bett gegangen, sie wollte auch, aber der alte Pelletier wachte über das Früchtchen. Bloß kein Arabersamen!...

Beim Überqueren der Straße macht Madjid den Reißverschluß seines Anoraks zu, weil es sehr frisch ist, eigentlich kalt. Er zündet sich eine Zigarette an und biegt von seiner Straße, der Allée des Azalées, auf die Allée des Acacias ab. Hier haben alle Straßen Blumennamen.

Die Blumensiedlung, so heißt sie tatsächlich!!!

Beton, Autos die Länge, die Breite, die Quere, Urin und Hundekot. Lange, hohe Gebäude, ohne Herz und Seele. Ohne Freude und Lachen, wie viele Klagen, wieviel Unglück.

Ein gewaltiger Vorort zwischen Colombes, Asnières, Gennevilliers, und die Autobahn von Pontoise und die Fabriken und die Polente. Der Spielplatz winzig, sie haben ihn vergittert!

Die Blumen! die Blumen!...

Und auf den Betonwänden Graffiti, Parolen, Hilfeschreie, S. O. S.-Rufe in Form der geballten Faust.

Dicke Eier an dicken Schwänzen, dicht behaart, angemalt.

Vornamen von Jungen und Vornamen von Mädchen auf wunden oder pfeildurchbohrten Herzen, die sich suchen! Oder anderer Stuß.

Marke: »Annie F. nimmt die Pille«, bestimmt von der revanchistischen, gehässigen Familie gegenüber geschrieben. Alles, was über das Unglück anderer lacht oder spottet, trägt sich auf den Wänden ein. Auch eine Art, sich überlegen zu glauben in der gleichen Scheiße, der gleichen Verzweiflung. »Fatima B. hat abtreiben lassen«, das macht in den Familien Riesenwirbel. Großer Krach und dann Prügel, Blut manchmal... und die Bullen. Wenn ein junges Mädchen krank ist, sollte es auf gar keinen Fall zum Arzt gegenüber oder ins Krankenhaus an der Ecke gehen, sofort ist von Abtreibung die Rede. Man verpfeift dich für ein Nichts, für einen Joint, einen Fick, einen Rausch…

Alle belauern sich, alle klatschen, und natürlich weiß niemand irgend etwas. Es gibt kein Privatleben. Alles wird breitgetreten und ausgenutzt für den Gegenangriff, den Überfall auf den Nachbarn.

Madjid überquert den Parkplatz zur Allée des Acacias. Es ist die Zeit des Spielfilms oder der Unterhaltungssendungen im Fernsehen. 20.30 Uhr. Kein deutscher Schäferhund mehr auf der Wiese, dort, wo es ausdrücklich verboten ist, den Rasen zu betreten. Dupont-Machin ist wieder nach Hause gegangen, nachdem er seinen Hund präsentiert hat, schön protzig wie ein Gewehr, mit einer Miene, als wolle er mit sadistischem Grinsen sagen: »Einbrechen kannst du bei mir, wenn ich in der Fabrik bin, aber du kommst nicht lebend raus!« Fast eine Einladung!

Jedesmal, wenn Madjid einem deutschen Schäferhund und seinem Besitzer in der Siedlung begegnet, spuckt er aus. Es folgen verächtliche Blicke von beiden Seiten, und jeder setzt seinen Weg fort. Es genügte ein Nichts, der geringste Funke, und es käme zur Explosion.

Wie Pat sagt, eines Tages kommt es zum Krieg zwischen den Eltern und den Jugendlichen in der Siedlung, einem Krieg auf Leben und Tod. Der Alptraum.

In der Allée des Acacias geht Madjid bis zum zentralen Portalvorbau, wo er seine Freunde trifft.

Es sind: Bengston von den Antillen; Thierry, genannt »Pichenette«, James, in Frankreich geborener Algerier; Jean-Marc, den sein Vater rausgeworfen hat und der in einem Keller wohnt; Bibiche, in Frankreich geborener Algerier, genannt »Chopin«, weil er als kleiner Junge davon träumte, Pianist zu werden. Jetzt begnügt er sich mit seiner Gitarre. Er träumt nicht mehr. Und dann Anita, die einzige Tussi in der Clique, bei jedem Ding dabei. Arbeitet nicht, geht nicht mehr aufs Gymnasium. Kind eines algerischen Vaters und einer französischen Mutter. Ihr Vater ist in seine Heimat zurückgekehrt und hat nie mehr etwas von sich hören lassen. Und schließlich Pat, Prolo Pat, wie sie sagen, eine Masse, ein Muskeltier wie ein Möbelpacker, nichts in der Birne, alles in den Jeans und in den Turnschuhen, sein Tick, die blonde Haarsträhne, die ihm über die Augen fällt, zurückzuwerfen. Vornweg mit der großen Klappe und Letzter in der Schule.

Madjid gibt denen die Hand, die er tagsüber nicht gesehen hat. Einige sitzen auf den untersten Stufen der Halle, andere haben sich an die parkenden Autos gelehnt.

James jammert aus seiner Ecke, immer zugeknöpft, immer abseits:

»Verdammt wahr: wo solln wir diesen Winter hin, jetzt, wo sie den Klub zugemacht haben?«

»Daß ich nicht lache, ihn zugemacht haben«, sagt Thierry. »Wo die Typen mit dem Joint im Maul ankamen.«

»Die Typen, die Typen! Wer sind denn hier die Typen?« fragt Bengston, der sich angesprochen fühlt. »Hast du dir etwa nie einen reingezogen?«

»Hab ich nicht gesagt!« verteidigt sich Thierry. »Ich sag bloß, wenn man besser aufgepaßt hätte, hätten sie die Bude nicht dichtgemacht.«

Pat tritt seine Kippe mit seinen derben Santiagos aus und meldet sich zu Wort:

»Was geht die ein Joint überhaupt an? Was wir wollen, ist ein Treffpunkt, der Rest ist unser Problem!«

»Auf alle Fälle«, sagt Bengston, »sind die Sozialbimbos von den Klub allesamt dick befreundet mit den Bullen. Solange du in den Klub gehst, um Tischtennis oder Karten zu spielen, sagen sie nichts. Aber wenn du auf die blöde Idee kommst, was vorzuschlagen, hören sie dir nicht zu. Steht nicht im Programm, daß die was sagen. Und ihr Programm wird im Kommissariat gemacht, das sag ich dir.«

Er zeigt mit dem Finger auf seine Brust. Wenn Bengston in Fahrt kommt, entgleist sein Mund und zieht eine prima Fratze. Und er fährt fort:

»Die machen solche Klubs, um uns zu überwachen, um dich vor der Glotze zu halten, und die Typen da drin stellen sich keine Fragen. Die öden sich an, aber die sagen nichts.«

Darauf Thierry:

»Wenn mir dieser Sozialbimbo übern Weg läuft, rechne ich mit ihm ab. Der hat die Bude nämlich dichtmachen lassen, weil er einen

popeligen kleinen Joint gefunden hat. Kann uns bloß Zeichentrick-
filme vorsetzen, der Arsch!«

»Was denn, was denn, die sind echt Spitze, die Zeichentrick-
filme!« ruft Pat.

Thierry, wütend:

»Dich hat keiner gefragt!«

In diesem Augenblick öffnet ganz in der Nähe der Clique der
Mieter einer Erdgeschoßwohnung sein Fenster und sagt freundlich
mit betrübter Miene:

»He, Jungs, sprecht leise oder diskutiert woanders, ich hab Kinder, die schlafen!«

Von diesem Vater sieht man nur den Kopf hinter dem Fenster. Er
beobachtet die Jugendlichen, die nicht reagieren, die ihn wortlos
ansehen, verlegen fast. Bengston prustet los und schlägt sich auf die
Schenkel. Auch die anderen lachen schallend. Der Glatzkopf des
Mieters verschwindet. Das Fenster geht wieder zu.

Thierry macht eine Drohgebärde.

Chopin, der keine Gelegenheit ausläßt, ergreift auch diese, um
noch eins draufzusetzen:

»Da seht ihr, was passiert bei eurer großen Klappe!«

Bengston versetzt noch heftiger:

»Was denn, darf man in dieser Scheißsiedlung nicht mal mehr
quatschen?«

»Ich tu, was ich will, und ich sag, was ich will!«

Fast bei Bibiche angelangt, greift er sich den Rekorder, rennt weg
und versteckt sich hinter einem parkenden Wagen. Bibiche steht auf
und rast hinter Bengston her. Sie laufen um die Schlitten herum.

Bibiche droht, schreit, flucht. Bengston lacht sich schlapp. Er
stellt die Musik auf volle Lautstärke und fängt an zu tanzen.

Der Schwarze dreht die Musik auf und tanzt den Biguine wie ein
Apache. Er dreht sich auf der Straße, den Rekorder mit ausgestreck-
ten Armen wie eine Trophäe schwingend. Und er singt, die Augen
geschlossen.

Jean-Marc und Thierry begleiten ihn mit Händeklatschen. Sie im-
provisieren ein kleines Fest. Bibiche greift besänftigt wieder zur Gitarre und klingt sich ein.

Und plötzlich, klirr! Eine Flasche zerschellt, vom Himmel gefallen, zersplittert in tausend Scherben zwei Schritt neben Bengston, mitten auf der Straße. Terror! Bengston rührt sich nicht mehr, muß erst begreifen. Er wirft einen Blick auf die oberen Fenster und bringt sich rasch mit seinen Kumpels unter dem Portalvorbau in Sicherheit. Stille. Sie sehen sich an. Der Mann von den Antillen keucht, als habe er eine Staublunge. Die Angst. Er gibt den Rekorder brav an Chopin zurück, der zu ihm sagt:

»Ben, mein Idiot, du hast Schwein gehabt. Du kannst dem Schwarzen Gott danken!«

Er legt seinen Lockenkopf zwischen die Hände und sagt erleichtert, aber immer noch geschockt:

»Heilige Betonhure, ein Meter weiter, und sie hätte mir den Schädel zerschmettert.«

Er zittert immer noch, wenn er die Scherben auf der Straße betrachtet.

»Was glaubt ihr, wer das war?« fragt Thierry.

Bengston sieht ihn an, die Augen weit aufgerissen:

»Weiß nicht, ich hab nach oben geguckt und niemand gesehen.«

Madjid antwortet:

»Du denkst wohl, du kriegst 'ne extra Warnung?«

»Das ist genauso wie mit dem Schuß vor zwei Monaten!« sagt Pat. »Die Typen schießen daneben, weil sie Schiß haben zu treffen!«

»Blödmann!« murmelt Bengston vor sich hin.

Bibiche kommt unter dem Portalvorbau hervor, geht rückwärts die Stufen hinauf und behält dabei die Etagen im Auge, aus Angst vor einer neuen Flasche.

»Paß auf!« warnt ihn Pat. »Wenn du Pech hast, ist der Typ ein Wiederholungstäter und hat nen ganzen Kasten voll.«

Bibiche untersucht die Scherben auf der Straße, besonders den Flaschenboden.

Thierry fragt:

»Ist es Postillon oder Gévéor?«

»Daß ich nicht lache«, sagt Bengston, »wird wohl eher ein Säufer sein, der die geschmissen hat!«

Bibiche antwortet nicht. Er versucht, das Etikett abzulösen.

Pat, spöttisch:

»Das hier sieht mir nicht nach Ricard aus. Ah! Ah!«

»Um diese Uhrzeit ist eher der Verdauungsschnaps dran!« sagt Madjid.

Chopin geht mit dem abgelösten Etikett wieder unter den Portalvorbau. Im Neonlicht kann er den Namen des Gesöffs lesen: Pastelvin.

»Was hast du gesagt?« fragt Bengston.

»Pastelvin! Steht doch drauf, kannst du nicht lesen oder was?«

Sie sehen sich fragend an:

»Pastelvin, so ein Luxus aber auch«, sagt Titi und lacht.

»Am besten suchen wir die Etagen nach dem Standort ab, oder?« fährt der Mann von den Antillen fort.

»Auf alle Fälle«, sagt Titi, »kommt das nicht aus dem Erdgeschoß und nicht aus dem ersten... Okay?«

In diesem Augenblick taucht Jean-Marc aus seiner Stummheit auf, er, der nie viel zu sagen hat. Er zieht einmal kräftig an dem frisch gerollten Joint und verkündet:

»Bemüht euch nicht, das war mein Alter...«

Die anderen drehen sich nach ihm um. Titi runzelt überrascht die Stirn und sieht Pat an. Jean-Marc schließt die Augen, während er den Rauch ausstößt.

»Weißt du genau, was du da behauptest? War das wirklich dein Alter?« fragt Titi.

Jean-Marc reicht Bibiche den Joint:

»Wenn ich es euch doch sage! Das ist der Fusel, den er von Opa vom Land mitbringt.«

Bengston flucht, holt eine Streichholzschachtel aus seiner Tasche und sagt:

»Bestell deinem alten Herrn, daß er ein Arschficker ist.«

Jean-Marc:

»Keine Sorge, ich hab's ihm schon gesagt, und er hat mich vor die Tür gesetzt!«

Bengston spielt mit der Streichholzschachtel und sagt zu den anderen:

»Ich geh die Karre von deinem Alten abbrennen. Morgen früh findet er seine Kiste als 'n Haufen Asche wieder!«

»Gar nicht so blöd, was du da sagst«, stimmt Pat zu. »Ich geh mit, wir nehmen sie uns vor!«

»Ich weiß nicht, wo sie steht, aber wir werden sie schon finden«, sagt Thierry.

Bibiche gibt Jean-Marc den Joint zurück und wirft ihm zu:

»Das nenn ich Vaterliebe!«

Jean-Marc antwortet nicht. Er nimmt vorsichtig den Joint in die Hand und führt ihn an seine Lippen.

Die Nacht ist hier viel aufdringlicher als irgendwo anders. Die Siedlung stirbt, und man hört die Schritte von Passanten widerhallen wie eine verlorene Trommel. Man glaubt, hinter einer Friedhofsmauer auf freiem Feld in der Dunkelheit zu marschieren, wenn man in einem unbekannten Dorf seinen Weg verloren hat.

Die Jungen machen sich auf die Suche nach dem Auto, das sie verbrennen wollen, von Parkplatz zu Parkplatz, wie man zwischen den Gräbern hindurch einen Friedhof überquert und mit den Stiefeln Blumen und Schilder niedertritt. Hier sind es Rückspiegel, Stoßstangen und Scheibenwischer, die büßen müssen.

[Aus dem Französischen von Christel Kauder]

Karl-Heinz Heinemann
»Ihr wollt nicht wissen, wer wir sind – also wundert Euch nicht, wie wir sind«
Interview mit Christine Günther, Sozialarbeiterin in Halle/S.

Ansprechpartnerin für Kinder und Jugendliche zu jeder Tageszeit« steht auf der Karte von Christine Günther, die sie an die Jugendlichen verteilt. Vor der Wende war sie Pfarrerin im Paulusviertel in Halle. Seit Jahren kam es zu Auseinandersetzungen mit betrunkenen und randalierenden Jugendlichen, die ihren mitternächtlichen Weihnachtsgottesdienst störten. Die Gemeinde verlangte Maßnahmen gegen diese Störungen. Die junge Pfarrerin war erschrocken: Die Gemeinde hat ein Recht auf einen ungestörten Gottesdienst, aber kann man die Jugendlichen einfach hinauswerfen? So geht es nicht, sagte sie ihrem Gemeindevorstand, und: Was meinen Sie denn, wo Christus sich aufgehalten hätte, bei den braven Gemeindemitgliedern oder den provozierenden Jugendlichen?

Vor dem nächsten Mitternachtsgottesdienst, das war 1987, lud sie die Jugendlichen ins Gemeindehaus ein. Dort könne man ungestört sprechen, sich aufwärmen, essen und trinken. Damals hatte sie ihr Interesse daran entdeckt, mit ausgeflippten Jugendlichen umzugehen.

Nach der Wende suchte man im Halleschen Jugendamt jemanden, der den Mut hat, mit Hooligans und Skin-Gruppen umzugehen. Christine Günther wechselte von der Gemeinde ins Jugendamt.

Ich führte das Gespräch mit ihr vor den Ereignissen in Hoyerswerda. An ihren Positionen habe sich nichts geändert, versicherte sie mir. Ihre Verbitterung über die Ablehnung ist größer geworden, auf die ihre Arbeit vor allem in der Linken stößt. Dort sei man nicht bereit, sich mit den Jugendlichen auseinanderzusetzen – das Bündnis 90 nimmt sie von ihrer Kritik aus.

Sieht sie die Jugendlichen, mit denen sie zu tun hat, als Täter oder als Opfer?

»Um die Jugendlichen herum, durch die Umstrukturierungen in der Schule, in der Erwachsenenwelt eskaliert die Gewalt. Da ist schon ein Gewaltpotential vorhanden, das auf dem Rücken der Jugendlichen ausgetragen wird, und die Jugendlichen motiviert das erst recht, da Gegengewalt entgegenzusetzen. Das ist das Problem, daß die Gewalt wächst, weil die Erwachsenen den Jugendlichen gegenüber zunehmend hilfloser werden. Und, was mich besonders beunruhigt: Die werden immer jünger. Das sind oft Elf- bis Dreizehnjährige.«

»Kommen diese Jugendlichen, die durch Gewalt auffällig werden, aus sozialen Randgruppen?«

»Das kommt darauf an, wo man das ansetzt. Es sind Dreizehn-, Vierzehnjährige darunter, die zu Haus ausbüchsen. Auch aus Intellektuellen-Familien, viele übrigens mit Eltern aus dem Staatsapparat, dem ›öffentlichen Dienst‹, wie man heute sagt. Man kann nicht sagen, daß das Kinder aus sozial schwachen Familien sind, die nun mit Gewalt durch die Straßen ziehen. Es sind also Familien mit psychosozialen Problemen bei den Erwachsenen, mit schlimmen Folgen für die Kinder und Jugendlichen.«

»Verharmlosen Sie das Problem nicht, wenn Sie es nur als ein psychosoziales sehen? Es handelt sich doch um politisch motivierte Gruppen?«

»Das sieht nach außen so aus, ich denke aber, das ist nicht so. Es ist Gewalt, die aus einer Hilflosigkeit, einer Haltlosigkeit kommt. Zumindest in Halle, wo ich die Szene kenne, sehe ich diese Gewalt auf Straßen und Fußballplätzen nicht als politisch motiviert, auch wenn manche Rechtsradikalen das gern so hinstellen, wenn sie von der Presse gefragt werden.

Ich denke, daß dahinter sehr viel eigene Lebensangst und Unsicherheit steckt.«

»Gewalt gegen Schwächere und gegen Ausländer, Randale auf dem Fußballplatz – mag sein, daß politische Parolen da nur Tünche sind. Aber bescheinigen Sie den Jugendlichen nicht vorschnell Unzurechnungsfähigkeit, wenn Sie nur deren Hilflosigkeit sehen?«

»Nach meinem Empfinden haben wir es bei den älteren gewalttätigen Jugendlichen mit potentiellen Selbstmördern zu tun. Das ist kein politisches Phänomen, sondern eher ein Suchtverhalten.

Bei Jugendlichen sind nach der Wende neue Bedürfnisse entstanden, und sie erleben nun, daß diese Bedürfnisse nicht erfüllt werden. Ihnen geht es nicht besser, vielleicht sogar noch schlechter als vorher, weil sie keine Anhaltspunkte mehr haben, keine Richtschnur, an die sie sich halten können.

Suchtverhalten nenne ich das deshalb, weil sie auf der Suche sind danach, wie sie zu ihrem Selbstwertgefühl kommen. Die einen fangen an, Alkohol zu trinken – der Alkoholkonsum hat sich fast vervierfacht, ich kann mich aber auch den ganzen Tag vor den Computer setzen und damit rumspielen. Ich kann mir auch ein Auto kaufen und auf diese Weise meinen Aggressionstrieb austoben. Ein Großteil von Gewalt wird im Moment übers Auto abgebaut. Oder ich kann dem anderen eins aufs Maul hauen.«

»Sie sehen jetzt nur die Aggressivität dieser Jugendlichen. Aber warum leben sie ihre Aggressivität im Rechtsradikalismus aus?«

»Gerade der Rechtsradikalismus bietet eine gewisse Gewähr, Selbstsicherheit nach außen zeigen zu können. ›Ich bin stolz, ein Deutscher zu sein‹ – wenn ich das so sagen kann, fühle ich mich etwas besser. Sie treten immer in großen Gruppen auf, gerade beim Fußball. Dabei fühlen sie sich sehr wohl, geborgen, und sie haben das Erfolgserlebnis, daß wenigstens einen Tag lang eine ganze Stadt sich mit ihnen beschäftigen muß. Sonst erfahren sie ja nur Ablehnung. Sie werden von der Gesellschaft nur anerkannt, wenn sie angepaßt leben, und das wollen sie nicht.

Sie glauben auch den Parteien nicht, sie fühlen sich betrogen von sämtlichen Parteien, auch von den Republikanern. Es ist für Halle zumindest ein Trugschluß, daß hier im Moment Parteien am Werke sind und die rechte Szene ausbauen. Zum Glück, denn ich denke, in dem Moment, wo die rechten Parteien hier Fuß fassen, haben wir es als Sozialarbeiter viel schwerer, um nicht zu sagen, wir haben gar keine Chance mehr, mit den Jugendlichen zu sprechen.

Sicher gibt es auch Jugendliche, die so eine Parteikarriere anstreben, deswegen finde ich wichtig, nicht zu warten, bis sie sich ausbreiten.«

»Was fangen Sie nun mit Ihren Einsichten über die Motive dieser Jugendlichen an? Was tun, wenn man nicht oder zumindest nicht nur zum Knüppel polizeitaktischer Maßnahmen greifen will?«

»Nach meiner Erfahrung ist das Wichtigste, daß Erwachsene da sind, die ihnen zuhören. Die nicht sofort mit dem erhobenen Zeigefinger gegen sie vorgehen und ihnen irgendwas erzählen, wie sie zu sein hätten. Sondern wichtig ist, daß wir sie nicht beschimpfen, sie nicht ablehnen, sie anhören, ihre Probleme ernst nehmen.

Mir gefällt auch nicht alles, was sie sagen. Ich kann mit vielem sehr schwer umgehen, auch mit dieser Ausländerfeindlichkeit. Aber ich habe auch Verständnis dafür, wenn die Jugendlichen sagen, für die Asylanten, da gibt es Leute, die sich um sie kümmern, da gibt es Gesetze, daß sie Wohnungen bekommen – wir haben diese Lobby nicht. Um uns kümmert sich keiner, jetzt sind wir erst mal dran, und dann die anderen.«

»Aber entspricht das denn der realen Erfahrung? In der ehemaligen DDR gab es doch kaum Ausländer. Muß man mit den Jugendlichen nicht einmal darüber sprechen, wie unsinnig ihre Ausländerfeindlichkeit ist?«

»Natürlich läßt sich das mit dem Verstand widerlegen. Es nützt aber nichts, wenn wir den Jugendlichen sagen, daß es in den neuen Bundesländern nur ein Prozent Ausländer gibt. Das betrifft sie gar nicht – weil sie auf der Straße liegen, sie sind hilflos, werden ausgegrenzt, das geben sie weiter, sie brauchen einen Sündenbock. Um überhaupt damit umgehen zu können, müßten Möglichkeiten angeboten werden, wie Jugendliche ihr Leben neu und kreativ erfahren können.«

»Wie kommen Sie mit den Jugendlichen überhaupt in Kontakt?«

»Das ist eine schwere Frage. Ich gehe hin zu ihnen, stelle mich dazu und rede mit ihnen. Ich verschweige nicht, daß ich aus dem Jugendamt komme, und dann gibt es erst mal einen Ruck. Sie haben oft ihre Erfahrung mit Erziehungshilfe und so.

Dann sag ich ihnen, was ich heute mache, gab es früher nicht. Ich vertrete euch als Lobby. Ihr könnt mir alles sagen und ich werde probieren, was ich durchsetzen kann.

Das bedeutet konkret, daß ich versuche, das Bewußtsein bei den Menschen zu erweitern, mit denen die Jugendlichen zu tun haben, im Arbeitsamt, beim Wohnungsamt, der Polizei, der Staatsanwaltschaft, Jugendhaft. Da haben wir einen Runden Tisch aufgebaut, einen Arbeitskreis Soziale Verantwortung für junge Menschen. Da kommen alle zusammen, die mit jungen Menschen zu tun haben.

Wir haben Gespräche zwischen den aggressiven Linken und aggressiven Rechten gehabt, mit dem Erfolg, daß Großüberfälle auf Häuser oder so unterblieben sind.«

»Aber Sie können den Jugendlichen nicht bieten, was sie zunächst brauchen: Arbeit, Heim und festen Wohnsitz.«

»Ich bin manchmal hilflos. Hilflos vor der Tatsache, daß ich die Ursachen sehe, kenne und mich frage, ob es überhaupt richtig ist, daß wir als Sozialarbeiter diese Arbeit leisten, die eigentlich darauf ausgerichtet ist, diese Jugendlichen, die ein Protestverhalten zeigen, an die Gesellschaft anzupassen. Wäre es nicht angebracht, darüber nachzudenken, ob nicht auch eine gewisse Berechtigung darin liegt, daß Jugendliche so ausrasten im wahrsten Sinne des Wortes? Die Frage wird mir zu wenig gestellt.«

»Seit Monaten bemühen Sie sich bei der Stadtverwaltung in Halle um ein Haus für diese ›rechten‹ Jugendlichen. Was versprechen Sie sich davon?«

»Wir haben es mit einem großen Teil an Jugendlichen zu tun, die keinen Wohnraum haben. Jugendliche sind nach der Wende in den Westen rübergegangen, in der Hoffnung, Arbeit und Anerkennung zu finden, und genau das haben sie nicht bekommen, weder Arbeit und am allerwenigsten Anerkennung. Da sind viele wieder zurückgekehrt in ihre alte Heimat. Jetzt sind sie ohne Wohnung und gelten insofern als Nichtseßhafte. Ein Großteil der Jugendlichen besetzt leerstehende Wohnungen, da werden sie auch wieder vertrieben. Der fehlende Wohnraum ist ein ständiger Konfliktstoff.

Diese Jugendlichen trinken zum Teil sehr viel Alkohol. Das führt, wenn sie sich beispielsweise in Jugendclubs aufhalten, auch wieder zu Auseinandersetzungen. Wir müssen unbedingt Räume schaffen, die allein von diesen Jugendlichen bestimmt werden können. Gleiches gilt auch für autonome Linke.«

»Sehen Sie eigentlich Unterschiede zwischen rechten und linken Jugendgruppen?«

»Die Rechten sind einfach hilfloser, die können sich nicht so gut artikulieren und selbst darstellen. Die Linken sind da schneller und kreativer, die besetzen die Häuser und bekommen hier jedenfalls in der Öffentlichkeit kaum Schwierigkeiten.

Wir bemühen uns, durchsichtig zu machen, daß die Jugendlichen einen Anlaufpunkt brauchen. Diese Häuser dürfen nicht zum Treffpunkt für Parteien werden, nicht daß da Büros von Parteien reinkommen. Es soll eine Begegnungsstätte sein, die den Jugendlichen zur Verfügung gestellt wird, daß sie sich dort aufhalten können, daß sie auch mal nächtigen können und daß sie ihr Leben dort leben können, ohne daß sie ständig angefeindet werden.«

»Wo nehmen Sie den Optimismus her zu glauben, daß sie diese Jugendlichen erziehen können?«

»Ich kann nicht sagen, ob wir die Jugendlichen damit von ihrer Motivation oder ihrer ideologischen Anschauung her verändern. Das ist mir erst mal relativ egal. Ich möchte, daß sie zunächst mal erfahren, daß sie Jugendliche sind wie jeder andere, daß sie genauso Hilfe und Unterstützung kriegen können wie linke Jugendliche, daß sie nicht ständig ausgegrenzt werden, daß wir auch ihnen zutrauen, daß sie für irgend etwas Verantwortung übernehmen können. Ich denke, daß es ganz wichtig ist, daß man Jugendlichen auch zumutet, Verantwortung zu übernehmen.«

»Mir würde es schwerfallen, soviel Vertrauen in diese Jugendlichen zu setzen. Nach allem, was ich über die rechte Szene in Ostdeutschland gehört und gelesen habe, hätte ich bei einem solchen Projekt die Befürchtung, daß sich damit die rechtsradikale Szene stabilisieren könnte.«

»Ich glaube eher, daß die rechte Szene sich stabilisieren und umfangreicher werden würde, wenn wir nichts für die Jugendlichen tun, sondern die Parteien eingreifen lassen. Solange wir versuchen, den Kontakt zu halten und den Jugendlichen Angebote machen, denke ich, wird eher das Gegenteil geschehen.

Ich kenne zunehmend Jugendliche aus der rechten Szene, die aus dem Kreislauf der Gewalt rauswollen. Wenn diese Jugendlichen kommen, müssen wir in der Spur stehen, daß wir ihnen wirklich Möglichkeiten schaffen, wie sie ihr Leben anders gestalten können.«

»Was raten Sie Lehrerinnen und Lehrern, die in ihrer Klasse das Auftreten von Hooligans und rechten Parolen bemerken?«

»Auch in der Schule scheint mir das Wichtigste, erst einmal Interesse zu zeigen als Lehrer. Wer bist du? Dieser Spruch von den Hools im Stadion macht das ja ein bißchen deutlich: ›Ihr wollt nicht wissen, wer wir sind, also wundert euch nicht, wie wir sind.‹ Und da, denke ich, könnte man ansetzen als Lehrer, mal zu fragen: Wer seid ihr denn, Kinder und Jugendliche?«

Sebastian Krüger

Edgar Hilsenrath
Das Märchen vom letzten Gedanken

Und da war die Stimme des Märchenerzählers, der da sagte: »Es war das Jahr 1894, das Jahr, in dem die Trommler und Ausrufer im Lande Hayastan auf öffentlichen Plätzen im Namen des Sultans Reformen ankündigten, Steuer- und sonstige Erleichterungen für Rayas und Giaurs, kurz: für alle Ungläubigen, die Allah – gepriesen sei sein Name – für alle Zeiten verflucht hat. Der Sultan versprach mehr Selbstbestimmung in den *Milets*, den christlichen Dorfgemeinschaften. Genüßlich trommelten die Münadis die Versprechungen über die Köpfe der Menge. Die Armenier würden weiterhin die Militärsteuer bezahlen – den *Bedel* für den Sultan –, wie das schon immer so war. Sie durften auch weiterhin keine Waffen tragen, mit Ausnahme einiger armenischer Saptiehs, die von nun an, zusammen mit den Muslims, in den Milets für Ruhe und Ordnung sorgen würden. Der Sultan versprach den Armeniern eine Vertretung in der Regierung und forderte alle armenischen Verräter vom Kriege 77/78 auf, versteckte russische Pässe gegen osmanische einzutauschen. Die Münadis waren geübte Ausrufer, und ihre Versprechungen klangen zuweilen so süß, als hätten sie den Mund voller Honig.

Im Dorfe Yedi Su verstanden nur die wenigsten, was der Sultan meinte, und so kam es, daß Hagob den Münadi nach der Verlesung fragte: Was meint der Sultan eigentlich?

– Ich weiß es auch nicht, sagte der Münadi.

Und so fragte Hagob den schriftkundigen Armenier, der den Münadi nach wie vor begleitete.

– Es hat nichts zu bedeuten, Hagob Efendi, sagte der Armenier des Münadis. Überhaupt nichts, Hagob Efendi.

– Aber irgend etwas muß es doch bedeuten?

– Na ja, sagte der Armenier. Irgend etwas schon. Hast du schon mal was vom Berliner Kongreß gehört, Hagob Efendi, ich meine, den vom Jahre 1878?

– Nein, Tschelebi, sagte Hagob.

– Da hat der Sultan den christlichen Großmächten gewisse Zuge-
ständnisse gemacht, vor allem in Sachen Reformen, und mehr Freiheit versprochen für die Christen im osmanischen Reich, Schutz vor
den Kurden und vor der Willkür der türkischen Beamten.

– Davon haben wir aber noch nicht viel gesehen, sagte Hagob.

– Ja, das stimmt, sagte der gebildete Armenier des Münadis.

– Und was haben die christlichen Großmächte davon, wenn es uns
hier besser geht? fragte Hagob.

– Gar nichts, sagte der gebildete Armenier.

– Und warum setzen sie sich dann für uns ein?

– Das ist nur ein Vorwand, sagte der gebildete Armenier, ein Vorwand, um sich hier einzumischen. Es dient ihren politischen Interessen. Verstehst du das?

– Nein, Tschelebi, sagte Hagob. Das verstehe ich nicht.

Später, im Kaffeehaus, sagte der gebildete Armenier zu Hagob: Die
Großmächte benützen die Christen als Vorwand, um *den kranken
Mann am Bosporus* mit ihren eigenen Krücken zu versehen. Sie
möchten nämlich gerne mit ihm mithumpeln, wenn möglich in eigener Regie, verstehst du das?

– Nein, Tschelebi, das verstehe ich nicht, sagte Hagob. Und wer ist
der kranke Mann am Bosporus?

– Frag den Münadi, sagte der gebildete Armenier. Der weiß das.
Aber der Münadi wußte es auch nicht.

Der Priester sagte während einer Predigt: Jedesmal, wenn der Sultan
Reformen ankündigt, plant er ein kleines Massaker.

– Warum das, Priester? fragte jemand aus der Gemeinde.

– Weil ihn sein eigener Großmut ärgert, sagte der Priester. Oder
weil er die christlichen Großmächte ärgern will, die er kurz vorher
mit seinen Reformplänen beschwichtigt hat.

– Und wen wird man massakrieren?

– Na, wen schon, sagte der Priester.

Ende 1894 fanden in entlegenen anatolischen Dörfern Massaker
statt, aber nicht in den sieben Dörfern und der näheren Umgebung

von Yedi Su. Reisende armenische Händler erzählten davon. Einer von ihnen sagte: Die Kurden schneiden den armenischen Bauern die Hälse durch, und manche haben sie bei lebendigem Leibe verbrannt.

– Was für Kurden? fragte der Priester.

– Die 150000 Kurden, die der Sultan rekrutiert hat. Man nennt sie *Hamidije*. Habt ihr nichts davon gehört?

– Nein, sagte der Priester.

– Der Sultan zahlt den kurdischen Beys eine Menge Geld für ihre Krieger.

– Die Beys brauchen Geld, wie?

– So ist es, Wartabed.

– Und wozu braucht der Sultan die kurdischen Hamidijeregimenter?

– Genau weiß ich's nicht, sagte der armenische Händler. Ich nehme an, um die Minoritäten in Schach zu halten, und vielleicht: um den Großmächten einen Schrecken einzujagen.

Es passierte wirklich nicht viel in Yedi Su und den benachbarten armenischen Dörfern, sagte der Märchenerzähler. Auch im Jahre 1895, als die Massaker zunahmen, merkte man hier noch nichts. Der alte türkische Saptieh saß nach wie vor schwatzend im Kaffeehaus oder machte draußen in der Sonne ein Nickerchen, während die Kinder auf sein Gewehr aufpaßten, das noch älter war als er. Die bewaffneten Reiter Süleymans ließen sich nur blicken, wenn die Steuern fällig waren, verhielten sich aber friedlich, wenn man ihnen gab, was sie forderten. Und auch die türkischen Beamten kamen nur, wenn sie Geld brauchten. Einer der Händler brachte mal eine englische Zeitung mit, die keiner lesen konnte.

– Und was steht in dieser Zeitung drin? fragte der Priester.

– Daß die Hamidije 300000 Armenier massakriert haben, sagte der Händler. Sogar in den Städten. In Konstantinopel liegen tote Armenier mitten auf der Straße. Und in Urfa haben sie 1000 armenische Frauen und Kinder im Dom verbrannt.

– Aber das kann doch nicht sein, sagte der Priester. Glaubst du, was die Zeitungen schreiben?

– Ja, sagte der Händler.

– Und hast du selber irgend etwas mit eigenen Augen gesehen?
– Ja, sagte der Händler. In einer kleinen Stadt hab ich eine Schlach-
tung gesehen. Da waren kurdische Hamidijes dabei, aber auch tür-
kische Zivilisten.
– Haben sie Schafe geschlachtet?
– Nein. Sie haben Armenier geschlachtet.

Im Dorfe aber glaubte keiner so recht an die Schreckensnachrichten
der armenischen Händler. Die wenigen Türken im Dorf waren
Freunde, und ihre Verwandten, die zu Besuch kamen, kannte man
lange. Sie waren weder besser noch schlechter als die Armenier, obwohl sie nicht an Christus glaubten, aber keiner von ihnen war ein
Mörder oder würde ein Massaker dulden oder ruhig zusehen, wenn
den Christen die Hälse durchgeschnitten würden oder gar Frauen
und Kinder in einer Kirche verbrannt. Auch der einzige türkische
Saptieh im Dorf war keine Ausnahme. Er spielte Karten im Kaffeehaus wie die anderen Männer, zuweilen auch *Tavla*, das übliche
Würfel- und Brettspiel, trank nicht mehr und nicht weniger, rauchte
denselben Tabak und furzte manchmal, wenn er zuviel oder zu
schnell gegessen hatte. Das Leben im Dorf nahm seinen alltäglichen
Lauf, trotz böser Nachrichten.

Kurz nach Weihnachten, einem Fest, das die Armenier Anfang Januar feiern, sagte Hagob zu seinem jüngsten Sohn: Eigentlich solltest du daran denken, wieder zu heiraten. Wie ist es, mein Sohn? Soll
ich mit Manouschag sprechen? Sie ist eine gute Heiratsvermittlerin
und hat deiner Schwester den Sohn des reichen Teppichhändlers in
Bakir vermittelt.
Aber Wartan dachte nicht daran, die Heiratsvermittlerin zu Rate zu
ziehen.

Am 21. Januar ist der Tag des heiligen Sarkis, der auch der Schutz-
heilige der Liebenden ist. Am Tag des heiligen Sarkis pflegen die
Junggesellen zum Brunnen Gatnachpjur zu gehen, um Vogelfutter
zu streuen. Man brauchte nur ein paar Brotkrumen vor den Brunnen zu werfen, abzuwarten, bis ein hungriger Vogel kam, die Krumen mit dem Schnabel schnappte... und ihm dann nachzuschauen.

Die Richtung, in die der Vogel flog, war die Richtung, in der es zur Braut ging. Man brauchte nur dem davonfliegenden Vogel zu folgen, und es war gewiß, daß man der Richtigen begegnen würde, nämlich der, auf die man sein ganzes bisheriges Leben lang gewartet hatte.

Am Tag des heiligen Sarkis ging auch Wartan zum Brunnen Gatnachpjur, um Vogelfutter zu streuen. Er stellte es aber klüger an als die anderen, baute geschickt eine Vogelfalle vor dem Brunnen auf, fing einen kleinen Spatz, der seine Krumen schon im Schnabel hatte, warf ihm ein Sacktuch über den Kopf, packte den Vogel vorsichtig, band einen kleinen Ring um einen Fuß und ließ ihn dann wieder fliegen. Nun war es ganz sicher. Er würde der Richtung des Vogelflugs folgen, und er würde den Vogel mit dem Ring wiederfinden, irgendwo in der Nähe seiner Zukünftigen.

An jenem Tag lief Wartan einige Stunden in den verschneiten Bergen herum, immer der Richtung folgend, in die der Vogel davongeflogen war. Am Nachmittag erreichte er die Ausläufer von Yazidje und seine schneebedeckten Felder. Es war das kleinste der sieben Dörfer und eigentlich nur ein Weiler von wenigen Häusern.

Das Dorf war niedergebrannt. Zwei Kurdenweiber in bunten Kopftüchern stocherten in den Trümmern herum. Ihre Pferde wieherten, als Wartan näherkam.

– Die Hamidije waren hier, sagte eine der beiden Frauen. Wir haben den Rauch oben in den Bergen gesehen.
– Gibt es Überlebende? fragte Wartan.

Es gab keine. Oder wenigstens hatte es den Anschein, als ob die Kurden des Sultans ganze Arbeit geleistet hätte. Es war schwer festzustellen, ob die Kurden die Dörfler erschossen, erschlagen oder auf eine andere bestialische Weise umgebracht hatten, denn sie hatten die Toten, Frauen, Männer und Kinder, auf einen Scheiterhaufen geworfen und verbrannt. Nicht alle Leichen waren verkohlt. Bei einigen Männern konnte Wartan feststellen, daß die Köpfe fehlten, bei anderen die Geschlechtsteile.

– Habt ihr gesehen, wie sie es gemacht haben? fragte Wartan.
– Nein, sagte eine der Frauen. Wir haben nur den Rauch gesehen.

Wartan durchsuchte die Trümmer der abgebrannten Häuser, aber nirgendwo fand er ein Lebenszeichen. Die beiden Kurdinnen folgten ihm. Ihre Gesichter waren rot von der eisigen Kälte und dem scharfen Wind. Sie hielten beim Gehen ihre bunten Kopftücher mit den Händen fest. Offenbar stammten sie aus einem der halbnomadischen Dörfer auf der Hochebene, und weder sie noch ihre Männer hatten etwas mit den Hamidijes zu tun. Wartan drehte sich öfter nach ihnen um, aber ihm schien, als hätten sie nichts Böses im Sinn. Als er vor dem letzten der sieben Häuser anlagte, sah er einen dunklen, toten Vogel im Schnee. Es war sein Sankt-Sarkis-Vogel. Er war erfroren. Der Ring, den er als Erkennungszeichen um den einen Fuß gebunden hatte, war noch da.

Und plötzlich hörte Wartan etwas. Auch die Kurdinnen hörten es. Ein leises Wimmern. Es kam aus dem verbrannten Hause, vor dem der dunkle, tote Vogel lag.
– Gestern hatte die eine Frau ein Kind bekommen, sagte die eine Kurdin. Denn ich war gestern hier, um ihrem Mann einen Hahn zu verkaufen.
Das Leben ist ein Wunder, dachte Wartan.

Die Kurdinnen rieben das Kind mit Schnee ein und trockneten es dann ab. Dann massierten sie es wieder und wieder. Die eine gab dem Kind die Brust, und die andere holte eine Pferdedecke und wikkelte das Kind darin ein.
– Es ist ein kleines Mädchen, sagte die, die ihm die Brust gegeben hatte. Wir werden es mitnehmen.
Wartan aber sagte: Nein. Ich nehme es mit.

Und so kam es, sagte der Märchenerzähler, daß der schwarzgraue Vogel des heiligen Sarkis Wartan rechtzeitig geholt hatte, um das Leben Anahits zu retten. Denn Anahit würde sie heißen, die, welche eines Tages seinen Sohn Thovma in ihrem Leib tragen sollte.

Die Erzählung Wartans und der Anblick des verbrannten Kindes, von dem nur noch die Augen zu leben schienen, verbreitete Angst und Entsetzen im ganzen Dorf. Die Leute schlossen sich in ihren Häusern ein.

Wartan übergab das kleine Mädchen dem Priester Kapriel Hamadian, und dieser – so seltsam das auch war – ließ die Kurdin Bülbül rufen, denn sie, so sagte der Priester, habe Heilpflanzen in ihrer Hütte, könne zaubern und habe – obwohl sie eine Kurdin sei – gute Hände, denen man dieses kleine armenische Mädchen ruhig anvertrauen könne.

Die Dorfbewohner verriegelten ihre Haustüren, und da sie im Falle eines Massakers nirgendwohin laufen konnten, außer in die unwegsamen, hohen Berge, wo sie allesamt im Schnee und Eis jämmerlich verhungern und erfrieren würden, blieb ihnen nichts anders übrig, als abzuwarten. Da aber jeder wußte, daß verriegelte Türen keine Festungen waren, die von den Hamidijes oder den Djins nicht überwunden werden könnten, schlossen die Leute ihre Türen bald wieder auf, traten schnuppernd ins Freie und gingen bald wieder ihre gewohnten Wege. Mochte kommen, was kommen mußte. Niemand konnte etwas daran ändern.

– Vertrauet in Gott und Jesus Christus, sagte der Priester.

– Ich werde mich und die Meinen mit der Holzhacke verteidigen, sagte Garo, der Sohn des Sattlers, der ein Daschnak werden wollte wie Pesak, der Schwager Wartans.

– Ich jage diese Teufel mit dem Schmiedehammer weg, sagte Avetik, der Sohn des Schmiedes.

Und Wartan sagte: Ich nehme mein Hochzeitsschwert.

Auch die Türken im Dorf versprachen ihre Hilfe. Wir sind Moslems, sagte Taschak, und dürfen Waffen tragen. Und ich habe noch ein altes Gewehr im Stall. Diesen Hunden von Hamidijes werde ich das Gehirn wegblasen, und wenn sie tot sind, zerquetsch ich ihnen persönlich die Eier.

Im Kaffeehaus redete man viel von den Hamidijes. Der alte, schläfrige Saptieh, der zwischen den Tischen herumstolzierte, rauchte und zuweilen laut rülpste und furzte, der sagte: Ich werde sie allesamt verjagen, wenn sie kommen. Schließlich bin ich der Vertreter

des Gesetzes. Diese Hamidijes sind nichts weiter als wilde Freischärler, nicht besser als die Baschi-Bozuks, und ich weiß nicht,
warum der Sultan Abdul Hamid diesen feigen Hunden seinen Namen gegeben hat.

Und sie kamen nicht. Die einzige Bedrohung war der Sturmwind
aus den Bergen, der die Pappeldächer umzuwehen drohte, und
dann, mit dem Anfang des Frühlings, kamen die Sturzbäche der
Schneeschmelze aus den Bergen und hätten fast die schiefen, kleinen
Häuser weggeschwemmt. Alles blieb ruhig. Reisende Händler, die
mit der Wetterverbesserung wieder ins Dorf kamen, mit schönen
Seidenstoffen, seltenem Schmuck und Früchten aus fernen Ländern,
die sagten, daß die Weltpresse ein großes Geschrei gemacht hätte.
Wegen der Armenier natürlich.
Hagob fragte einen der Händler, warum die Weltpresse den Armeniern nicht helfe, aber der Händler sagte, die Zeitungen bestünden
aus Papier und Druckerschwärze, und ihre Buchstaben seien jäm-
merliche Soldaten, die niemandem halfen, außer den Großen und
Mächtigen, in deren Namen alles gedruckt wurde, und was die Zeitungen in die Welt hinausschrien, sei nicht besser als der großmäu-
lige und scheinheilige Singsang der Marktschreier von Bakir.

Es kamen noch viele reisende Händler nach Yedi Su, und jeder erzählte etwas anderes. Zur Zeit, als die Maulbeeren reiften, sagten die
Händler, daß man nichts mehr von den Hamidijes höre, weil der
Sultan sie nach Arabien geschickt hätte. Die Russen, so sagten die
Händler, hielten die Hamidijes für kurdische Kosaken und warteten
nur darauf, daß diese Freischärler in einem zukünftigen Krieg auf
ihre Seite überlaufen würden. Es hieß, der Zar habe den Aghas und
Bys auf seiner Seite der Grenze goldene Berge versprochen, unter
anderem auch bessere Waffen für ihre Reiter, bessere Pferde, größere Pelzmützen, Goldrubel, Frauen und sonstige Beute. Die
Händler lachten und beruhigten die Dorfbewohner und rieten ihnen, sich keine Sorgen zu machen, lieber Vorräte einzukaufen, denn
die Zeiten der Massaker seien endgültig vorbei. Die Händler versi-
cherten den Bauern, daß es klüger sei, die Goldstücke aus den Stiefeln, den Wattejacken, den Tonkrügen oder gar aus den Löchern im

Stall und den Verstecken auf den Feldern hervorzuholen, um sie in Seidenstoffen, schönen Juwelen und zum Einwecken bestimmten seltenen Früchten anzulegen. Einer der Händler fragte Hagob: Ist es wahr, daß dein jüngster Sohn nach Amerika fährt?

– Wer hat dir das gesagt? fragte Hagob.

– Der Briefträger hat's mir gesagt, den ich mit meiner Araba ein Stück Wegs mitgenommen habe.

– Und woher weiß das der Briefträger?

– Nun, ich nehme an, daß er den Brief gelesen hat, den er in seinem Postsack hatte.

– Meinst du den Brief aus Amerika, den von meinem Bruder Nahapeth?

– Den meine ich.

– Der war nämlich unlängst hier, sagte Hagob, bei der Hochzeit. Mit seinem ältesten Sohn war er hier, einem Trottel, der nicht mal richtig armenisch kann.

– Und dieser Bruder will deinen Sohn Wartan nach Amerika holen? So stand es doch im Brief?

– So stand es drin, sagte Hagob. Und er fügte hinzu: Dabei hab ich dem Briefträger erst unlängst einen großen Bakschisch gegeben, damit er die Briefe nicht öffnet.

– Der Briefträger hat mir aber gesagt, du hättest ihm den Bakschisch nur für die pünktliche Postzustellung gegeben. Vom Briefeöffnen war gar nicht die Rede.

– Das mag sein, sagte Hagob. Und er sagte: Zum Teufel mit dem Briefträger. Im Grunde kann es mir egal sein, ob er weiß, was mein Bruder schreibt. Es sind keine Geheimnisse. Und auch dem Sultan ist es egal, ob mein Bruder meinem jüngsten Sohn den Kopf verdreht oder nicht, ich meine: mit dieser Reise nach Amerika.

Und so war es, sagte der Märchenerzähler: Der Onkel aus Amerika meinte es ernst mit seinem Vorschlag, Wartan nach Amerika zu holen, und Wartan selber hatte nichts dagegen einzuwenden, denn nach dem Massaker in dem Dorfe Yazidje wollte er nicht mehr in Hayastan bleiben.

Im Herbst des Jahres 1897 kam wieder ein Mann mit einem großen, komischen Krempenhut ins Dorf. Er sagte, er käme aus Amerika und brächte Geld von Hagobs Bruder Nahapeth, und zwar wäre das Geld für Hagobs jüngsten Sohn Wartan. Er brachte tatsächlich Geld, das er unter der Krempe des großen Hutes versteckt hatte.

Ich erinnere mich, sagte der Märchenerzähler, daß Hagob das Geld gezählt und daraufhin gesagt hatte: Das ist aber nicht genug für so eine teure Reise.
– Es ist genau die Hälfte, sagte der Amerikaner.
– Wie meinst du das, sagte Hagob.
– Nun, wie soll ich's meinen, sagte der Amerikaner, der zwar einen Krempenhut trug, aber aus Hayastan stammte und noch immer so redete, wie die Leute hierzulande reden, auch seine Gebärden und Gesten wirkten vertraut. Wie soll ich's meinen, Hagob Efendi. Es reicht für eine halbe Schiffskarte.
– Kann man mit einer halben Schiffskarte nach Amerika fahren? fragte Hagob.
– Nein, sagte der Amerikaner.
– Soll mein Sohn etwa die halbe Reise machen und dann aussteigen, wo ich doch weiß, daß man mitten in diesem großen Meer nicht aussteigen kann?
– Nein, sagte der Amerikaner. Wartan soll das Geld nehmen, und den Rest wirst du zuschustern. Dein Bruder hat gesagt: Du sollst die Goldstücke aus dem *Pag* ausgraben, und der Amerikaner, der gar kein richtiger Amerikaner war, zeigte auf den Hof, wo die Hühner, Enten und Gänse herumliefen.
– Also dort soll ich's ausgraben?
– Ja, sagte der Amerikaner.

Und so grub Hagob ein paar Goldstücke aus, gab sie seinem Sohn, und dieser fuhr im Frühjahr 1898 nach Amerika. Hagob brachte ihn mit dem Eselskarren nach Bakir. Von dort ging es weiter mit den Karawanen der griechischen, jüdischen und armenischen Händler, deren Arabas unter Geleitschutz der Saptiehs standen. Als Wartan in Konstantinopel ankam, erwarteten ihn einige Onkel und Tanten, die er gar nicht gekannt hatte. Die große Stadt machte ihm Angst, und es war ein Glück, daß ein Armenier überall Tanten und Onkel hatte, die sich um ihn kümmerten. Er wohnte bei seinen Verwandten, und sie brachten ihn auch, am Tag der Abreise, zum Hafen, einem Hafen, der ihn noch mehr ängstigte als die große Stadt.

Wartan wußte nicht, daß der Märchenerzähler neben ihm an der Reling stand. Und er merkte auch nicht, daß der Märchenerzähler wieder absprang, als die riesigen Schornsteine des Schiffes mit viel Dampf und Getue das Zeichen zum Auslaufen gaben. Als der Märchenerzähler absprang, fing das Schiff gerade an, in allen Fugen zu zittern, ungeduldig, angepeitscht von glühenden Öfen und schwitzenden, kohleschippenden Heizern im Kesselraum. Als das Schiff endlich abfuhr, blieb der Märchenerzähler einfach zurück und verschwand in der Zeit. Irgendwann aber tauchte er wieder auf, so gegen Ende des Jahres 1899, um kurz darauf in ein neues Jahrhundert hineinzuhüpfen.

Gert Heidenreich
Baumlied

Blindgebrannte Kinder
Laufen durch mein Feld.
Blindgebrannte Kinder,
Die kein Ruf mehr hält –

Winterkahle Berge,
Winterflaches Land:
Blindgebrannte Kinder
Sind vorbeigerannt –

Keins hat mich gesehen,
Wo ich wart am Weg;
Keins blieb bei mir stehen,
Daß sich's zu mir leg –

Blindgebrannte Kinder
Laufen durch mein Feld.
Laufen in den Winter.
Rennen aus der Welt.

Zivilcourage

Wenn jeder eine Blume pflanzte,
jeder Mensch auf dieser Welt,
und, anstatt zu schießen, tanzte
und mit Lächeln zahlte statt mit Geld –
wenn ein jeder einen andern wärmte,
keiner mehr von seiner Stärke schwärmte,
keiner mehr den andern schlüge,
keiner sich verstrickte in der Lüge,
wenn die Alten wie die Kinder würden,
sie sich teilten in den Bürden,
wenn dies WENN sich leben ließ,
wär's noch lang kein Paradies –
bloß die Menschenzeit hätt angefangen,
die in Streit und Krieg uns beinah ist vergangen.

[Peter Härtling]

Lotte Eisner
Ich hatte einst ein schönes Vaterland

Jetzt wußte ich, daß ich so schnell wie möglich entweichen mußte, bis mehr Deutsche kamen, womöglich das Lager übernahmen und uns in deutsche Konzentrationslager deportierten. Ich sagte meiner Ärztin, die selbst jüdische Internierte war, Bescheid, daß ich versuchen würde, zu fliehen, und bat sie, mir ein Attest zu schreiben, daß ich wegen meiner Unterernährung und der heftigen Blutungen nicht haftfähig sei. Sie half mir bereitwillig, und ich fragte sie, ob sie nicht auch versuchen wolle, aus Gurs herauszukommen. Aber sie wollte nicht an sich denken, weil sie sich für ihre Patienten verantwortlich fühlte. Sie blieb, bis die Deutschen kamen und sie nach Auschwitz brachten.

Eines Nachts, als die Wache sich von unserer Einzäunung ein wenig entfernt hatten, kroch ich durch den Stacheldrahtzaun in das benachbarte Ilot (Block), das von einem angenehmeren Leutnant geleitet wurde. Ich erklärte ihm meine Lage, erzählte von meinen verwandtschaftlichen Beziehungen zu dem Kommandanten von Montpellier, Monsieur van der Meersch, und erklärte, daß ich schon in Deutschland auf der schwarzen Liste der Nazis gestanden hätte. Ich wollte meinen Kopf noch nicht »rollen« sehen. Der Offizier ließ mich anstandslos gehen. Ich marschierte am nächsten Morgen nach Pau, obwohl es einen Lastwagentransport gab. Dort kaufte ich mir von meinem letzten zusammengekratzten Geld eine Fahrkarte 3. Klasse nach Montpellier, aber als ich in der Stadt ankam, war mein Schwager fort. Er war auf der Suche nach seiner Frau, die Paris fluchtartig verlassen hatte, nachdem ihr Erstgeborener, Karel, einem deutschen Soldaten »Sale Boche« an den Kopf geworfen hatte. Eugène hatte für mich eine Nachricht hinterlassen, in der er mir eine befreundete Familie in Montpellier empfahl, und in dem Briefumschlag steckten auch noch 200 Francs.

Als erstes lieferte ich mich im Armenhospital ein, um das Myom entfernen zu lassen. Die Auskratzung wurde ohne Betäubung vorgenommen, weil kein Geld für eine Anästhesie vorhanden war. Wieder waren die Dirnen, die in dem großen, gemeinsamen Krankensaal lagen, die anständigsten unter den Weibern.

Als ich auch das überstanden hatte, bezog ich ein Dachkämmerchen bei den großbürgerlichen Freunden meines Schwagers, das mir nur sehr widerwillig abgetreten wurde. Aber es war himmlisch, wieder ein richtiges Bett mit weißen Leintüchern zu haben, eigene vier Wände – wenn sie auch schräg waren. Nachts war die Dachluke wegen der Fliegerangriffe verdunkelt. Da schimmerte das blauschwarze Mondlicht hinein. Ich mußte mich ob meines Akzents als Tschechin ausgeben. Mein Mobiliar, die Bibliothek und die Papiere, die mein Schwager fünf Tage vor Einmarsch der Deutschen in Paris sichergestellt und nach Montpellier gebracht hatte, waren auf dem Dachboden des Hauses untergebracht. Trotzdem war meine Lage äußerst angestrengt: Montpellier war auch durch die Deutschen bedroht. Einen falschen Ausweis hatte ich noch nicht, arbeiten durfte ich als Ausländerin auch nicht, konnte also kein Geld verdienen, und die 200 Francs schmolzen schnell dahin. Ich brauchte irgendeine Legitimation meiner Existenz, um auf freiem Fuß zu bleiben. So schrieb ich mich endlich mit der großzügigen Hilfe der dortigen Professoren ein zweites Mal in meinem Leben an der Universität als Studentin ein, mit meinem Doktortitel in der Tasche. Dieses Mal studierte ich Literatur. Ich las und las, um meinen knurrenden Magen zu vergessen. Gern wäre ich auch ins Kino gegangen. Es wurde sogar einmal mein geliebtes *Tabu* gegeben, aber ich traute mich wegen der Polizei-Razzien nicht hinein. Von den Ereignissen an der Front erfuhr man auch wenig. Im Kino hätte ich wenigstens die deutschen Wochenschauen gegen den Strich anschauen können, um mir ein wenig Information zu holen. Ich war von allem abgeschnitten. Das war hart, weil ich so tatkräftig und lebendig war. Ab und zu besuchte mich Henri Langlois, der als einziger wußte, wo ich steckte. Er reiste von mir zu Josef Kosma, der sich in Nizza versteckt hielt und von Kosma zu Trauner, dem bekannten Filmausstatter. Henri riet mir dringend, bald einen gefälschten Personalausweis zu besorgen. Einmal brachte er mir ein bißchen Geld mit, das er

durch den Verkauf meines letzten Schmuckstückes, eines Brillant-
ringes, lockergemacht hatte. Ich ließ ihm die Hälfte des Erlöses, weil
er selbst nichts hatte.

Die Dringlichkeit, mir auf irgendeine Weise falsche Papiere zu beschaffen, wurde mir bei einer Kontrolle durch die französische Polizei bewußt, bei der ich zwar nicht einkassiert wurde, aber befragt,
wann ich nach Frankreich emigriert sei. Ich sagte 1933, aber man
glaubte mir nicht. Das war sehr gefährlich, denn diejenigen Deutschen, die erst ab '36 nach Frankreich gekommen waren, hatten kein
Asylrecht und wurden in ihr Land zurückgeschickt. Ich sagte natürlich, daß man meine Daten bei der Präfektur in Paris nachsehen
könnte, da wäre eindeutig festgehalten, daß ich schon im März '33
eingewandert sei, aber ich war nicht sicher, daß die örtlichen Behörden sich die Mühe machen würden, die Angaben nachzuprüfen. Der
Zufall half mir, meine Probleme neu anzupacken. Ich sitze in der
Universitätsbibliothek über meinen Gide gebeugt, als mich plötzlich jemand an der Schulter packt und ruft: »Lotte Eisner, was machen Sie denn hier?« Ich schaue überrascht auf und sehe Hans
Georg Pflaum, einen alten Familienfreund aus dem Grunewald,
dessen Mutter einen musikalischen Salon geführt hatte, in dem ich
oft Klemperer und Kleiber habe musizieren hören. »Ich komme aus
dem Konzentrationslager Gurs und habe gerade meine letzte Ge-
müsesuppe gegessen«, sagte ich. Da meinte er: »Komm mit mir nach
Haus. Ich wohne mit meiner Frau außerhalb von Montpellier. Sie
kocht sehr gut. Ich habe die Tochter eines österreichischen Oberst
geheiratet. Sie ist fabelhaft.« (Er war Jude – sie Katholikin.) Die
Pflaums wohnten in einem Gartenhaus bei rechtschaffenen Leuten
und bewirteten mich reichlich. Ich konnte seit langen Monaten zum
ersten Mal meinen Hunger stillen. Frau Pflaum riet mir, ich sollte
mich an den örtlichen Rabbi um Hilfe wenden, denn sie bekämen
durch ihn auch eine Subvention, obwohl sie katholisch sei. Ich war
bedenklich, war ich doch in meinem Herzen eine gottlose Prote-
stantin geblieben. Sie sagte: »Das macht nichts, gehen Sie hin, je
eher, desto besser.« Im Warteraum wurde ich sofort auf Jiddisch
angesprochen. Ich verstand ein wenig, weil ich mich mit Mittel-
hochdeutsch beschäftigt hatte. Aber nach einer halben Stunde in
diesem Wartesaal wollte mir alles so befremdlich erscheinen, daß ich

mich fragte: »Was machst du hier?« und zur Tür ging. Als ich auf
der Straße stand, fiel mir eine Frau in den Arm. »Mon Dieu, que je
suis heureuse de vous voir!« Ich stutzte. »Erkennen Sie mich nicht?
Ich bin die junge Frau vom Vél d'Hiver, der Sie geholfen haben!« Da
war es, das neurotische Mädchen, das ich vor dem Selbstmord be-
wahrt hatte. Ich hatte an ihrer Lagerstatt gesessen, ihre Hand gehal-
ten und wie ein lieber Doktor gesagt: »Alles wird wieder gut«, und
offenbar war es gut geworden. Ich erzählte ihr die Sache mit dem
Rabbi, worauf sie mir gleich ins Wort fiel und sagte: »Ich bin befreundet mit dem Sohn eines evangelischen Pfarrers. Den werden
wir um Hilfe bitten.« Sie nahm mich sofort mit zu dem Pastor,
einem lieben Menschen, der mir seine Unterstützung zusagte.
Durch ihn bekam ich etwas Geld und vor allem die Empfehlung an
einen Amtskollegen, der mir dann weiterhalf, als ich Montpellier
verlassen mußte. Es sah einen Augenblick wieder etwas rosiger für
mich aus. Pflaums besorgten mir ein luftiges Zimmer bei ihrer eigenen Hauswirtin. Es gab richtige große Fenster, die man zum Garten
hin aufmachen konnte. Da waren Bäume und Blumen, die Luft roch
gut. In Gurs stand ja kilometerweit kein einziger Baum.
Ab und zu gab es eine Razzia der Polizei, die im Auftrag der Deutschen nach versteckten Juden suchte. Das sprach sich vorher herum.
Da floh ich durch das Hinterfenster zu meinem Nachbarn, einem
alten Bäcker, der alles gelesen hatte, alles wußte. Er war 72 Jahre alt.
Ich hatte lange Gespräche mit ihm über Geschichte und Literatur,
nur bei der Geographie konnte ich gar nicht mitreden. Orte, die ich
nicht selbst bereist habe, weiß ich auf dem Atlas nicht zu finden.
»Wenn immer Sie in Gefahr sind«, sagte der Bäcker, »kommen Sie
'rüber. Da ist ein Zimmer für Sie bereit.« Das ging eine Weile so
weiter, bis ich den Besuch eines Bekannten bekam, der durch Henri
wußte, wo ich steckte.
»Lotte, ich bin mit meiner Frau in Marseille und weiß, wie man sich
einen falschen Ausweis beschaffen kann. Lassen Sie mich das machen. Ich habe Beziehungen zu jemandem vom englischen Geheim-
dienst.«
Da ließ ich ein Photo machen, gab ihm ein falsches Geburtsdatum
und einen falschen Namen an: Caroline irgendwas, ich weiß nicht
mehr, und eines Tages erhielt ich einen Brief, in dem stand, wie in

einem Kriminalroman: »Finden Sie sich an dem und dem Tag zu der und der Stunde am Bahnhof, am Zug Nr. soundsoviel ein.« Ich ging zu dem Zug. Da strich jemand an mir vorbei und ließ etwas in meine Hand gleiten. Das war mein gefälschter Ausweis. Ich zeigte ihn meinem Bäcker, der ihn mit seinem eigenen verglich und feststellen mußte, daß eine bestimmte gestempelte Marke fehlte. Ich schrieb an meinen Bekannten in Marseille:
»Ich brauche noch eine besondere Briefmarke für meine Kollektion.« Er schrieb mir zurück: »Die Marke ist leider nicht mehr erhältlich, da der Freund abgereist ist.«
Der Bäcker, mit seinem Sinn fürs Dramatische, nahm seinen Spaten und vergrub den schlechten Personalausweis einen Klafter tief im Garten. »Damit er nicht in falsche Hände kommt«, meinte er. Aber es gab auch jemand in Montpellier selbst, der angeblich falsche Ausweise fabrizierte. Das war die Tochter des französischen Joyce-Übersetzers, Louis Gillet, die ich in Paris kennengelernt hatte. Sie machte kein Geheimnis aus ihrem Geschäft und ging sofort auf das Wesentliche zu. »Welchen Namen möchten Sie haben?« Dieses Mal wählte ich »Louise«, weil ich dann auf meinen Wäschestücken nicht zuviele Buchstaben ausbessern mußte, und »Escoffier« als Nachnamen, da ich dieses Wort aus Mérimées Roman *Carmen* kannte. Es heißt »töten« in der Zigeunersprache. Da dachte ich an mein Rattendasein und meine Mutter, die von den Nazis verschleppt worden war. Daß es einen Monsieur Escoffier gegeben hat, der die Pfirsich-Melba erfand, hörte ich, als ich selbst Köchin geworden war.
Kaum hielt ich den einigermaßen gut gefälschten Ausweis in der Hand, der mich zur Elsässerin machte – denn meinen starken Akzent mußte ich ja irgendwie erklären –, kam ein Brandbrief von Henri. »Verlassen Sie Montpellier so schnell es geht, die Deutschen kommen.« – »Diable«, denke ich mir, »ich weiß zwar nicht, wohin ich gehen soll, aber ich werde vorher noch ein Bad nehmen.« Bei uns im Haus gab es nämlich kein Badezimmer. So ging ich einmal die Woche in die Stadt zu einem öffentlichen Bad.
Ich stehe an der Kasse mit meinem Billet in der Hand, drehe mich um – da bin ich umringt von deutschen Soldaten, die zu demselben Behufe hergekommen sind. Schneller bin ich noch nie ungewaschen auf die Straße gegangen. Was tun? Henri hatte mir geraten, mich in

einem Dorf zu verstecken. Ich ging zurück zu Eugènes Freunden,
denen ich den Rest meiner Sachen anvertraute, nahm nur einen
Handkoffer mit und fragte, ob sie nicht in der Nähe jemanden wüß-
ten, bei dem ich unterkriechen könnte. Sie gaben mir eine Adresse.
Ich weiß nur noch, daß es Winter war, an den Ort kann ich mich
nicht mehr erinnern. Die Bekannte war eine sehr nette Modistin, die
öffentlich in meiner Gegenwart die Juden in Schutz nahm, obwohl
sie nicht einmal wußte, daß ich Jüdin war. Das nahm mich für sie ein.
In einem Restaurant hatte jemand auf meine Rasse geschimpft, und
da sagte sie, was sie an Kultur besäße, hätte sie von einer jüdischen
Familie gelernt – ihr Vater hätte bei den Rothschilds gearbeitet. Mir
wurde es ganz warm ums Herz, weil ich an meine gute Nadine de
Rothschild dachte, die mir die erste schwere Zeit in Paris durch ihre
Hilfsbereitschaft leichter gemacht hatte. Sie ahnte damals noch
nicht, daß auch sie harten Zeiten entgegenging...
Ich habe der Schneiderin nichts über mich gesagt, aber sie muß doch
geahnt haben, daß ich in Gefahr war. Sie nahm mich mit zu einer
Zigeunerin, einer Wahrsagerin, die mir aus der Hand lesen sollte.
Obwohl ich nicht zahlen konnte, ging die Zigeunerin milde mit mir
um. Ich weiß noch genau, was sie gesagt hat: »Sie werden in großer
Gefahr schweben, aber sie wird vorübergehen. Sie überstehen den
schrecklichen Krieg und die Besatzungszeit ohne Schaden, und
eines Tages werden Sie berühmt sein.« Ich lachte und dankte ihr.
»Ich hoffe, daß alles so geschehen wird, wie Sie sagen.«

Peggy Parnass
Onkel Rudi

Onkel Rudi ist knorrig, einsilbig, hilfsbereit, schmunzlig, ruppig. Sagt: »Guck mal, da oben!«, stupst einem die Nase und lacht sich schlapp. Er liebt das Leben.
Seine Nummer am Arm ist 178121. Auch meine Tante Flora liebt das Leben. Sie ist klein, kulleräugig, hat dichtes schwarzes Haar. Sie ist lebhaft, fröhlich, warm, spontan und sinnenfreudig. Ihre KZ-Nummer ist 74559. Am linken Arm. Viel hübscher, viel leserlicher, liebevoller geschrieben als Rudis. Beide nicht auszuradieren. Im Sommer hören sie oft »Guck mal, wie verrückt. Die hat ihre Telefonnummer am Arm.«
Onkel Rudi wäscht für die Hamburger Jüdische Gemeinde die jüdischen Toten und kleidet sie ein. Ehrenamtlich. Seit 30 Jahren. Er bereitet die Toten zur letzten Ruhe vor, zum Gedenken an seine Eltern und an seine fünf Geschwister, die alle von den Nazis ermordet wurden. Die große Tragödie seines Lebens. Er betreut auch die meist völlig verwirrten, unter Schock stehenden jüdischen Zeugen aus dem Ausland, die sonst ganz allein wären mit ihrem Horror. Auch das unentgeltlich.
Rudi ist am 7. August 1907 geboren. Er besuchte die jüdische Talmud-Tora-Schule am Grindel. Machte eine Lehre, wurde Elektriker. Das, was er um sich herum sah und begriff, Streiks und anderes mehr, führte ihn in die Arbeiterbewegung. Dort, in der jüdischen Arbeiterjugend, lernte er Flo kennen, die erst 19 war, aber schon fünf Jahre Akkordarbeit in der Bahrenfelder Sternwoll-Spinnerei hinter sich hatte. Vom Leben geschult und geformt wie er. Die beiden heirateten 1931 in der Bornplatz-Synagoge. Sie wurden vom Oberrabbiner Spitzer richtig jüdisch getraut. Obwohl beide nicht gläubig waren, taten sie das Floras schwerkrankem Vater zuliebe, der fromm und gläubig war. 1933 wanderte Rudi als Antifaschist in den Knast. 1934, als Flo im zweiten Monat schwanger war, noch

mal. Wegen politischer Umtriebe. Er saß hier in Hamburg-Fuhls-
büttel. Flo holte seine blutige Wäsche aus dem Knast ab.

1935 kam Berni zur Welt. Als Rudi wieder rauskam, mußte er
Zwangsarbeit machen, Erdarbeiten für die Stadt Hamburg. Ohne
Lohn. Das bißchen Geld, das er und Flo kriegten, nannten sie Wohl-
fahrt.

1938 ist Rudi abgehauen. Schwarz nach Brüssel in Belgien. Mit seinem Fahrrad und einem Freund. Briefe schreiben war nicht möglich. Ein halbes Jahr später fuhr seine kleine Familie ihm nach. Mit
nur zehn Mark in der Tasche für den Fall, daß sie geschnappt würden. Schmuggler und Zöllner machten gemeinsame Sache und teilten sich das Geld der Flüchtlinge. Flo hatte nur ihr Armband. Auch
das nahmen sie.

Die erste Zeit in Belgien ging einigermaßen. Als sie noch eine kleine
Wohnung hatten, nahmen sie Spanienkämpfer bei sich auf. Als die
Deutschen 1940 in Belgien einmarschierten, hat man schnell Juden
und Politische (Rudi, der Sozialist, war ja beides), damit sie den
Nazis nicht in die Hände fallen, nach Südfrankreich in ein Internie-
rungslager verfrachtet. Doch die Deutschen marschierten auch in
Frankreich ein.

Flo, die sich auch dem Widerstand angeschlossen hatte, saß nun
alleine da in Brüssel, mit zwei sechsjährigen Kindern. Mit zwei, weil
ihre Freundin Pepi, die Mutter des anderen Kindes, von den Deutschen umgebracht wurde. Da sie illegal lebten, hatten sie keine Lebensmittelkarten und nichts zum Heizen. Waren auf die Barmher-
zigkeit ihrer Nachbarn angewiesen. Flos Widerstandsgruppe flog
auf. Die Kinder landeten bei den Nonnen im Kloster-Versteck. Sie
kam über andere Gefängnisse nach Auschwitz.

Übrigens, Rudi und Flora geben immer denen von der Heilsarmee
was. Weil die, als sie nicht wußten, unter welcher Brücke sie ihren
Kopf legen sollten, halfen, ohne zu fragen.

Rudi kam erst nach Auschwitz, danach nach Blechheimer, dann Buchenwald.

Nach fünf Jahren KZ trafen sich Rudi, Flora und Berni in Belgien
wieder. Fünf Jahre hatten sie sich nicht gesehen und beide in der
Zwischenzeit die Hölle erlebt. Sie wären damals fast auseinandergegan-
gen. Bis sie langsam wieder ins normale Leben hineinwuchsen.

Dazu verhalf ihnen die Arbeit im jüdischen Waisenhaus. Mit Kindern vom Exodus und aus den polnischen Wäldern. Die weder polnisch noch französisch sprachen. Völlig verwildert. Pyromanen, Kleptomanen, fast alle Bettnässer. Für Rudi und Flora die schönste Aufgabe bis heute, denen etwas Wärme zu geben. Als das Kinderhaus nach fünf Jahren aufgelöst wurde, bekamen sie keine neue Arbeitserlaubnis in Belgien. Kamen 1951 zurück nach Deutschland. »Schreckliches Gefühl. Aber wir brauchten die Wiedergutmachung.«

Sie kriegten fünf Mark pro Hafttag. Fünf Mark für einen Tag in Auschwitz. Berni wurde nicht einmal der Schulausfall ersetzt. Alles unfaßbar! Das ist also die Wiedergutmachung, um die man uns Juden immer beneidet. Aber wäre es das Millionenfache, es wäre immer noch keine. KZ-Folgen: Bei Rudi sind Lunge, Herz und Nase kaputt. Aber er sagt nie, was ihn quält. Bei Flo mußte eine Niere raus, Lunge und Herz sind kaputt, und sie hat ein ständiges Sausen im Kopf. Ein zweites Kind konnten sie nie bekommen. Denn bei Flo mußte eine Totaloperation gemacht werden, weil sie in Auschwitz Spritzen in die Geschlechtsteile bekommen hatte.

Beide mußten immer schuften. Sie hatten eine kleine Wäscherei im Karolinenviertel. Und als sie das gesundheitlich nicht mehr schafften, einen kleinen Stand auf dem Markt. Über das, was Rudi in den Lagern erlebte, hat er nie gesprochen. Nicht mal mit Flora. Obwohl sie ihn anfangs noch viel fragte. Nie hat er geantwortet. Rudi wurde nach dem Krieg einstimmig von Ex-Häftlingen gewählt, als einer mit sauberer Weste für Spenden- und Kleiderverteilungen gesucht wurde. Dadurch wußte Flo, daß er nie etwas Unsauberes im KZ gemacht hatte. Immer er selbst geblieben war. Flo findet das zwar selbstverständlich, aber es macht sie trotzdem glücklich.

Flo ist die Schwester meiner Mutter. Rudi ist nicht nur mein Verwandter, er ist auch mein Wahlverwandter. Er ist kein Vaterersatz, sondern mein zuverlässiger, glaubwürdiger Freund und Genosse.

Sie haben auch deutsche Freunde. Allerdings nur solche, die sie von früher her kennen. Das heißt, das stimmt seit einigen Jahren nicht mehr. Sie haben jetzt auch sehr viele junge deutsche Freunde. Rudis Hilfsbereitschaft für alle nimmt auch alle für ihn ein. Die linken Wohngemeinschaften im Haus lieben ihn. Rudi ist nicht ein Mann, der nur nach hinten schaut. Er ist ein Mann, der die Vergangenheit dazu benutzt, den Kampf mit der Gegenwart aufzunehmen. Seit vielen Jahren treffe ich ihn auf allen Demos. Überall da, wo er sich mit anderen für Frieden und Gerechtigkeit einsetzt. Auf Oster-märschen, bei Diskussionen, Debatten, Vorträgen. Er wehrt sich gegen Polizeiwillkür, AKWs, Volkszählungen und Arbeitslosigkeit und kämpft für die Anerkennung aller Nazi-Opfer. Er fährt auch mehrfach im Jahr an Gedenktagen in die KZs. Wie er das aushält, weiß ich nicht.

Rudi, der alles in sich reinfrißt, hat sich einmal geöffnet, um Wolf Biermann mit seinen Erinnerungen zu beschenken. Wir saßen bei Wolf in der Küche, und Rudi erzählte. Zehn Stunden ohne Pause. Denn Wolfs Vater Dagobert, der 1943 in Auschwitz umgebracht wurde, und Rudi waren Genossen. Hatten den gleichen Werdegang. Beide stammten aus der jüdischen Talmud-Tora-Schule. Kamen beide von dem ihnen vorgezeichneten Weg ab, als sie Kommunisten wurden. Waren gemeinsam in der Arbeiterbewegung und gemein-sam im Widerstand. Rudi ist jetzt der einzige Mensch, der von Da-gobert Biermann aus der Zeit zu erzählen weiß, bevor Wolfs Mutter Emma ihn kennenlernte. Er kannte ihn am längsten.

Wolf sagt: »Es ist eine Ehre für mich, Rudi an seinem Geburtstag ein Ständchen zu bringen.«

Rudi und Flora halten sich für glücklich. Ja, sie sind glücklich. 55 Jahre Ehe, Liebe und sehr viel Hochachtung voreinander. Und sie lieben sich mehr und mehr. Drei Enkelkinder bedeuten für sie neues Leben. Flora malt, um sich von ihren Erinnerungen abzulenken. Rudi diskutiert mit seinen jungen Freunden. Offen über alles. Vor allem über die NS-Verbrechen und Faschismus überhaupt. Mahnt immer wieder: »Ihr müßt wach sein, Hände nicht in den Schoß. Es gibt viel zu tun.« Das kann man wohl sagen. In diesem Land, in dem aktive Faschisten als skurrile Spinner, verrückte Fanatiker, irregelei-tete Bombenleger abgetan werden. Sie gelten genausowenig wie die SS als kriminelle Vereinigung. Wie sollen sich die rechten Jugend-lichen fragwürdig vorkommen, wenn sie von biederen Bürgern und Politikern geschützt und getragen werden.

Jetzt hat Rudi an einem Kinderbuch mitgearbeitet. Es heißt *Das Kind im Koffer*. Handelt von einem kleinen jüdischen Jungen, dem im KZ Buchenwald von erwachsenen Häftlingen das Leben gerettet wird.

Wir sind nicht gläubig. Woher auch. Feiern aber in den letzten Jahren oft Schabbes zusammen. Freitag abends in den Sabbat hinein. Bei gutem Essen und viel Gelächter. Flo kocht herrlich. Und ich fühl mich dann bei Rudi und ihr sehr zu Hause.

Rudi liest wahnsinnig viel. Politische Zeitschriften, Bücher und Artikel sowieso. Von Flugblättern ganz zu schweigen. Aber vor allem liebt er Krimis, kurze und lange. Ich kenne auch niemanden, der so lange, so viel und interessiert überall in der Stadt rumläuft wie Rudi. Es gibt nichts, was er nicht mitkriegt. Er lebt viel offener als irgend jemand, den ich sonst kenne.

Rudi ist in seiner Stille und Bescheidenheit, sich nie in den Vordergrund drängend, ein ganz großer Mensch. Das sagt seine Flora. Das sage ich. Und das sagt jeder, der ihn kennt.

Sei von uns allen umarmt, lieber Rudi. Auf daß du 120 wirst!

Stefan Wewerka

Liselotte Blechmann
Keiner aus dem Stamm der Antigone

Am 4. September 1942, gegen 16 Uhr, saß Stefan Landquart in seinem Hobbyraum, der, einfach und doch gemütlich eingerichtet, einen großen Teil des Kellers für sich beanspruchte. Vor ihm auf einem langen, rechteckigen Tisch waren Schwimmer aus Kork und Angelhaken aus blauem Stahl ausgebreitet. Er war gerade dabei, sie zu überprüfen. Er hatte seinen beiden Söhnen Sven und Frank – der eine zehn-, der andere zwölfjährig – versprochen, sie am Wochenende zum Angeln mitzunehmen – zum Angeln an einer kleinen, sandigen Bucht am strömenden Fluß. Bei seinem Tun überkam ihn eine starke Freude. Er roch schon den Geruch von Wasser und Weiden. Sah die durchsichtig schimmernden Flügel der Libellen. Sah einen Entenpulk in Keilformation über die Bäume streichen. Sah die weißen Wolkengebirge, die im Blau des Himmels schwammen – ruhig, friedlich und sich dennoch endlos neu formend. Er fühlte leichten Wind über seine Arme streichen. Fühlte sich freizeitluftig, freizeitglücklich.

In seine Beschäftigung hinein schrillte plötzlich das Telefon.

Soll es doch schellen, dachte er. Ich will jetzt nicht gestört werden. Aber da das Telefon keine Ruhe gab, nahm er schließlich den Hörer ab.

Die Stimme, die ihn sprechen wollte, klang mürrisch und trocken.

Stefan hatte diese Stimme nur einmal gehört, aber er hätte sie dennoch unter Tausenden wiedererkannt. Er sah in diesem Augenblick den kleinen, dürren Kerl vor sich, zu dem diese Stimme gehörte: das lehmfarbene, strähnige Haar, das flächige Gesicht mit der breit ansetzenden Nase, die kieselig-grauen, scharfen Augen und die dünne Narbe am linken Mundwinkel. Der Mann war Bahnarbeiter. Er hatte in der Widerstandsbewegung einen wichtigen Auftrag zu erfüllen. Durch seinen Beruf erfuhr er das genaue Datum der Deportationen nach Oranienburg, Dachau, Auschwitz, Birkenau und anderen Konzentrationslagern. Er hatte Einblick in die Listen, die angaben, welche Namen ›abgeholt‹ werden sollten. Er gab sein Wissen an die vernetzten Stellen weiter. Bekam Anweisungen von ihnen. Führte verschlüsselte Telefongespräche. Hatte auf diese Weise dem und jenem geholfen, rechtzeitig unterzutauchen, statt mit einem Koffer, vollgepackt mit Habseligkeiten und Hoffnung, in einen Viehwaggon gezwängt zu werden, Richtung Tod.

Nur ein einziges Mal hatte Stefan diesen kleinen, dürren Kerl durch eine zuverlässige Verbindung zu Gesicht bekommen. Stefan hatte ihn um seine Hilfe in einem Fall gebeten, der wahrscheinlich nie eintreten würde.

Als die trockene, mürrische Stimme jetzt sagte: »Hier ist Bruno Müller. Kann ich Herrn Landquart sprechen?« verschlug es Stefan den Atem. Sein Gesicht verfärbte sich, wurde fahl. Ein jäher Schreck drückte ihm gegen die Schläfen. Furcht stieß ihm in den Rücken. Seine Schultern verspannten sich. All seine gelebten Jahre, von denen der Kindheit an mit ihrem zeitlosen, prallen Rund, standen plötzlich vor ihm auf und an einem Abgrund. Er sah sich selber an einen äußersten tödlichen Rand geschoben. Stürzte in die Verstummung. Hörte in seine Verstummung hinein den gleichmäßig ruhigen Atem des Mannes am anderen Ende der Leitung. Hielt sich an dem Atem fest. Fing sich im Abstürzen auf. Fand die Sprache wieder. Antwortete nicht, wie er es fast instinktiv getan hätte: Sie haben sich verwählt, sondern erwiderte: »Ich bin selbst am Apparat.«

»Gut«, sagte die trockene, mürrische Stimme und fuhr fort: »Ich möchte eine Bestellung aufgeben. Können Sie mir am Samstag einen Kasten Bier liefern? Einen Kasten Bier und *drei* Flaschen Genever?«

Stefan wußte, was diese harmlos klingende Bestellung bedeutete – welche Information sich dahinter verbarg.

Genau zuhören, dachte er. Wie abgemacht antworten.

»Entschuldigen Sie«, begann er. »Sagten sie *zwei* Flaschen Genever?« »Nein, drei«, erwiderte die trockene, mürrische Stimme und wiederholte noch einmal: »*Drei* Flaschen. Am Samstag. An die übliche Adresse.« »Okay«, sagte Stefan. »Geht in Ordnung.«

Als er den Hörer jetzt auf die Gabel zurücklegte, fühlte er Schweiß auf seiner Stirn jucken. Er wischte ihn mit dem Handrücken ab.

Einen Augenblick lernte er den Fremden in sich kennen, den ihm bisher Unbekannten – den Feigling, der im verborgenen in ihm lungerte und auf seine Stunde wartete. Der sich am liebsten drücken würde vor dem, was da auf ihn zukam. Von der Phantasie ausgeheckte Bilder des Grauens – nüchterner Wirklichkeitssinn – Hoffnung und Skepsis – Empörung und Trauer – die sich widersprechendsten Gefühle wirbelten in ihm durcheinander. Angst wurde beredt. Wollte ihn überreden.

Aber dann gewann er seine Fassung wieder.

Angst? Wovor soll ich mich fürchten? Was erwartet mich denn anders als vertraute Wirklichkeit? Mein Lieferwagen kennt die Strecke zur holländischen Grenze auswendig. Sogar im Finsteren würde er die Stelle finden, wo seit dem letzten Schneedruck im Februar noch dürre Äste an den Bruchstellen einiger Birken hängen. Er kennt die Buckel und Schlaglöcher der Straße, ihre Biegungen und geraden Strecken. Die Wiesen und Weiden mit ihren schwarz- und hellbraun gefleckten Kühen. Bauer Martens Hof, hingestreckt in die kartenhafte Flachheit der Landschaft. Den weiten Himmel, an windbewegten Tagen gesättigt von wandernden Wolkenzügen.

Den Himmel, der in der blutbefleckten Zeit, in der babylonischen Sprachverwirrung dieser Jahre, Himmel geblieben ist. Wie meine Freunde in Leiden, Utrecht und Amsterdam meine Freunde geblieben sind, wenn sie auch seit dem Überfall Hitlers auf Holland oft in Schlupflöchern versteckt leben – in Schlupflöchern, die ich kenne, die sie mir anvertraut haben.

Nein, dachte er. Nichts ist anders als gewöhnlich. Ein Mann fährt neben mir auf dem Beifahrersitz mit mir über die Grenze. Wie immer einer mitfährt, der mir hilft, die Kisten mit Genever aufzuhieven, die ich im Auftrag der Stadtverwaltung oder der Parteibonzen einkaufe. Der einzige Unterschied: Mein Beifahrer ist diesmal ein Mann, der auf der Abschußliste steht – auf der Liste der Namen, die abgeholt werden, um in Auschwitz im Namenlosen zu verschwinden. In drei Tagen ging dieser Transport ab. Das hatte ihm die trockene, mürrische Stimme, die drei Flaschen Genever haben wollte, über die damals ausgemachte sprachliche Notbrücke dieser fingierten Bestellung soeben mitgeteilt.

Der Mann, um den es ging, hieß Thomas Jordan. In einer früheren

Zeit hatte er Dr. med. Thomas Jordan geheißen. Er war Internist gewesen. Jetzt war er Hilfsarbeiter in einer Maschinenfabrik. Ausgegrenzt durch den Judenstern. Durch ihn sichtbar in ein Ghetto ausgesetzt. Außerdem war er der Schwiegervater seines Bruders, der vor Jahren mit seiner Frau Ruth nach Amerika ausgewandert war.

Die Fluchthilfe! dachte Stefan. Längst vorbereitet. Dennoch in die Rumpelkammer der Gedanken abgeschoben.

Er starrte einen Augenblick auf die Schwimmer aus Kork und die Angelhaken aus blauem Stahl.

Irgendwo im Haus summte ein Staubsauger.

Als Stefan die teppichbelegten Treppenstufen zu seinem Arbeitszimmer im ersten Stock heraufstieg, machte er plötzlich inmitten der Vertrautheit und Geborgenheit des ererbten Hauses die Erfahrung einer alles überwältigenden Unsicherheit. Er kam sich in dieser wohnlichen Welt plötzlich vereinsamt und fremd vor – aus dem schützenden Raum in die Zeit geworfen.

Hätte ich das Läuten des Telefons nicht beachtet, ging es ihm durch den Kopf, so wäre alles beim alten geblieben. Sofort nahm er den Gedanken zurück. Er fühlte sich von den verschiedenartigsten Empfindungen bedrängt.

Wohin soll es mit der Welt kommen, wenn der Mensch sich nicht gebunden fühlt an sein Wort? Wohin soll die Welt treiben, wenn der Mensch sich nicht mehr verantwortlich fühlt für den Menschen? Aber ich habe jetzt zwei Dinge zu verantworten, die sich nicht unter einen Hut bringen lassen: einerseits habe ich die Hilfe für die Flucht versprochen. Andererseits bin ich verantwortlich für die Sicherheit meiner Familie, die durch diese Hilfe gefährdet werden könnte.

Warum nur habe ich es versäumt, mit Anne über die Abmachung zu sprechen, die ich mit dem kleinen, dürren Kerl von der Bahn getroffen habe? Jetzt ist es zu spät, sie vorzubereiten – sie an dieser Entscheidung, die ihr Leben mitbetrifft, zu beteiligen. So wird sie nun überrumpelt.

Dabei wäre es so wichtig für mich, daß Anne und ich die Dinge jetzt auf die gleiche Weise sehen. Wie wird sie reagieren?

Es gibt so unerschöpfliche, unvorhersehbare Möglichkeiten menschlichen Verhaltens.

Wieder begegnete er dem Unbekannten in sich – dem, der sich in einem ihm selbstverständlichen Vertrauen nicht mehr zurechtfindet. Der plötzlich an einem ›Wir‹ zweifelt. Der Zusammengehörigkeit zu einem bloßen Beieinandersein macht.

Stefan war jetzt an der Etagentür angekommen, die den Wohnbereich von dem Geschäftsbereich trennte. Er drückte die Klinke herunter und trat ein. In einer plötzlichen Regung schloß er die Tür von innen ab und ließ den Schlüssel stecken. Er warf einen Blick in jedes Zimmer, um sicher zu sein, daß er allein in der Wohnung war. Er fand das Wort für die Gefühle nicht, die ihn zu einem solchen Tun bewegten. Haarrisse, denkt er. Das ist es. Mein Vertrauen zu Sven und Frank hat Haarrisse bekommen. Aber wer weiß schon, was im Kopf von Kindern vor sich geht, die, von Nachtmärschen, Lagerfeuern und ähnlichen Abenteuern verführt, einer Fahne bis in den Tod – was sich Kinder wohl darunter vorstellen? – die Treue geschworen haben. Denen man einredet, daß sie nichts Böses tun, wenn sie melden, daß ihre Eltern... Daß ihre Eltern... Wenn sie ihre Eltern – Seine Gedanken fangen an zu stolpern. Nein. Er kann das nicht zu Ende kriegen.

Diese babylonische Zeit. Sie stülpt mich um und um. Stellt alles auf den Kopf. Verdreht die Worte. Erfindet Filter, durch die der Verstand das Vertrauen gießt. Entläßt mich aus einem Leben, das den Fuß in die Spuren des Vortages setzt. Stellt mir eine Falle, der ich nicht ausweichen kann. Stößt mich in ein Entweder-Oder. Aufgestöbert in meinem Versteck, muß ich Farbe bekennen.

Diese erpresserische Zeit, dachte er zornerfüllt, als er jetzt über die graulackierte Schwelle seines Arbeitszimmers trat und zu dem Fenster ging, das der Rheingasse zulag. Als er den Vorhang zur Seite zog, nahm sein erregtes Gesicht den Ausdruck unbekümmerter Gleichgültigkeit an, gab sich den Anschein, nach dem Wetter zu sehen – dem breiten Blau des Himmels, in dem ein paar fetzig-weiße Wolken trieben. Dann wurde sein der Straße zugewandter Blick von scharf beobachtender, konzentrierter Aufmerksamkeit. Seine Augen sprangen über die enge Gasse hinweg zu dem ausgewaschenen Rot des Backsteinhauses gegenüber. Nichts Besonderes, konstatierte er.

Ein bißchen Nachbarschaftsgeschwätz vor der Tür des Ladens, der Grünzeug und Obst feilbot und an dem der Händler, der gerade eine Schnur mit Knoblauch an einem Haken neben der Tür befestigte, mit seinen großen, ein wenig abstehenden Ohren teilnahm. An einem Fenster über dem Laden stand – wie gewöhnlich bei schönem Wetter – ein Käfig mit einem Papagei, buntgefiedert und kreischend. Aus einem anderen schauten Puppen mit weißen Häubchen auf blondgezopftem Haar, blauäugig-unbeteiligt auf das Pflaster hinunter.

Es roch nach Staub, sonnenwarmen Steinen, Langeweile, frisch gestrichener Farbe und Bratkartoffeln.

Alles in allem eine alltägliche Gasse, dachte Stefan. Friedlich, harmlos – aber, wer weiß, vielleicht doch doppelbödig wie die menschliche Natur.

Einen Steinwurf entfernt von dem Laden hockte ein Auto dunkel auf seinem Schatten. Es gehörte nicht in dieses Viertel, wo ohnehin – wie überall – jedes Auto auffiel, rollten doch selbst die angesparten oder schon bezahlten Volkswagen an die Front. Mit zusammengekniffenen Augen nahm Stefan jetzt den Mann aufs Korn, der die Gasse heraufkam. Der, wie er wußte, das Auto fuhr. Der Mann, den er da im Fadenkreuz hatte, war ein bulliger Kerl in einer Lederjacke, struppig-grau das Haar, die buschigen Brauen über der Nasenwurzel zusammengewachsen, die Nase in dem breiten Gesicht vorgewölbt, die Lippen wulstig. Wie er sich jetzt an dem Laden gegenüber trödelnd vorwärtsbewegte, stieß sein langer, dünner Septembernachmittagsschatten an die Mauer von Stefans Haus.

Stefan war dem massigen Kerl schon mal auf der Straße begegnet. Dabei war ihm aufgefallen, daß sein Blick schief und lauernd auf Menschen und Dinge fiel. Stefan dachte: Er wirkt wie ein Spitzel, der, sich Zeit nehmend, dahergeht, damit er alles in seine umherwieselnden Augen bekommt.

Der Unbekannte hatte einen Hund mit kräftiger Schnauze bei sich, einen Boxer, den er seit einigen Tagen hier ausführte, mal an langer Leine, mal an kurzer. Der Hund, der an den Pflastersteinen der Gasse schnüffelte, an allem schnüffelte, was an seinem Weg lag, als ob er eine Spur verfolgte, ging Stefan ebenso auf die Nerven wie sein Herr.

Das Auto. Der Mann. Der Hund.

Wörter zum Anfassen, hinter denen sich nichts Unfaßbares versteckt – die eine Wirklichkeit wiedergeben, die man mit einem Blick überschaut. Dennoch kann sich mancherlei hinter ihnen verbergen.

Das ist die bösartige Fratze der Zeit, die grinst über die Saat des Mißtrauens, das wie Unkraut alles überwuchert. Alles kann ein anderes Gesicht haben als das, was es vorzeigt. Was Argwohn erregt, ist vielleicht harmlos. Hinter dem Vertrauenerweckenden züngelt vielleicht der Kreuzotterbiß. Wie sich auskennen?

Stefan zog den Vorhang wieder zu und begab sich zu seinem Schreibtisch. Er entnahm einem Geheimfach eine etwas abgegriffene Brieftasche. Aus einem ihrer Fächer zog er einen Reisepaß hervor. Sein schmales Gesicht mit dem ovalen Kinn und den grau-grünen Augen sah angespannt-aufmerksam aus, als er den Paß an dem noch von Septemberlicht erfüllten Fenster aufschlug. In diesem Augenblick pochte es laut gegen die Etagentür. Er fuhr jäh zusammen. Für Sekunden nahm sein Gesicht einen besorgten Ausdruck an. Der Anruf. Aufgekommener Verdacht. Überwachung des Anrufers. Festnahme und ... schoß es ihm durch den Kopf.

Unsinn, wies er sich zurecht. Eine solch banale Bestellung konnte nirgendwo Verdacht erregen. Es sei denn ...

Das Klopfen wurde lauter, energischer, ungeduldiger. Stefan warf Paß und Brieftasche in das Geheimfach zurück und öffnete die Etagentür. Er atmete unwillkürlich erleichtert auf, als er Anne vor sich sah. »Seit wann schließt du dich denn ein?« fragte sie verwundert. Ohne eine Antwort abzuwarten, fuchtelte sie ihm einen Brief entgegen. »Post von meiner Schwester Eva aus Hamburg. Denk dir« – »Augenblick«, unterbrach Stefan sie, indem er die Etagentür wieder zuschloß. »Sprechen wir in meinem Arbeitszimmer weiter.«

Als Anne und er nun an dem viereckigen Zirbelholztisch saßen, fiel sein Blick unwillkürlich auf die Familienfotos, die in vergoldeten Rahmen an der Wand hingen. Es war ihm auf einmal so, als kämen all diese Gesichter aus einer fremden Zeitgegend, die unendlich weit zurücklag. Diese Vorfahren hatten ihm Iphigenie und Nathan als Bildungsgut vererbt, an die Vernunft geglaubt, daran, daß der Hexenwahn für immer zu Ende war, an den Fortschritt – an die immense Entwicklung der Technik und der Naturwissenschaften, die der Menschheit nichts als Glück verhieß. Sie erlebten, wie die Welt zusammenrückte. Das Flugzeug überwand die Ferne. Die Kontinente gaben sich die Hände. Aber diese vertrauten Gesichter hatten ihm keine Fragen hinterlassen. Keine Zweifel an ihren Fahnenmast gehängt.

Er schrak auf, als Anne jetzt in seine Gedanken hinein fragte:

[...]

»Hast du eine schlechte Nachricht von Werner und Ruth erhalten?«
»Nein. Gar keine. So ist es ausgemacht, damit ihre Spur verlorengeht.« »Aber irgend etwas muß geschehen sein«, beharrte Anne besorgt. »Du siehst hundeelend aus.« »Es geht nicht um Werner und Ruth«, gab Stefan zurück. Er saß da mit der unregelmäßig abgebrannten Zigarette in der Hand, deren Aschenhaut sich in dem gläsernen, violetten Rund vor ihm leicht wölbte. Er drückte sie aus. »Nein«, sagte er. »Es geht nicht um Werner und Ruth und hat doch mit ihnen zu tun. Ruths Vater steht auf der Liste für den nächsten Abtransport nach Auschwitz«, fuhr er unvermittelt fort.

»Thomas Jordan?« fragte Anne ungläubig. »Woher willst du das denn wissen?« »Ich habe es aus zuverlässiger Quelle. Jeder Zweifel ist ausgeschlossen.«

Ein paar Herzschläge lang war es so still, daß sie hörten, wie Stefans Armbanduhr die Zeit wegtickte. In die Stille hinein sagte Anne heftig: »Nein. Ich kann das nicht glauben. Thomas ist weit über sechzig. Allein sein Alter schützt ihn vor einem solchen Transport.«

»Die Deportation erfolgt in drei Tagen«, entgegnete Stefan. *Seine* Stimme klang diesmal mürrisch und trocken.

Anne atmete erleichtert auf. Sie strich sich das Haar aus der Stirn. Ihr Gesicht entspannte sich. Bekam wieder Farbe. Sie sagte: »Ich weiß, daß du versprochen hast, Thomas zur Flucht zu verhelfen, wenn es zum Äußersten käme. Aber du brauchst dir keine Vorwürfe zu machen, wenn du jetzt dein Wort nicht halten kannst. Die Zeit ist zu kurz, um eine Flucht in die Wege zu leiten. Das ist aussichtslos.«

Stefan erwiderte nachdenklich: »Es gibt Wörter, hinter denen kann man sich wunderbar verstecken. Eine Art Alibi-Wörter. Sie entheben einen von vornherein jeder Anstrengung und verschaffen einem dazu noch ein gutes Gewissen.«

»Aber der Verstand sagt dir −«, begann Anne.

Er unterbrach sie: »Bleib mir mit diesem dürftigen Argument vom Leibe. Der Verstand kann dir richtig raten und dich doch in Schuld führen. Sein Licht erleuchtet nicht das Gewissen. Er steht der Bewegung des Herzens entgegen. Er verdunkelt das Gefühl der Solidarität. Er rät dir ab, über das Wasser zu gehen.«

Er suchte nach Worten, die sie überzeugten. Worte? Er dachte einen Augenblick nach und sagte dann: »Warte, ich zeige dir etwas. Dann brauchst du dich nicht mehr zu fürchten.« Er holte den Paß aus dem Geheimfach und schlug ihn auf im Fensterlicht. Das Foto, dem sein scharfer Blick galt, zeigte ein kantiges Gesicht, mit dem wohl nicht gut Kirschen essen war. Es wuchs auf von dem eckigen Kinn über den schmallippigen Mund und die gerade, kräftige Nase hin zu der Stirn mit der eingekerbten senkrechten Falte, im oberen Drittel von zwei kurzen waagerechten durchschnitten. Ein paar flache, linsenförmige Warzen zeigten sich im Augenbereich. Die Augen selbst wirkten wach und nachdenklich zugleich – von mitfühlender Intelligenz.

Stefan reichte Anne den Paß. »Sieh dir das Foto an! Eine schwierige Arbeit, brillant ausgeführt. Wenn ich nicht wüßte, daß er gefälscht ist« – Anne fiel ihm ins Wort: »Aber Thomas trägt doch keine Brille.« »Stimmt«, gab er zurück. »Sie soll sein Aussehen ein wenig verändern. Und jetzt nimm mal die Lupe und guck dir die Unterschrift an!« »Hans Schmitt«, las sie. »Haargenau die geraden, eckigen Buchstaben, die Oberlängen besonders betont.« »Hm«, sagte er. »Wir können zufrieden sein. Der Paß ist wasserdicht.«

»Der Paß ist in Ordnung«, erwiderte Anne. »Aber ich habe dennoch Angst, daß das schiefläuft.« Sie zog fröstelnd die Schultern zusammen und fuhr fort: »Du weißt doch, jeder beobachtet heute jeden. Nichts als Späherblicke um dich herum: Hauswarte, Blockwarte, harmlos scheinende Bürger, deren Augen dich beschnüffeln, um selbst deine Gedanken aufzuspüren.« »Unsinn«, antwortete Stefan. »Niemand weiß mehr, als man ihm selber sagt. Bei den Parteigenossen bin ich gut angeschrieben. Mit vielen von ihnen hab ich die Schulbank gedrückt. Ich war ein prima Fußballspieler, aber sonst von jener halsbrecherischen Mittelmäßigkeit, die dich anderen sympathisch macht. Für die bin ich immer noch der nette Kerl, mit dem man nicht rechnen muß – einer, der sich auch im Leben nicht angestrengt hat, von der faulen Bank wegzukommen.«

»Aber –« sagte Anne.

»Ach was«, winkte er ab. »Laß all deine ›Aber‹ mal schwimmen. Ersäuf sie in der tiefsten Tiefe des Brunnens. Komm, ich zeige dir noch etwas.«

Er zog sie hinter sich her zu dem Bücherschrank und entnahm der tiefen Schublade unter den Regalen eine zusammengefaltete Manchesterhose, die sauber, aber gebraucht aussah. Dann kramte er einen pflaumenblauen Pullover hervor, der am rechten Ärmel, in der Gegend des Ellenbogens, eine gestopfte Stelle aufwies. Er griff nach einem Paar zusammengerollter grauer Stricksocken, die in schweren Stiefeln steckten. Die Nickelbrille war in einem billigen, leicht verkratzten Etui untergebracht. Stefan sagte: »Guck, das alles liegt für Thomas hier seit langem bereit. Alles trägt den Geruch eines anderen. Kein Hund wäre imstande, so ohne weiteres seine Spur zu wittern.«

»Ich habe trotzdem Angst«, beharrte Anne.

Stefan entgegnete ihr: »Du kennst mich. Ich bin keiner aus dem Stamm der Antigone. Ich dränge mich nicht zu großen Taten. Am Abend schlüpfe ich gern in meine bequemen Hausschuhe und freue mich, wenn sie nirgendwo drücken. Hab doch ein bißchen Vertrauen zu mir, daß ich die Sache deichsle. Thomas über die Grenze zu schaffen, ist überhaupt kein Problem. Ob nun Hans Schmitt mit mir fährt oder ein anderer, kann denen an der Grenze doch schnuppe sein.« »Aber es gibt Zufälle, die –« begann sie. Wieder unterbrach er sie: »Mach dir da mal keine Sorgen. Ich bin schon auf Draht.« »Trotzdem wird es dir schwerfallen, bei der Rückfahrt über die Grenze zu erklären, wo dein Beifahrer geblieben ist.« »Arme, alte Anne«, sagte Stefan. »Das ist geregelt. Ein anderer Hans Schmitt fährt mit zurück. Endlich zufrieden?«

Er starrte auf den schmalen Träger ihres ärmellosen hellblauen Leinenkleides, der ihr ein wenig über die Schulter gerutscht war. Plötzlich der Zeit enthoben, sieht Stefan Anne in einem Korbsessel auf der Veranda ihres Elternhauses sitzen. Sie hält ein Büschel blaugrüner Weintrauben hoch, jede einzelne betrachtend, ehe sie sie abpflückt. Die Sonne setzt Lichter auf ihr bastblondes Haar, ihr blaßfliederfarbenes Kleid mit den schmalen Trägern, von denen einer ihr über die Schulter gerutscht ist. Er steht da und starrt auf den kleinen kreisrunden schwarzen Fleck auf der linken Wange, der, an sich nicht schön, ihn entzückt. Duft reifer Himbeeren liegt in der Gartenluft, von der Sonne durchwärmt. Ein Wasserhahn tropft – tropft – tropft in die Stille, so langsam, daß die Zeit sich nicht bewegt – schlummert, träumt. Der wolkenwandernde Himmel, die träumerisch vertropfende Zeit, der sonnenwarme Himbeerduft – einen Augenblick atmet er Glück. Jetzt werden Annes Wangen für Zeitbruchteile von Wolkenschatten modelliert. So wird sie aussehen, wenn sie alt ist, denkt er voll Zärtlichkeit.

Er blickt Anne an. Er würde so gerne mit ihr alt werden.

Er dachte: Vielleicht kann doch ein anderer für mich einspringen. Kneifen? Wie schön das wäre! Wie schrecklich! Er wußte, daß er allein eingespielt war auf dieses Unternehmen, das Rettung hieß – Solidarität.

Er hörte Anne jetzt sagen: »Bleib bei uns, Stefan. Laß die Finger von der Sache.«

Stefan trat ans Fenster. Über die Gasse hinweg kreischte der Papagei. Ein paar Kinder spielten auf dem Bürgersteig Himmel und Hölle. Der Bäckerlehrling von Hubers fuhr, eine weiße Schürze über die ewig karierte Hose gebunden, auf dem Rad vorbei. Er pfiff aus Leibeskräften die Melodie aus einem Film, der gerade hier angelaufen war: Ich bin von Kopf bis Fuß auf Liebe eingestellt... und sonst gar nichts.

Stefan trat vom Fenster weg. »Überleg doch mal, Anne«, sagte er. »Wir können den Thomas doch jetzt nicht in der Tinte sitzen lassen. Wie Pilatus sagen: Was geht mich dieser Mensch an? Und hingehen und uns die Hände waschen. Zur Tagesordnung übergehen, als sei nichts geschehen.«

[...]

Anne stand da mit hängenden Schultern. Die Augen groß und dunkel. Das bastblonde Haar stumpf. Der kleine kreisrunde schwarze Fleck auf der Wange, der ihn entzückt hatte, plötzlich ein Makel in dem kalkigen Weiß der Haut. Er versuchte noch einmal, sich ihr veständlich zu machen, eine gemeinsame Sprache zu finden. Er sagte: »Wenn Werner und Ruth uns eines Tages fragen: Was ist mit unserem Vater geschehen? – sollen wir dann antworten: Wir wissen es nicht. Wir hätten ihn zwar retten können, aber wir haben nur an uns gedacht. So ist dieser gelbe Stern, der zu uns gehörte, verschollen. Wie du dann auch wünschtest, ihn zu retten: Es ist zu spät.«

Anne erwiderte: »Wenn ich mich auch schäme, ich will nicht, daß du dich in Gefahr begibst. Selbst wenn Thomas ohne deine Hilfe verloren sein sollte.«

Stefan verharrte einen Augenblick regungslos. Dann strich er sanft über ihr müdes Haar. Er sagte: »Du brauchst dich nicht zu schämen, Anne. Wir sind alle nicht aus dem Stamm der Antigone. Alle nur Zuschauer. Sonst sähe die Welt anders aus.« Sein Blick suchte ihre Augen. Aber sie schauten in eine andere Richtung. In der Stille hörte er ihr Herz mit harten, raschen Schlägen klopfen. In das angespannte Schweigen hinein sagte sie – und etwas wie Feindschaft stand in ihrem Blick: »Und ich bin dir« – Er unterbrach sie: »Sprich nicht weiter, Anne. Erst jetzt…« Er zögerte. »Ich habe dich noch nie so –« Wieder brach er den Satz ab. Sagte: »Wir erkennen alles zu spät.«

Die Sonne fiel längst nicht mehr in goldenen Schwaden ins Zimmer. Das Licht verdämmerte. Stefan öffnete das Fenster einen Spalt. Er roch und schmeckte die Luft – den Nebel. Er stand da. Breitbeinig. Die Arme hinter dem Rücken verschränkt. Die Straße war leer. Die Stadt rauchblau mit dem dichter werdenden Atem des Herbstes darin, der in weißen Schwaden wehte. Heute muß die Flucht geschehen, denkt er. Heute ist der richtige Zeitpunkt. Ich will den Nebel nutzen. Während er am Fenster stand, saß Anne in dem schweren Schweigen, das im Zimmer hing. Endlich stand sie auf und ging auf Stefan zu. Drückte den Kopf an seine Schulter. Fühlte über Stirn und Wangen die Wärme seines Atems. »Guck mal«, sagte er. »Da draußen braut sich ein Waschküchenwetter zusammen.« »Hm. Du wirst dich bald auf den Weg machen.« Stefan blickte sie an. Ihr Gesicht mit dem kleinen kreisrunden schwarzen Fleck auf der linken Wange hatte wieder Farbe bekommen. Stefan nickte ihr zu. Er packte die Sachen für Thomas zusammen und steckte seinen eigenen Paß und den, der auf Hans Schmitt lautete, in die Innentasche seines Regenmantels. Er blickte noch einmal in den Nebel hinaus. »Ich werde langsam fahren müssen«, meinte er. »Paß auf dich auf«, sagte Anne. Mehr wurde zwischen ihnen nicht gesprochen.

Stefan verließ das Zimmer. Anne hörte ihn die Treppe hinunterlaufen. Die Haustür fiel zu.

Anne sah vom Fenster aus, wie die Nebellampen des Lieferwagens einen mattgelben Schein warfen und sich langsam entfernten.

Djuna Barnes
So amerikanisch

In einer Demokratie ist es immer von Nutzen, wenn man ein wenig französisch ist in der Kleidung, ein wenig italienisch im Schmuck, ein wenig englisch im Benehmen und ein wenig russisch im Denken. Schließlich macht einen das so amerikanisch!

[Aus dem Amerikanischen von Inge von Weidenbaum]

Maria Schönfeld / Henry Ries
Sie sind Menschen wie du und ich. Basta

Im August 1924 nahm ich eine Stellung an als Hausdame und Erzieherin bei einer jüdischen Familie in der Meinekestraße in Berlin. Das jüngste Kind, Steffi, war gerade geboren, und die Eltern brauchten jemanden, der sich nicht nur um Mutter und Tochter kümmerte, sondern auch um die zwei Jungs, den zehnjährigen Kurt und seinen siebenjährigen Bruder Heinz.

Die zwei Jungen waren mir einfach zu ›wohlerzogen‹, zu penibel und sauber, zu ›vornehm‹ mit ihren Dutzenden von Anzügen, zu sehr Muttersöhnchen in Gegenwart der Eltern. Da Jungs von Natur aus frech und draufgängerisch sind – und meiner Ansicht nach sein sollen –, versuchten sie sich für die etwas zu strengen, aber sehr liebevollen Erziehungsmethoden der Mutter bei mir zu entschädigen. Wahrscheinlich hatten sie bereits bei meinen diversen Vorgängerinnen ähnliches unternommen – bei der Klavierlehrerin, ›Mademoiselle‹, Köchin, beim Dienstmädchen und auch bei fünf früheren ›Verzieherinnen‹.

Mit mir haben sie's nicht geschafft. Wenn sie so auf ganz sauber nach Hause zottelten, jagte ich sie erst mal aus der Tür, ›rauft euch 'n bißchen rum, ihr seid doch keine Mädels!‹ Wenn der Heinz jammerte, weil sein Bettzeug nicht glatt und ohne Falten auf ihm lag, und dann noch anfing zu heulen, da habe ich mit meinen Fäusten erst mal das ganze Bett verwurstelt. Und als er einmal auf einen Baum im Tiergarten kletterte und schrie, ich sollte ihm runterhelfen, da habe ich mich gar nicht umgedreht, den Kinderwagen mit der Steffi weitergeschoben und zurückgerufen: ›Bist raufgeklettert, da kannste auch runterklettern.‹ Abends spielten wir ›über die Betten‹ – ich in meiner Unterwäsche, die Jungs in Nachthemden –, so sprangen wir über die Betten und rasten im Kreis durchs Schlafzimmer, die Jungs hinterher, um mich zu erwischen, bis beide todmüde ins Bett sanken, ohne sich über Falten in der Bettdecke zu beklagen.

Bloß manchmal beklagte sich die Mutter, daß wir zuviel Krach machten. Von den Mietern unter uns ganz zu schweigen. Und statt ›Fräulein‹ wurde ich für die Jungs ihr ›Fräuchen‹, bald auch für die ganze Familie, und ich bin's heute noch.

Ich bin katholisch – also nicht mehr besonders religiös oder in der Kirche –, fühlte mich aber bald sehr wohl in dieser liberalen, auch gar nicht frommen jüdischen Familie. Gott, wenn ich an die Weihnachtstage denke! Die fingen immer eine Woche vorher damit an, daß der Vater mit den zwei Jungen einen immer zu großen, schönen Weihnachtsbaum vom Kurfürstendamm schleppte, den die Mutter und ich schmückten. Und wurde der geschmückt! Da hing alles dran, was man sich nur vorstellen kann – das Christkind natürlich nicht.

Heiligabend kamen die Großeltern, ›Oh, Tannenbaum‹ wurde aufs Grammophon gelegt, und dann kam die Bescherung. Manchmal glaubte ich, es sei wirklich zuviel des Guten, zu viele Baukästen, zuviel Schokolade und Marzipan, zuviel Verwöhnung. Und am Weihnachtstag wiederholte sich das Ganze bei ›Omutti und Opapi‹, bei den Großeltern in ihrer Riesenwohnung in der Budapester Straße, gegenüber dem Elefantentor vom Berliner Zoo. Aber jetzt versammelte sich die ganze ›Mischpoke‹, wie sie sagten – die drei Töchter, zwei Schwiegersöhne und sieben Enkelkinder saßen am langen Tisch im Eßzimmer. Es gab Nudelsuppe mit Kräppchen, Karpfen mit Beilagen, diverse Kuchen und Torten mit Schlagsahne – alles in der Riesenküche von Amanda vorbereitet und gebacken. Im Kreis der Familie in dieser Gegend von Berlin verspürten wir wenig von dem verlorenen Krieg, von Inflation und Deflation, von Demonstrationen und Streiks, von Straßenschlachten zwischen Kommunisten und Nazis. Wir sahen und hörten nichts. Wir kümmerten uns auch nicht darum.

Außerdem hatte ich genug zu tun. Nicht nur machten mir die Jungs und die kleine Steffi genug Arbeit, ich hatte auch bald die Köchin und das Dienstmädchen zu beaufsichtigen. Und langsam nahm ich auch teil an privaten Familienproblemen.

Diese Probleme wuchsen in Tempo und Bedeutung 1927 nach dem Tod des Großvaters, des strengen, von seinen Töchtern verehrten, von den Schwiegersöhnen gefürchteten, von den Enkeln bewunderten Herrn Robert Wiener. Für mich war er etwas zu preußisch-tyrannisch. Dann starb 1928 die älteste Enkelin nach 15 Jahren Kinderlähmung. 1929 erschoß sich ein Schwiegersohn, weil seine Firma Pleite gemacht hatte. Und 1930 – nach drei Jahren in diversen Sanatorien und unter der Obhut herausragender Ärzte und Psychiater – wurde die Mutter von Kurt und Heinz und der kleinen Steffi auf dem Grab ihres Vaters gefunden. Sie hatte Veronal genommen und wurde nicht weit von ›Opapi‹ begraben.

Jetzt mußte ich nicht nur den Haushalt vollständig übernehmen, sondern auch die Verbindung zu den anderen Mitgliedern der Familie halten – und die besonders große Verantwortung für ›meine Kinder‹. Beide Jungs waren zu der Zeit im Gymnasium, und die sechsjährige Steffi war auf einer Privatschule. Der Vater war meistens auf Geschäftsreisen und überließ mir fast alle Entscheidungen.

Drei Jahre später kamen Krisen, die wir unterschätzten, und neue Gesetze, die wir als vorübergehend betrachteten. Meine Einstellung gegenüber deutschen Juden kann ich leicht und kurz beschreiben: Sie waren Menschen wie du und ich. Basta. Ich liebte ›meine‹ Kinder und verehrte ganz besonders die alte Dame, diese so verantwortliche ›Omutti‹ – obwohl ich sie immer nur als ›Frau Wiener‹ ansprach. Für sie fuhr ich im Nachtzug nach Amsterdam, um Geld für ihren Sohn nach Argentinien über die Grenze zu schmuggeln. Ich versuchte, Tante Hedi zu beruhigen, die so aufgeregt war, weil ihre Tochter ein Verhältnis mit dem Tenor Richard Tauber hatte. Kurt mußte ich zum Arzt schleppen, damit er seinen Tripper los wurde, und den Heinz zum Direktor des Gymnasiums, weil der Junge wieder zu viele Dummheiten und Streiche in der Klasse gemacht hatte – und noch dazu als Jude. Tante Elli beklagte sich über ihren Sohn Hans, der sich in Betrug auszeichnete. Also, doch eine normale Familie, aber kaum normale Zeiten.

Langsam verlor ich meine Familie. Zuerst die Männer. Ellis Sohn Hans war bereits verschwunden, entweder nach Spanien oder Mittelamerika – oder vielleicht wegen Betrugs in irgendeinem Gefängnis. 1936 emigrierte Kurt mit dem anderen Cousin nach Brasilien. Heinz war der nächste; er ging 1938 nach Amerika. Im Sommer 1939 folgte der Vater, für den Heinz ein Visum besorgt hatte. Und als der Krieg ausbrach, waren wir Frauen allein in Berlin – Omutti,

Tante Hedi und Tante Elli, und meine 15jährige Steffi. Ich versuchte, sie moralisch und wirtschaftlich zu stützen, Lebensmittelkarten zu bekommen, die brutale Gewalt der Gesetze zu mildern. Ein Freund bei der Polizei half mir. Anfang 1941 gelang es Heinz mit Hilfe der Quäker, mein Lieblingskind in einem plombierten Zug über Paris, Madrid und Lissabon nach New York zu bringen. Der 13. Februar brachte meinen schwersten Abschied. Aber zumindest war dem Kind der gelbe Stern erspart geblieben, den Juden ein halbes Jahr später tragen mußten.

Was soll ich große Reden halten über Krieg, Zerstörung, Juden, Verfolgung, Hunger, Sorgen, Grausamkeiten. Das ist ja alles tausende Male gesagt und geschrieben worden. Trotzdem kann man's nicht beschreiben. Omutti und Tante Hedi wurden am 15. November 1943 abgeholt; ich suchte sie noch auf im Sammellager in der Rotenstraße, bevor sie nach Theresienstadt abtransportiert wurden. Sie überlebten nicht. Auch Tante Elli schaffte es nicht, obwohl es ihr gelungen war, ihre Möbel zu retten. Die lagen jahrelang bei einer Spedition in Zürich. So brauchte niemand mehr meinen Rat und meine Liebe. Aus meinen Kindern waren Briefe und Fotos geworden und dann Schweigen. Ohne Familie und ohne Post – so verließ ich Berlin.

Ich fand eine Stelle als Haushälterin bei einem älteren Herrn in Bingen. Er war ein pensionierter Ingenieur, der sich oben auf dem Rochusberg gegenüber dem katholischen Kinderheim ein Haus hatte bauen lassen, von wo er auf ›seine‹ Brücke über den Rhein schauen konnte. Da war ›sein‹ Kind. Es war ein ruhiges, etwas einsames Leben oben auf dem Berg. Manchmal besuchte ich eine der Schwestern im Heim. Unten in der Stadt raste der Krieg. Fast verschwand Bingen im Schutt.

Auf einmal hieß es: ›Die Amis kommen!‹ Sofort hängte ich weiße Laken aus allen Fenstern, und alles ging so schnell, ich kann's gar nicht beschreiben. Und jeden amerikanischen Soldaten fragte ich, ob er meinen Sohn aus New York vielleicht kenne. Das war natürlich 'ne dumme Frage, aber ich lachte und weinte nur. Außerdem hätte mein Junge doch dabei sein können.

Ruhe herrschte jetzt in den Trümmern, Unruhe in meinem Herzen. Was ist aus meinen Kindern geworden? Immer noch keine Post, und wir hatten hier oben kein Telefon. Funktioniert hätte es sowieso nicht. Und sie wußten sicherlich gar nicht, ob und wo ich lebe. Es war der 29. Juni '45, ein milder Freitag so gegen 11.00 Uhr, da klingelte es. Ich war oben beim Putzen, schob die Gardine beiseite, machte das Fenster auf und fragte die Schwester am Gartenzaun, was denn bloß los sei. ›Ja, Fräulein Schönfeld, seien Sie jetzt bitte nicht zu aufgeregt…‹ Ich hörte nichts weiter, stolperte die Stufen runter, riß die Haustür auf, raste zum Gartentor und schrie: ›*Wo ist er?*‹«

Dieser ›Er‹ war ich. Obwohl ich oft und lange mit Fräuchen über die Vergangenheit gesprochen habe, dieses Interview hat nicht stattgefunden. Aber so hätte sie es erzählen können, denn alles beruht auf Wahrheit.

Ich hatte erfahren, daß Fräuchen nach Bingen gezogen war, hatte aber keine Anschrift und wußte nicht, ob sie noch am Leben war. Kurz nach Ende des Krieges bat ich meinen Colonel um Familienurlaub, flog von London nach Frankfurt, und »hitch-hikte« nach Bingen. Aber wie findet man einen Menschen, ohne dessen Adresse zu kennen, in einer völlig zerbombten Stadt, wo auch die Polizeiwache eine Ruine unter Ruinen war? Ratlos stand ich auf der staubigen Hauptstraße, als eine schwarzgekleidete katholische Schwester vorbeikam. Ich machte mir Mut und fragte, ob sie vielleicht ein Fräulein Maria Schönfeld kenne. Worauf sie mich mit immer größer werdenden Augen sprachlos anstarrte, bis sie flüsterte, als sei sie im Schock: ›Sie sind ihr Sohn.‹

Auf dem Weg zum Rochusberg hinauf erzählte sie, wie Fräuchen fast eigenmächtig Berg und Stadt »unseren Rettern« übergeben hatte, daß sie recht abgemagert und gealtert sei und daß sie oft von ihren drei Kindern spreche: »Und der Heinz wird eines Tages in amerikanischer Uniform zu mir kommen.«

Kurz vor dem Haus versteckte ich mich. Ich fürchtete, ein plötzliches Wiedersehen könnte sie zu sehr aufregen. Hinter einer dicken deutschen Eiche fand ich mein Versteck, und in dem Moment fiel mir ein, wie sehr Fräuchen Siegfried liebte und wie herzlich sie über mein theatralisches Auftauchen lachen würde. Wir hatten sie ja auch immer so liebend gerne veräppelt wegen ihres Wagner-Fimmels.

Das schrille Hausklingeln holte mich aus meinen Träumen. Eine abgemagerte, weißhaarige ältere Frau erschien oben im Fenster. »Was ist denn los?« Ich hörte beruhigende Worte der Schwester, lautes, schnelles Klappern von Schuhen, die knarrende Haustür, den Schrei: »*Wo ist er?*«

Nach sieben langen Jahren lag ich lange in den Armen meines schluchzenden Fräuchens, einer katholischen Deutschen, die meine jüdische Familie bis zum Ende beschützt und betreut hatte. Aber nie hätte sie erwähnt, daß sie sich selbst in Gefahr gebracht hatte, zum Beispiel, wie sie mich schnell versteckte, als ein Anruf in unserer Wohnung mich wegen »Rassenschande« verleumdete, und wie sie dann die Polizei anfauchte, daß die sich um wichtigere Sachen kümmern sollten, und außerdem sei der Junge sowieso nicht zu Hause. Oder daß sie während der Bombenangriffe in Berlin nicht in den Luftschutzkeller im Haus ging, weil der für Steffi, für das »Judenkind« verboten war. Oder wie sie sich um Omutti und die Tanten bis zum Ende kümmerte, obwohl selbst kleine Freundschaftsdienste für Juden den »Ariern« verboten waren.

Sie verachtete das Regime, sie achtete den Menschen, sie rettete unser Leben. Das war unser Fräuchen.

Sevim Yüzgülen [10 Jahre]
Fliegengeschichte

Eine Fliege ist zu einem Mädchen geflogen. Das Mädchen wollte
gerade ins Klo gehen.
Das Mädchen ging ins Klo rein, die Fliege ist dabei.
Das Mädchen ist eine Deutsche und die Fliege ist eine Kurdische.
Die passen nicht zusammen.
Da setzte sich das Mädchen auf das Klo.
Natürlich guckte die Fliege nicht hin, weil sie doch eine kurdische
Fliege ist.
Das Mädchen hieß Anna.
Und die kurdische Fliege hieß Eko.
Die Anna entdeckte den Eko und verliebte sich.
Dann sagte sie: »Warum schämst du dich?« »Ayp kig.«
Anna antwortete: »Ich kann kein Türkisch.«
Sie nahm die Fliege in ihre Hand, küßte sie und sie verliebten sich.
Und danach heirateten sie.

IN ꓘEDEW HERꙄ

Stefan Wewerka

IST PLATZ FÜR

MILLIONEN AND

ERER HERZEN i

Katharina Schubert
Die Fluchthelfer vom Forsthaus

Das Forsthaus auf dem Foto sieht aus wie ein Hexenhaus. Einsam liegt es mitten im Wald.

»Vor einigen Jahren haben sie es abgerissen und einen Parkplatz gebaut, damit die Skiläufer gleich vom Auto auf die Loipe fallen.«

Der Mann, der als Kind dort mit Eltern und Geschwistern gelebt hat, sagt das heute noch mit Empörung. Neben ihm auf dem Sofa sitzt seine Schwester Ursula. Beide erzählen temperamentvoll, als hätten sie nur darauf gewartet, danach gefragt zu werden.

Ihr Vater hatte einen Bauernhof und arbeitete im Wald als Forstarbeiter.

Josef und Ursula waren damals neun und acht Jahre alt. Sie paßten auf die jüngeren Geschwister auf, halfen im Stall und auf dem Feld.

Dietrich und Felix fahren mit dem Geschwisterpaar an die Grenze. Der Mann erzählt.

»Da drüben lag unsere Wiese, mitten im Grenzgebiet. Normalerweise durfte sich niemand dort aufhalten. Aber in der Erntezeit bekamen wir eine Sondergenehmigung.«

Seine Schwester fällt ihm ins Wort.

»Das muß im Juni 1938 gewesen sein. Zur Heuernte. Wir kamen mit dem Vater von der Wiese, waren auf dem Heimweg. Die Sonne stand schon ziemlich tief. Die Ochsen trödelten wieder einmal. Josef und ich lagen oben auf dem Wagen im Heu. Als wir an der Zollstation vorbeifuhren, sahen wir dort ein Ehepaar mit zwei Kindern stehen. Die Zöllner nahmen ihnen die Pässe ab. Sie mußten die Koffer öffnen. Einer kippte den Inhalt auf den Boden. Der andere tastete die Leute ab. Alles, was er in ihren Taschen fand, selbst die Taschentücher, warf er auf die Erde.

Die Frau bat darum, ihnen Waschzeug und Kindersachen zu lassen. Doch die Zöllner waren unerbittlich.

Als es nichts mehr gab, was sie ihnen hätten wegnehmen können, zündeten die Männer die Sachen an.

Die Frau und die Kinder weinten. Einer der Zöllner ging auf das kleine Mädchen zu, nahm ihm die Puppe, die es im Arm trug, weg und warf sie ins Feuer. Das Kind schrie. Wollte zum Feuer laufen. Doch der Vater hielt es zurück.

Solche Gemeinheiten vergißt man nicht, auch wenn man erst acht Jahre ist. Mir war so, als ob der mir meine Puppe weggenommen hätte.«

Gemeinsam fahren sie zu dem Platz, an dem früher das Forsthaus stand.

Der Mann zeigt ihnen ein kleines Ölbild. »Unser Onkel hat es gemalt, bevor sie es abgerissen haben.«

Felix gefällt das Bild. Aber er kann sich nicht vorstellen, daß das Haus hier gestanden haben soll.

»Früher gab es diese Straße noch nicht. Ringsum war nur Wald und Vogelgezwitscher. Ein paar hundert Meter weiter lag ein Grenzübergang. Die Zöllner, die dort arbeiteten, waren meist aus den umliegenden Dörfern. Mit vielen war der Vater schon in die Schule gegangen.«

Die Geschwister erinnern sich, daß vom Sommer 1938 an häufiger fremde Leute vor der Tür standen und ihren Vater baten, sie über die Grenze zu bringen.

Nach der Reichspogromnacht, im November 1938, kamen sie jede Nacht. Juden aus allen Teilen Deutschlands, die nun um ihr Leben fürchteten.

»So viel Trubel hatten wir noch nie erlebt. Aber es gefiel uns. Wir hatten doch sonst keine Abwechslung. Daß es gefährlich war, wußten wir. Und wir fanden es spannend.«

Die Schwester nickt zustimmend.

Einmal erlebten sie, wie zwei ältere Frauen in Pelzmänteln kamen. Die Mutter bat sie, die Mäntel auszuziehen. Doch sie konnten nicht. Hatten nichts drunter.

Es waren Schwestern. Die eine war nachts wachgeworden. Guckte aus dem Fenster und sah, wie ein PKW mit Gestapoleuten und ein LKW mit SA die menschenleere Straße entlangfuhren. Sie weckte die Schwester.

Beide hörten, wie eine Familie aus dem Haus nebenan auf den LKW getrieben wurde.

Ihnen blieb keine Zeit, sich anzuziehen. Hastig griffen sie ihre Mäntel, die Handtaschen, schlüpften ohne Strümpfe in die Schuhe und liefen die Treppe runter. Über den Hinterhof gelangten sie auf die andere Straße.

Auf dem Hof hörten sie, wie die Männer an ihre Tür klopften und riefen: »Aufmachen! Geheime Staatspolizei!«

Nun saßen sie im Forsthaus, in Nachthemd und Pelzmantel.

»Die Mutter hat ihnen alte Kleider und eine Nähmaschine gegeben.«

Die Schwester schüttelte den Kopf. »Als ob das alles erst gestern gewesen wäre.«

Der Mann bittet Dietrich anzuhalten. Er steigt als erster aus. »Das war damals hier eine Tannenschonung. Die Bäume waren höchstens drei Meter hoch.«

Felix überlegt, wie hoch sie heute sind. Zwanzig, vierzig Meter? Er weiß es nicht, kann nur raten.

»Waren acht bis zehn Flüchtlinge zusammen, machte sich der Vater mit ihnen auf den Weg. Nachts, versteht sich. Er nahm ein Seil. Daran mußten sich die Leute festhalten. Sie gingen durch die Tannenschonung bis dorthinten hin.«

Er zeigt auf eine Lichtung.

»Da warteten die belgischen Helfer und übernahmen die Flüchtlinge. Nie wurde derselbe Weg zweimal benutzt. Aus Angst, der Gestapo könnte es gelungen sein, Spitzel unter die Flüchtlinge zu schmuggeln.«

Felix will wissen, ob sie es irgendwann mal geschafft haben.

»Nein. Gott sei Dank nicht.«

Eines Nachts sollte eine große Flüchtlingsgruppe nach Belgien geschleust werden. Dieses Mal führte der Weg durchs Venn, ein gefährliches Sumpfgebiet. Fremde hatten hier allein keine Chance.

Der Vater lief an der Spitze, das Seil in der Hand.

Hinter ihm, aufgereiht wie zum Gänsemarsch, fünfzehn Leute.

Kleine Kinder wurden von ihren Vätern getragen.

Als letzter ging Sohn Josef.

»Ich erinnere mich noch genau an eine dicke Frau. Wir kamen an ein großes Wasserloch. Da half nur: Anlauf nehmen, Augen zu und rüber. Der Vater machte es vor. Schließlich kam die dicke Frau an die Reihe. Sie nahm Anlauf, sprang. Es machte platsch, und sie lag im Wasser. Unser Vater und ein junger Mann versuchten, sie rauszuziehen. Aber die war so schwer, daß sie beide zu sich ins Wasser zog.«

Felix kann nicht mehr. Er prustet los. Als er Dietrichs Blick sieht, hört er sofort auf, schämt sich für sein Lachen.

»Das muß dir nicht peinlich sein«, sagt der Mann. »Damals haben wir auch gelacht. Sogar die Dicke. Und für einen kurzen Augenblick verlor jeder seine Angst.«

»Wie sind sie dann rausgekommen?« will Felix wissen.

»Unser Vater und der Mann schoben. Zwei andere zogen die Frau von draußen. Natürlich haben sie danach sehr gefroren. Wir hatten Herbst. Es war noch kühler als heute.«

Im Winter, kurz vor Weihnachten, versuchte der Vater ein junges Ehepaar mit zwei Kindern über die Grenze zu bringen. Eine Streife bemerkte die Flüchtlinge.

Es gelang ihnen, sich in einer Tannenschonung zu verstecken. Die Kinder waren erkältet. Sie husteten. Die Zöllner kamen näher. Die Eltern hielten den Kindern den Mund zu.

Sie hatten Glück. Ihre Verfolger machten kehrt.

Jetzt erst merkten die Eltern, daß ihre Kinder fast erstickt wären. Völlig verzweifelt liefen sie ins Forsthaus zurück. Es war bereits der dritte gescheiterte Fluchtversuch.

»Eines Morgens, der Vater wollte zur Arbeit in den Wald gehen, stand die junge Frau vor der Tür und fragte, ob er eine Waffe habe. Ja, er hatte ein Gewehr.

Sie bat ihn, ihre Familie zu erschießen. Es habe keinen Sinn mehr. Irgendwann würden die Nazis sie sowieso fangen. Der Vater erschrak. Er bat die Frau, sich zu beruhigen. Bei Gott, wenn sie schon nicht an sich denke, dann doch wenigstens an die Kinder. Die hätten ein Recht darauf zu leben. Die Frau fragte, ob Gott an die Kinder gedacht habe, als er das große Unrecht zuließ, das den Juden geschah.

Der Vater versprach, daß der nächste Fluchtversuch gelingen würde. Ein viertes Mal müßten sie nicht mit zurück ins Forsthaus.

In der folgenden Nacht brachte er die Familie sicher über die Grenze.«

Immer neue Geschichten fallen ihnen ein. Jeden zweiten Mittwoch im Monat mußten die Flüchtlinge um 19.00 Uhr in den Keller. Dort durften sie sich nicht rühren. Eine halbe Stunde später kamen die Zöllner vom benachbarten Grenzübergang und spielten mit dem Vater Karten.

»Solange wir denken konnten, gab es diese Skatabende. Die einheimischen Zöllner waren nicht so gefährlich. Die wollten nichts wissen«, erzählt der Mann.

Seine Schwester ergänzt. »Aber die fremden Zöllner. Deshalb mußten Josef und ich beim Vater in der Küche bleiben und aufpassen, daß er nicht zuviel trank, sich nicht verquatschte. Wir haben den Zöllnern die Gläser schnell wieder voll gegossen und dem Vater nur wenig gegeben. Manchmal auch seinen Schnaps in den Blumentopf gekippt.«

Nach einiger Zeit kamen laute Gesänge aus der Küche. Nicht selten wurden auch Nazilieder gegrölt. Das versetzte die Flüchtlinge im Keller in Angst.

Doch für den Vater waren diese Skatabende wichtig. Die Zöllner schöpften keinen Verdacht. Und er hatte die Möglichkeit zu erfahren, wer wann und wo Streife lief und welche Sonderaktionen geplant waren. Danach konnte er seine Fluchtrouten besser planen.

Trotz aller Vorsicht wurden immer mehr Leute an der Grenze gefaßt. Auch der Vater von Ursula und Josef bekam Angst. Wollte eigentlich nicht weitermachen, um Frau und Kinder nicht zu gefährden. Doch fast jeden Abend standen Flüchtlinge vor der Tür und baten um Hilfe.

»Da war so viel Hoffnung in ihren Augen«, sagt die Schwester. »Ein Mann bat: ›Sie haben unseren Verwandten geholfen, bitte bringen Sie uns auch rüber!‹ Und der Vater hat nie jemanden abgewiesen. Nie. Wir haben sie nicht gezählt. Aber es waren sehr, sehr viele, die er nach Belgien gebracht hat.«

Der Bruder nickt zustimmend. Noch heute sind die beiden stolz auf ihren Vater.

»Wie haben Sie die vielen Menschen ernährt?« fragt Dietrich.

»Das ging nur, weil wir die Landwirtschaft hatten, also Selbstversorger waren. Geld, um einzukaufen, hatten die Eltern nicht. Und den meisten Flüchtlingen hatte man auch alles abgenommen, bevor sie hierher kamen. Ein einziges Mal hab' ich gesehen, wie ein Mann dem Vater etwas geben wollte. Der Vater sagte: ›Bisher habe ich von niemandem etwas genommen. Ich nehme auch von Ihnen nichts.‹
Kurz nach Kriegsbeginn wurde der Vater zu seinem Vorgesetzten bestellt. Der forderte ihn auf, Mitglied der Nazipartei zu werden. Sollte er sich weigern, müßte er als Soldat an die Front. Er überlegte nicht lange und lehnte ab. Mit den Nazis wollte er nichts zu tun haben.
Wenige Wochen später brachte der Briefträger den Einberufungsbefehl. Die Mutter bat Josef: ›Geh zum Vater. Bring ihm den Wisch. Er ist im Wald, Holz schlagen.‹
Als der Vater den Brief las, schlug er die Axt so fest in den Baum, daß der Stiel zerbrach.«
Vor Felix liegt ein Foto von Josefs und Ursulas Vater in Soldatenuniform.
»Hat er nach dem Krieg einen Orden bekommen, weil er so viele Menschen gerettet hat?«
»Wo denkst du hin. Niemand hat sich dafür interessiert.«
»Warum nicht?« Felix läßt nicht locker.
Der Mann denkt nach. Sieht seine Schwester an. Die zuckt mit den Schultern.
Auch Dietrich sitzt ruhig auf seinem Platz und sieht die anderen an. Dann sagt er: »Vielleicht ist es ganz einfach. Wären die wenigen, die den Juden damals in ihrer Not geholfen haben, geehrt worden, hätten die vielen anderen ganz schön dumm dagestanden, die sich immer mit ›Man konnte ja doch nichts tun‹ rausgeredet haben.«

VÖLKER-FREUNDSCHAFT

♡ JETZT! ♡

Ernst Kahl

Hilde Domin
Wen es trifft

Wen es trifft,
der wird aufgehoben
wie von einem riesigen Kran
und abgesetzt
wo nichts mehr gilt,
wo keine Straße
von Gestern nach Morgen führt.
Die Knöpfe, der Schmuck und die Farbe
werden wie mit Besen
von seinen Kleidern gekehrt.
Dann wird er entblößt
und ausgestellt.
Feindliche Hände
betasten die Hüften.
Er wird unter Druck
in Tränen gekocht
bis das Fleisch
auf den Knochen weich wird
wie in den langsamen Küchen der Zeit.
Er wird durch die feinsten
Siebe des Schmerzes gepreßt
und durch die unbarmherzigen
Tücher geseiht,
die nichts durchlassen
und auf denen das letzte Korn
Selbstgefühl
zurückbleibt.
So wird er ausgesucht
und bestraft
und muß den Staub essen

auf allen Landstraßen des Betrugs
von den Sohlen aller Enttäuschten,
und weil Herbst ist
soll sein Blut
die großen Weinreben düngen
und gegen den Frost feien.

Manchmal jedoch
wenn er Glück hat,
aber durch kein kennbares
Verdienst,
so wie er nicht ausgesetzt ist
für eine wißbare Schuld,
sondern ganz einfach weil er zur Hand war,
wird er
von der unbekannten
allmächtigen Instanz
begnadigt
solange noch Zeit ist.
Dann wird er wiederentdeckt
wie ein verlorener Kontinent
oder ein Kruzifix
nach dem Luftangriff
im verschütteten Keller.
Es ist als würde eine Weiche gestellt:
sein Nirgendwo
wird angekoppelt
an die alte Landschaft,
wie man einen Wagen
von einem toten Geleis
an einen Zug schiebt.
Unter dem regenbogenen Tor
erkennt ihn und öffnet die Arme
zu seinem Empfang
ein zärtliches Gestern
an einem bestimmbaren Tag des Kalenders,
der dick ist mit Zukunft.

Keine Katze mit sieben Leben,
keine Eidechse und kein Seestern,
denen das verlorene Glied
nachwächst,
kein zerschnittener Wurm
ist so zäh wie der Mensch,
den man in die Sonne
von Liebe und Hoffnung legt.
Mit den Brandmalen auf seinem Körper
und den Narben der Wunden
verblaßt ihm die Angst.
Sein entlaubter
Freudenbaum
treibt neue Knospen,
selbst die Rinde des Vertrauens
wächst langsam nach.
Er gewöhnt sich an das veränderte
gepflügte Bild
in den Spiegeln,
er ölt seine Haut
und bezieht den vorwitzigen
Knochenmann
mit einer neuen Lage von Fett,
bis er für alle
nicht mehr fremd riecht.
Und ganz unmerklich,
vielleicht an einem Feiertag
oder an einem Geburtstag,
sitzt er nicht mehr
nur auf dem Rande
des gebotenen Stuhls,
als sei es zur Flucht
oder als habe das Möbel
wurmstichige Beine,
sondern er sitzt
mit den Seinen am Tisch
und ist zuhause

und beinah
sicher
und freut sich
der Geschenke
und liebt das Geliehene
mehr als einen Besitz
und jeder Tag
ist für ihn
überraschendes Hier,
so leuchtend leicht
und klar begrenzt
wie die Spanne
zwischen den ausgebreiteten
Schwungfedern
eines gleitenden Vogels.

Die furchtbare Pause
der Prüfung
sinkt ein.
Die Schlagbäume
an allen Grenzen
werden wieder ins Helle verrückt.
Aber die Substanz
des Ich
ist so anders
wie das Metall, das aus dem Hochofen kommt.
Oder als wär er
aus dem zehnten oder zwanzigsten Stock
– der Unterschied ist gering
beim Salto mortale
ohne Netz –
auf seine Füße gefallen
mitten auf Times Square
und mit knapper Not
vor dem Wechsel des roten Lichts
den Schnauzen der Autos entkommen.
Doch eine gewisse Leichtigkeit

ist ihm
wie einem Vogel
geblieben.

*

Du aber
der Du ihm
auf jeder Straße begegnest,
der Du mit ihm
das Brot brichst,
bücke Dich und streichle,
ohne es zu knicken,
das zarte Moos am Boden
oder ein kleines Tier,
ohne daß es zuckt
vor Deiner Hand.
Lege sie schützend
auf den Kopf eines Kinds,
lasse sie küssen
von dem zärtlichen Mund
der Geliebten,
oder halte sie
wie unter einen Kranen
unter das fließende Gold
der Nachmittagssonne,
damit sie transparent wird
und gänzlich untauglich
zu jedem Handgriff
beim Bau
von Stacheldrahthöllen,
öffentlichen
oder intimen,
und damit sie nie,
wenn die Panik
ihre schlimmen Waffen verteilt,
»Hier« ruft,

und nie
die große eiserne
Rute zu halten bekommt,
die durch die andere Form
hindurchfährt
wie durch Schaum.
Und daß sie Dir nie,
an keinem Abend,
nach Hause kommt
wie ein Jagdhund
mit einem Fasan
oder einem kleinen Hasen
als Beute seines Instinkts
und Dir die Haut
eines Du
auf den Tisch legt.

Damit,
wenn am letzten Tag
sie vor Dir
auf der Bettdecke liegt,
wie eine blasse Blume
so matt
aber nicht ganz so leicht
und nicht ganz so rein,
sondern wie eine Menschenhand,
die befleckt
und gewaschen wird
und wieder befleckt,
Du ihr dankst
und sagst
Lebe wohl,
meine Hand,
Du warst ein liebendes
Glied
zwischen mir und der Welt.

Amos Oz
Frieden und Liebe und Kompromiß
Rede anläßlich der Verleihung des Friedenspreises des Deutschen Buchhandels 1992

Der Prophet Jesaja sagt: »Denn schon erschaffe ich einen neuen Himmel und eine neue Erde... Denn ich mache aus Jerusalem Jubel und aus seinen Einwohnern Freude... Wolf und Lamm weiden zusammen, der Löwe frißt Stroh wie das Rind, doch die Schlange nährt sich von Staub. Man tut nichts Böses mehr und begeht kein Verbrechen auf meinem ganzen Heiligen Berg, spricht der Herr« (Jesaja 65,17–18,25).

Neben diesem himmlischen Frieden handelt die Bibel auch vom zeitlichen, prosaischen Frieden: »Da sagte Abraham zu Lot (seinem Neffen): Zwischen mir und dir, zwischen meinen und deinen Hirten soll es keinen Streit geben; wir sind doch Brüder. Liegt nicht das ganze Land vor dir? Trenn dich also von mir! Wenn du nach links willst, gehe ich nach rechts; wenn du nach rechts willst, gehe ich nach links« (Genesis 13,8–9).

Und dies ist meiner Meinung nach das Modell eines pragmatischen Friedens in einer unvollkommenen Welt: Gerade damit Menschen weiterhin miteinander brüderlichen Umgang pflegen, ist es manchmal notwendig, ihre jeweiligen Gebiete abzugrenzen. Während wir nach einer Vereinigung in Liebe streben, müssen wir gleichwohl den von unserer menschlichen Endlichkeit gesetzten Grenzen Rechnung tragen.

Meine Damen und Herren, vor 144 Jahren versammelten sich mehr als 500 Menschen in dieser Paulskirche, um ein demokratisches Deutschland zu schaffen. Wäre ihnen Erfolg beschieden gewesen, hätte nicht nur das Schicksal Deutschlands und Europas vielleicht einen anderen Verlauf genommen, auch das Schicksal meines Volkes und meiner eigenen Familie wäre ein anderes gewesen.

In den frühen dreißiger Jahren machte sich meine Familie aus Osteuropa auf den Weg nach Jerusalem, mit einer Wunde versehen, die niemals heilen sollte: Sie hatten sich als Europäer betrachtet, während der größte Teil Europas in ihnen unerwünschte Kosmopoliten sah. Miteinander sprachen sie Russisch und Polnisch, sie lasen der Kultur wegen Deutsch und Englisch, sie träumten Jiddisch, mich aber lehrten sie einzig und allein Hebräisch. Vielleicht fürchteten sie, falls ich europäische Sprachen beherrschte, könnte ich von den tödlichen Reizen Europas verführt werden, jenes Europas, das meine Eltern durch Antisemitismus und Verfolgung buchstäblich hinausgeschmissen hatte. Und dennoch sagten meine Eltern mir während meiner gesamten Kindheit immer wieder, mit Schmerz und Sehnsucht in der Stimme, daß unser Jerusalem eines Tages eine »wirkliche Stadt« werden würde. In ihren Augen hieß das, eine Stadt mit einem Fluß, einer Kathedrale im Zentrum und mit Wäldern ringsherum. Sie sehnten sich nach Europa in demselben Maße, wie sie sich davor fürchteten. Inzwischen weiß ich, daß man ein derartiges Durcheinander von Gefühlen »unerwiderte Liebe« nennt. In den zwanziger und dreißiger Jahren, als sich meine Eltern für Europäer hielten, war beinahe jedermann in Europa ein Pan-Germane, ein Pan-Slawe oder ein bulgarischer Patriot. Die wirklichen Europäer im damaligen Europa waren zum größten Teil Juden wie meine Familie.

Die Schaffung des modernen Israel ist unter anderem ein Ergebnis der traurigen Erkenntnis vieler Juden, auch meiner Familie, daß zwar zuweilen und hier und dort eine tiefe und schöpferische Beziehung zwischen Gästen und Gastgebern zustande gekommen war, es aber gleichwohl an der Zeit war, in die Heimat zurückzukehren und diese Heimat wieder aufzubauen. Die ursprüngliche Hoffnung bestand darin, diese Heimat auf der Grundlage von Frieden und Gerechtigkeit zu errichten. Der Massenmord an den europäischen Juden, die blutige Auseinandersetzung mit den Arabern und der tragische Konflikt mit den Palästinensern haben die idealistischen Träume der Gründer Israels in gewisser Weise zunichte gemacht. Ein gerechter und umfassender Frieden wird die Chance zu einem Neuanfang bieten.

Der Grund, warum ich diese Geister heute morgen heraufbeschwöre, liegt darin, daß meine schriftstellerische Tätigkeit wie auch mein Engagement für den Frieden von dieser Vergangenheit geprägt sind. Dennoch bin ich der Meinung, daß die Vergangenheit keine

Herrschaft über uns erlangen darf. Jegliche Form einer Tyrannei der Vergangenheit ist mir zuwider.

Ich möchte Ihnen auch meine tiefe Zwiespältigkeit, die ich heute hier empfinde, nicht verhehlen: Ein Jude in einer Kirche, ein Israeli in Deutschland, ein Mitglied der Friedensbewegung, das zweimal aufs Schlachtfeld gezogen ist wegen seiner Überzeugung, daß das äußerste Übel nicht der Krieg ist, sondern die Aggression.

Juden und Deutsche – worüber können wir sprechen? Was *müssen* wir miteinander besprechen? Ein Thema sind unsere Eltern und Großeltern, das andere Thema betrifft die Zukunft. Die europäische und die jüdische Zivilisation waren lange innig miteinander verbunden. Diese Verbindung wurde durch ein böses Verbrechen zerstört. Aus dieser Verbindung gingen jedoch Nachkommen hervor. In unserer Kultur finden sich europäische Erbanlagen, und in Ihrer Kultur finden sich jüdische Erbanlagen. Sie sind nicht nur Phantasien, sie enthalten die gemeinsame Grundlage für eine gegenseitige schöpferische Beeinflussung der Zukunft. Ich möchte hier nicht den Ausdruck »Normalisierung« verwenden. Worauf ich hoffe, ist eine Verstärkung des Dialogs, der Schmerz, Entsetzen und unerwiderte Liebe nicht ausschließt. Meiner Meinung nach kann man die Gefahren der Geschichtsvergiftung oder Geschichtsabhängigkeit nur dadurch umgehen, daß man die Geschichte nicht als einen Haufen von Fakten, einen Berg von erdrückenden Erinnerungen ansieht, sondern vielmehr als ein fruchtbares Feld von Erkundungen und Interpretationen, indem man also die Vergangenheit als Baumaterial für die Zukunft verwendet.

Angesichts der Angriffe auf Einwanderer in Deutschland bin ich mir der Tatsache bewußt, daß Deutschland wahrscheinlich in der letzten Zeit mehr Flüchtlinge aufgenommen hat als jedes andere westeuropäische Land. Rassisten und Fanatiker gibt es auch andernorts, aber es stellt sich doch die Frage: Wo sind die Menschenmassen, die auf die Straße gehen, um dieses Land zu verteidigen?

Der Brandanschlag auf die Gedenkstätte Sachsenhausen sollte wohl darauf zielen, die monströse Vergangenheit Deutschlands auszulöschen. Aber nicht die Vergangenheit wird in Sachsenhausen verbrannt – die Vergangenheit, Ihre wie auch unsere, kann man nicht verbrennen. Nein, in Gefahr, Feuer zu fangen, sind Deutschlands Gegenwart und Zukunft.

Heute hat Deutschland nicht nur die Pflicht, den Einwanderern Schutz zu gewähren und jüdische Gedanken zu schützen – heute sind die Deutschen mit der unabweisbaren Herausforderung konfrontiert, sich selbst gegen gewalttätigen Rassismus und Gleichgültigkeit zu verteidigen.

Wie können wir aus der Vergangenheit Nutzen ziehen? Was kann Auschwitz den Lebenden heute noch bedeuten, über Schrekken, Schmerz und Schweigen hinaus? Vielleicht kann es neben anderem die dringliche Erkenntnis vermitteln, daß es das Böse gibt. Das Böse existiert nicht etwa in der Art wie ein Unfall, nicht wie ein unpersönliches, geschichtsloses soziales oder bürokratisches Phänomen, nicht wie ein ausgestopfter Dinosaurier in einem Museum. Das Böse ist eine allgegenwärtige Möglichkeit, um uns herum und in uns selbst. Vorurteil und Grausamkeit zeigen ihre schreckliche Gestalt nicht etwa in dem ständigen Zusammenprall zwischen dem netten, einfachen Mann auf der Straße und dem fürchterlichen politischen System. Der nette, einfache Mann auf der Straße ist häufig weder nett noch einfach. Vielmehr stoßen ständig relativ anständige Gesellschaften mit mörderischen Gesellschaften zusammen. Um es noch genauer zu sagen: Es besteht Grund zu der Sorge darüber, daß relativ anständige Menschen und Gesellschaften sich häufig feige verhalten, wenn sie sich rücksichtslosen und grausamen Menschen und Gesellschaften ausgesetzt sehen. Kurz, das Böse ist nicht etwa »da draußen« – es lauert im Inneren, manchmal listigerweise hinter der Maske der Hingabe oder des Idealismus.

Wie kann man aber human sein, also skeptisch und moralischer Zwiespältigkeit fähig, und gleichzeitig versuchen, das Böse zu bekämpfen? Wie kann man gegen Fanatismus angehen, ohne fanatisch zu werden? Wie kann man für eine edle Sache kämpfen, ohne zum Kämpfer zu werden? Wie kann man Grausamkeit entschieden bekämpfen, ohne sich selbst anzustecken? Wie kann man aus der Geschichte Nutzen ziehen und gleichzeitig die giftigen Auswirkungen einer Überdosis Geschichte vermeiden? Vor einigen Jahren sah ich in Wien eine Straßendemonstration von Umweltschützern, die gegen wissenschaftliche Experimente an Meerschweinchen protestierten. Sie trugen Schilder, auf denen Jesus abgebildet war, umgeben von leidenden Meerschweinchen. Die Aufschrift lautete: »Er hat auch sie geliebt.«

Vielleicht hat er das, aber einige Demonstranten wirkten auf mich beinahe so, als seien sie letztlich fähig, Geiseln zu erschießen, um dem Leiden von Meerschweinchen ein Ende zu bereiten. Dieses Syndrom eines glühenden Idealismus beziehungsweise eines anti-fanatischen Fanatismus sollen wohlmeinende Menschen sich be-wußtmachen, hier, andernorts, überall. Als Erzähler und politisch aktiver Mensch muß ich mir unablässig in Erinnerung rufen, daß es vergleichsweise einfach ist, Gut und Böse voneinander zu unter-scheiden. Die eigentliche moralische Aufgabe aber besteht darin, zwischen verschiedenen Grautönen zu unterscheiden; das Böse in seinen Abstufungen wahrzunehmen; zwischen dem Bösen, dem noch Böseren und dem Allerbösesten zu differenzieren.

Seit vielen Jahren widme ich mich nun der israelischen Friedens-bewegung, schon vor der Gründung der »Frieden jetzt«-Bewegung im Jahre 1977. Die Friedensbewegung in Israel ist keine pazifistische Bewegung; sie ist auch kein Resultat der amerikanischen und west-europäischen Sensibilisierung der sechziger Jahre. Die Westbank und der Gazastreifen sind weder Vietnam noch Afghanistan. Israel ist nicht Südafrika, und der israelisch-arabische Konflikt hat wenig mit der imperialistischen oder kolonialen Vergangenheit zu tun. Die Friedensbewegung in Israel ist für mich ein Ausdruck der humanis-tischen Aspekte des Zionismus und der universalistischen Züge des Judentums.

Zweimal in meinem Leben, 1967 und 1973, war ich auf dem Schlachtfeld und habe die gräßliche Fratze des Krieges gesehen. Und doch bleibe ich bei meiner Überzeugung, daß man Aggression niemals aus der Welt schafft, indem man ihr nachgibt, und daß nur zwei Dinge den bewaffneten Kampf rechtfertigen: das Leben und die Freiheit. Ich werde wieder kämpfen, wenn jemand versucht, mir oder meinem nächsten Nachbarn nach dem Leben zu trachten. Ich werde kämpfen, wenn irgend jemand versucht, mich zum Sklaven zu machen. Aber niemals werde ich für »die Rechte der Vorväter« kämpfen, für mehr Raum, für Ressourcen, für den trügerischen Be-griff »nationale Interessen«.

Die Auseinandersetzung zwischen Israelis und Palästinensern ist ein tragischer Konflikt zwischen Recht und Recht, zwischen zwei sehr überzeugenden Ansprüchen. Eine Tragödie dieser Art läßt sich entweder durch die totale Vernichtung eines der beiden Kontrahenten (oder beider) lösen oder aber durch einen traurigen, schmerzvollen, widersprüchlichen Kompromiß, wodurch jeder lediglich etwas von dem erhält, was er ursprünglich wollte, so daß niemand vollständig zufrieden ist, aber jeder dem Sterben ein Ende bereitet und sich dem Leben zuwendet. Palästina wird in einem Teil des Landes Unabhängigkeit und Sicherheit erhalten; Israel wird in einem anderen Teil des Landes in Frieden und Sicherheit leben. Irgendwann wird es durchaus möglich sein, sich allmählich zu versöhnen, dem Wettrüsten ein Ende zu setzen, einen gemeinsamen Markt aufzubauen und die Wunden heilen zu lassen.

Unsere Friedensbewegung in Israel ist *nicht* pro-palästinensisch. Es ist absolut notwendig, daß Israelis und Palästinenser Frieden schließen, und damit auch Israel und die arabischen Länder, und dies nicht aus Gründen von Schuld und Versöhnung, sondern aus Gründen des Überlebens. Wir, die Israelis, sind in Israel, um dort zu bleiben. Die Palästinenser sind in Palästina, und sie werden nicht fortgehen. Wir müssen zumindest vernünftige Nachbarn werden.

Obwohl ich mich für die Aufteilung eines kleinen Landes unter zwei Nationen einsetze, bin ich doch davon überzeugt, daß dies nur ein aus der Notwendigkeit geborener Schritt ist. Ich halte Nationalstaaten für schlechte, unzureichende Systeme. Meiner Meinung nach sollte es auf diesem überfüllten, hungergeplagten, zerfallenden Planeten Hunderte von Zivilisationen, Tausende von Traditionen, Millionen von regionalen und lokalen Gemeinschaften geben, aber keine Nationalstaaten. Insbesondere heutzutage, da nationale Selbstbestimmung in einigen Teilen der Welt zu blutiger Desintegration verkommen ist und womöglich jeden von uns zu einer Insel machen wird, ist eine ganz andere Sicht geboten.

Wir sollten versuchen, innerhalb einer umfassenden Gemeinschaft der Menschheit die verschiedenen Wünsche nach Identität und Selbstbestimmung zu verwirklichen. Wir sollten eine vielstimmige Welt errichten und nicht eine voller Dissonanzen, voller selbständiger und selbstsüchtiger Nationalstaaten.

Unsere conditio humana, unsere Einsamkeit auf der Oberfläche eines verletzbaren Planeten, ausgesetzt dem kalten kosmischen Schweigen, der unentrinnbaren Ironie des Lebens und der gnadenlosen Gegenwart des Todes, all diese Gegebenheiten sollten letztlich ein Gefühl menschlicher Solidarität hervorrufen und den Schall und den Wahn unserer Differenzen überwinden. Der Patriotismus der Flagge muß einem Patriotismus der Humanität weichen, einem Patriotismus der Erde, der Wälder, des Wassers, der Luft und des Lichts, einer schöpferischen Beziehung zur Schöpfung selbst.

Wie kann sich hierfür ein Geschichtenerzähler einsetzen, außer dadurch, daß er eben Geschichten erzählt? Kann ein Schriftsteller vernünftigerweise hoffen, einen gewissen Wandel in den Herzen herbeizuführen? Ich habe auf alle diese Fragen nur teilweise Antworten. Nehmen Sie zum Beispiel den alten Tolstoj: Er hatte wahrscheinlich einen größeren Einfluß auf seine Zeitgenossen als jemals irgendein anderer Schriftsteller. Er wurde von Millionen gelesen, und Hunderttausende sahen in ihm einen Propheten. Gleichwohl übernahmen kaum zehn Jahre nach seinem spektakulären, »biblischen« Tod nicht etwa die Tolstojaner Rußland, sondern Gestalten aus Dostojewskis »Dämonen«. Letztlich vernichteten die Stawrogins die Tolstojaner, sie schlachteten Turgenjews Hauptfiguren und exekutierten Dostojewski im nachhinein. Keine zehn Jahre nach Tolstojs Tod galten die Ideen Tolstojs im Land der Sowjets als subversiv. Soviel zum wahren Einfluß der Literatur auf die Politik und den Gang der Geschichte. Ich hätte meine Beispiele ebenso leicht wie aus der russischen auch aus der deutschen Literatur wählen können.

Da ich nun deutlich gemacht habe, daß die Geschichte literarische Visionen gänzlich außer acht läßt, hole ich tief Luft und widerspreche mir sogleich: Ich möchte doch die Tatsache festgehalten wissen, daß siebzig Jahre nach Lenins verheerendem Umsturz Rußland vielleicht nicht zu Tolstoj zurückkehrt, wohl aber ironischerweise zu einer gewissen Tschechowschen Grundhaltung von Melancholie und Gelähmtsein.

Als jemand, der aus Israel kommt und in Jerusalem aufgewachsen ist, ist mir natürlich bewußt, welch vielfältigen Einfluß die Bibel auf die Schaffung Israels und auf einige heutige Plagen hat. Zuweilen hat es den Anschein, als wäre nahezu alles in Israel Büchern entsprungen. »Der Judenstaat« ist der Titel eines Buches, erschienen fünfzig Jahre bevor Israel zu einer Nation wurde, gesund und munter (tatsächlich manchmal allzu munter). »Alt-Neuland« hieß ein futuristisches Buch, dessen hebräischer Titel »Tel Aviv« lautet. Es wurde, zehn Jahre bevor man überhaupt das erste Haus in Tel Aviv erbaute, veröffentlicht. Auch der Kibbuz ist eine ruhelose Verknüpfung gewisser jüdischer Traditionen mit vorrevolutionären sozialistischen Texten.

Nachdem ich nun behauptet habe, daß Literatur keinerlei Wirkung hat, und dann das Gegenteil, stellt sich die Frage, was ich genau sagen will. Ich glaube, kurz gesagt, daß ein Buch zuweilen das Leben vieler Menschen zu ändern vermag, wenn auch nicht unbedingt in der Weise, wie der Autor es beabsichtigt hat. Und selbst dies geschieht fast nie im Handumdrehen, sondern erst nach vielen Jahren und häufig infolge beträchtlicher Entstellungen und Vereinfachungen. Wir stellen häufig fest, daß schlechte Bücher und Bücher voller Haß viel schneller ihren Weg machen als gute und feinsinnige Bücher.

Manch einer wird der Meinung sein, daß im Lande der Propheten und innerhalb der prophetischen Tradition Schriftsteller und Dichter die Rolle von Propheten übernehmen. In einigen westlichen Kulturen gelten Schriftsteller und Dichter hauptsächlich als hervorragende und einfühlsame Unterhalter. Innerhalb der jüdischen – oder sollte ich besser sagen: der jüdisch-slawischen – Tradition erwartet man von ihnen, daß sie als Stellvertreter der Propheten wirken. Manch einer ist tatsächlich versucht, sich hin und wieder so zu verhalten. Wir sollten aber nicht vergessen, daß selbst die Propheten zu ihrer Zeit nicht sehr viel Erfolg damit hatten, den Willen ihrer Herrscher oder das Herz ihres Volkes zu beeinflussen. Es wäre daher äußerst romantisch, erwartete man von den heutigen Schriftstellern und Dichtern, daß sie einflußreicher seien als die Propheten zu ihrer Zeit.

Lassen wir aber die Prophezeiungen beiseite. Gibt es irgend etwas, wirklich irgend etwas, was Schriftsteller genauer kennen als Taxifahrer, Programmierer oder selbst Politiker? Womit ließe sich überhaupt die weitverbreitete Erwartung begründen, wonach literarische Werke Handlungsanleitungen bieten und Schriftsteller das Gewissen der Gesellschaft sein könnten?

Eins haben wohl Schriftsteller und Geheimagenten gemeinsam:

Wenn man eine Geschichte oder einen Roman schreibt, versetzt man sich in die Situation anderer Menschen, wenn nicht sogar in diese Personen selbst hinein. Man stellt sich ständig vor, man sei diese Frau oder jener Mann. Man läßt eine Reihe von einander widerstreitenden und sich widersprechenden Gesichtspunkten zu Wort kommen, und zwar mit gleicher Einfühlung, Leidenschaft und bisweilen Mitgefühl. Dadurch schärft sich wohl die emotionale und intellektuelle Fähigkeit, verschiedene, einander ausschließende Ansichten über ein und dieselbe Sache auf ihre Gültigkeit hin zu überprüfen.

Eine weitere »Qualifikation« des Schriftstellers besteht in seinem innigen Verhältnis zur Sprache. Ein Mensch, der die Hälfte seines Lebens damit verbringt, zwischen verschiedenen Adverbien und Adjektiven zu wählen, der Substantive und Verben prüft, der sich über die Interpunktion den Kopf zerbricht, ein solcher Mensch ist wahrscheinlich wohlgerüstet, die ersten Zeichen jeglicher Sprachentstellung zu bemerken. Ich brauche Ihnen nicht zu erläutern, daß eine verdorbene Sprache häufig die schlimmsten Grausamkeiten ankündigt. Wo bestimmte Menschengruppen etwa »negative Elemente« oder »Parasiten« genannt werden, wird man sie früher oder später auch nicht mehr als Menschen behandeln.

Schriftsteller sind also mit der Fähigkeit ausgestattet, als Rauchmelder, vielleicht sogar als Feuerwehr der Sprache zu dienen. Sie sind, um im Bild zu bleiben, die ersten, die eine unmenschliche Sprache wittern, und daher rührt ihre moralische Verpflichtung, »Feuer!« zu rufen, sobald sie Brandgeruch wahrnehmen. (Ob sich irgend jemand darum schert, steht auf einem anderen Blatt: Man erinnere sich an Kierkegaards Geschichte vom Schauspieler, der »Feuer!« schrie, woraufhin das gesamte Publikum applaudierte und »Bravo!« jubelte.)

Ob sie nun Berge versetzen oder nur Kommata hin und her schieben, Schriftsteller sind vor allem Fachleute für die Auswahl von Worten und deren ständige Neuordnung. Meiner Ansicht nach ist die Wahl und Ordnung von Worten in einem bescheidenen Maße eine moralische Entscheidung. Indem man einem bestimmten Verb den Vorzug gibt, Klischees und eingefahrene Bilder vermeidet oder sie im entgegengesetzten Sinn verwendet, trifft man eine Entscheidung mit zumindest mikroskopisch kleinen ethischen Folgen. Worte können töten, das wissen wir nur zu genau. Aber Worte können auch, obwohl nur begrenzt, manchmal heilen. Hier liegt mein Dilemma: Wie soll sich ein Mann der Sprache verhalten, wenn er nun einmal in unmittelbarer Nachbarschaft von Unrecht, Vorurteil und Gewalt lebt? Was kann dieser Mensch tun, wo doch alles, was er besitzt, eine Feder, eine Stimme und manchmal ein relativ aufmerksames Publikum ist? Wie soll man handeln, wenn die Grundregeln des Verhaltens fordern, politische Gemeinheiten zu bekämpfen, anstatt sie lediglich zu beobachten, zu beschreiben und zu entziffern? Wie soll man eine allem Anschein nach unmögliche Entscheidung zwischen staatsbürgerlicher Anteilnahme und künstlerischer Integrität treffen?

Handelt ein Schriftsteller unmoralisch, wenn er seine Feder zur politischen Waffe macht, oder ist es unmoralisch, wenn er seine Feder nicht in ein Schwert der Polemik verwandelt?

Ich kann Ihnen keine allgemeingültige Antwort anbieten, wohl aber meinen widersprüchlichen Kompromiß. Ich habe mich auf die Politik eingelassen, ohne mich vollständig der simplen Praxis zu verschreiben, Manifeste, undifferenzierte Predigten oder vereinfachte politische Allegorien zu verfassen.

Wenn ich feststelle, daß ich mit mir selbst hundertprozentig übereinstimme, schreibe ich keine Geschichte, sondern einen wütenden Artikel, in dem ich meiner Regierung erläutere, was sie tun soll, manchmal auch, wohin sie sich scheren soll (was nicht bedeutet, daß man mir Gehör schenken würde). Wenn ich hingegen nicht nur ein einziges Argument in mir spüre, nicht nur eine Stimme, kommt es bisweilen vor, daß sich diese unterschiedlichen Stimmen zu Gestalten entwickeln, und dann weiß ich, daß ich mit einer Geschichte schwanger gehe. Geschichten schreibe ich genau dann, wenn ich mich mit verschiedenen, einander widersprechenden Forderungen identifizieren kann, mit einer Vielzahl moralischer Standpunkte, widerstreitender Gefühle. Es gibt eine alte chassidische Geschichte von einem Rabbi, den man ruft, um über zwei Ansprüche auf ein und dieselbe Ziege zu entscheiden. Er befindet, daß beide Parteien recht haben. Zu Hause sagt ihm später seine Frau, daß dies unmöglich sei: Wie können beide im Recht sein, wenn sie Ansprüche auf ein und dieselbe Ziege stellen? Der Rabbi denkt einen Augenblick nach und sagt: »Weißt du, meine Liebe, auch du hast recht.«

Hin und wieder bin ich dieser Rabbi.

In Israel unterscheiden die Leser nicht immer streng zwischen Fiktion und Essay. Häufig lesen sie eine einfache politische Botschaft aus einem Text heraus, der als vielstimmige Erzählung gedacht war. Außerhalb Israels neigt man ebenfalls dazu, unsere Literatur als politische Allegorie zu nehmen, aber dies ist häufig das Schicksal von Romanen, die aus unruhigen Teilen der Erde stammen. Da denkt man, man habe ein Stück Kammermusik geschrieben, die Geschichte einer Familie etwa, und was sagen die Leser und Kritiker: »Aha! Sicherlich repräsentiert die Mutter die alten Werte, der Vater steht für die Regierung, und die Tochter ist ohne Zweifel ein Symbol der zerrütteten Wirtschaft.«

Am Ende des Tages, und ich meine dies ganz buchstäblich, am Ende fast eines jeden Tages voller Schall und Wahn kommt die Zeit einer dünnen leisen Stimme (kol d'mama daka), das ist die Zeit, wenn ich manchmal nachdenke, nicht nur über dieses oder jenes nützliche politische Argument, nicht einmal über das richtige Adverb in einem widerspenstigen Satz einer Geschichte, sondern etwa über Jesus' berühmte Worte »Vergib ihnen, denn sie wissen nicht, was sie tun«. Ich bin der Meinung, daß er hier nicht recht hat, nicht was die Vergebung betrifft, sondern das Wissen. Ich glaube, wir alle wissen nur zu gut, was wir tun. Ganz tief im Innern wissen wir es. Wir haben alle von der Frucht jenes Baumes gegessen, dessen vollständige Bezeichnung lautet »der Baum der Erkenntnis von Gut und Böse« (Ez ha da'at tow we ra'). Meiner Überzeugung nach weiß jedes menschliche Wesen sehr genau, was Schmerz ist – wir alle machen die Erfahrung des Schmerzes –, und daher weiß jedes menschliche Wesen, wenn es Schmerz zufügt, schlimmer noch, einem anderen Menschen Schmerz zufügt, was es da tut.

Dies ist mein einfaches Bekenntnis. Und da wir wissen, was wir tun, wenn wir anderen Schmerz zufügen, sind wir auch verantwortlich für das, was wir tun. Wir können immer noch vergeben, uns kann immer noch vergeben werden, aber nicht aufgrund kindlicher Unschuld oder moralischer Unreife.

Aber was tue ich hier? Da habe ich den weiten Weg von Jerusalem hierher in die Paulskirche zurückgelegt, um einen Streit mit Jesus vom Zaun zu brechen? Wir Juden haben es eben nie geschafft, unsere widersprüchlichen Ansichten für uns zu behalten. – Manchmal denke ich am Ende eines Tages über Immanuel Kants Bemerkung nach: »Aus so krummem Holze, als woraus der Mensch gemacht ist, kann nichts ganz Gerades gezimmert werden.« Immer wieder frage ich mich, warum seit Tausenden von Jahren so viele Erlöser, Ideologen und Weltverbesserer unablässig eben dies versucht haben, häufig mit Säge und Axt, nämlich etwas Gerades und Wohlgeformtes aus dem krummen Holz der Menschheit zu zimmern. Anstatt ständig ohne Ergebnis zu versuchen, einander zu ändern, sollten wir uns da nicht selber besser von Zeit zu Zeit daran erinnern, daß niemand all die Qual, die uns im Leben und durch den Tod beschieden ist, noch vergrößern sollte? Und daß tief in uns all unsere Geheimnisse wirklich ein und dieselben sind? Daß niemand eine Insel ist, wie John Donne sagt, und der Tod keine Macht haben darf, wie Dylan Thomas es nennt.

Schließlich und endlich, wenn der Abendwind über den dämmrigen Bergen der Wüste aufkommt, nimmt man seine Feder zur Hand, man beginnt wiederum zu schreiben und arbeitet wie ein altmodischer Uhrmacher; mit einem Vergrößerungsglas im Auge und einer Pinzette zwischen den Fingern; man hält ein Adjektiv prüfend gegen das Licht, wechselt ein fehlerhaftes Adverb aus, macht ein lockeres Verb wieder fest und bessert eine abgenutzte Redewendung aus. Zu dieser Tageszeit fühlt man etwas, das weit entfernt von jeglicher politischer Rechtschaffenheit ist. Es ist eher eine seltsame Mischung aus Wut und Mitleid, aus Intimität mit seinen Charakteren und gleichzeitig äußerster Distanz. Wie eisiges Feuer. Und dann schreibt man. Man schreibt nicht als jemand, der für den Frieden kämpft, sondern vielmehr als jemand, der den Frieden hervorbringt und begierig ist, diesen Frieden mit seinen Lesern zu teilen. Man schreibt unter einem einfachen ethischen Imperativ: Versuche, alles zu verstehen. Vergib manches. Und vergiß nichts.

Und worüber schreibt man? Der israelische Dichter Natan Zach hat mir eine gute Definition meiner Themen gegeben:

»Dies ist ein Gedicht über Menschen
Über das, was sie denken
Und über das, was sie wollen
Und über das, was sie meinen zu wollen.
Wenig anderes auf der Welt
Verdient unsere Beachtung...«

Und so schreibe ich über Menschen und was sie denken und was sie wollen und was sie meinen zu wollen. Was gibt es ansonsten dort draußen? Nun, es gibt ebenfalls seit Urzeiten jenen Chor: den Tod und das Begehren, die Einsamkeit und den Wahn, die Eitelkeit, die Leere, den Traum und die Verzweiflung. Es gibt die schäumenden Flüsse und die schweigenden Berge und die Meere und die Wüsten. Und es gibt natürlich die Sprache selbst – das gefährlichste Musikinstrument von allen. Schließlich gibt es jene uralten, verdrießlichen siamesischen Zwillinge, das Gute und das Böse, die sich aus dem Leben in die Bücher und zurück bewegen, niemals getrennt, niemals zufrieden, immer zeigen sie mit ihren knorrigen Fingern auf einen, daß man sich zuweilen wünscht, man wäre besser Musiker geworden. Aber nein: Man ist auf Worte eingeengt und damit verantwortlich für jedes falsche Wort, zumindest in der Sprache, in der man schrieb.

Die Verteidigung der Sprache ist mein Weg, den Frieden zu befördern: ein unablässiger Kampf gegen die Verschandelung der Sprache, gegen die ständige Wiederholung von Stereotypen, gegen Rassismus und Intoleranz, gegen die Verherrlichung von Gewalt. Immer wieder bin ich von Worten angewidert, die man sogar benutzt, um für Romane zu werben: »kraftvoll«, »umwerfend«, »überwältigend«, »explosiv«.

Ich glaube nicht an die Möglichkeit eines perfekten Friedens – denken Sie an jenes »krumme Holz«. Ich arbeite vielmehr für einen kläglichen, nüchternen, unvollkommenen Kompromiß zwischen einzelnen Menschen und Gemeinschaften, die immer getrennt und unterschiedlich sein werden, die aber gleichwohl fähig sind, ein unvollkommenes Miteinander herbeizuführen. Der Psalmist sagt: »Es begegnen einander Huld und Treue, Gerechtigkeit und Frieden küssen sich« (Psalm 85,10). Der Talmud jedoch legt eine innere

Spannung zwischen Gerechtigkeit und Frieden offen und bietet eine eher pragmatische Vorstellung: »Wo aber Gerechtigkeit vorherrscht, da ist kein Frieden, und wo Frieden herrscht, da ist keine Gerechtigkeit. Wo also ist Gerechtigkeit, die Frieden enthält? Sie sind in der Tat gesondert.«

Rabbi Nachmann aus Brazlaw (1772–1810), einer der herausragenden Führer der chassidischen Bewegung, sagt: »Das Wesen des Friedenstiftens liegt darin, zwei Gegner zusammenzubringen. Erschrick niemals (...), wenn du zwei Parteien siehst, die einander vollständig entgegengesetzt sind. (...) Es ist in der Tat der entscheidende Punkt der Ganzheit des Friedens, zu versuchen, Frieden unter zwei Gegnern zu schaffen« (Likutei ha'Moharan, Teil A). Dem kann ich nur hinzufügen, daß allein der Tod vollkommen ist. Der Frieden ist, wie das Leben selbst, kein Ausbruch der Liebe, keine mystische Kommunion unter Feinden, sondern nicht mehr und nicht weniger als ein gerechter und vernünftiger Kompromiß unter Gegnern.

[Aus dem Englischen von Christoph Groffy]

Autoren- und Quellenhinweise

Ilse Aichinger. 1921 in Wien geboren.
In: Die größere Hoffnung. Roman. © Fischer Taschenbuch Verlag GmbH, Frankfurt am Main 1991.

Alain [Emile Auguste Chartier]. 1868 in Mortagne-au-Perche geboren, 1951 in Le Vésinet gestorben.
Der Menschenhaß, in: 81 Kapitel über den menschlichen Geist und die Leidenschaften. © Junius Verlag, Hamburg 1991.

May Ayim. 1960 in Hamburg geboren.
Deutsch-deutsch Vaterland… Täusch-täusch Vaderlan… Tausch-täusch Väterli… [Auszug], in: Ika Hügel, Chris Lange, May Ayim, Ilona Bübeck, Gülşen Aktaş, Dagmar Schultz (Hg.), Entfernte Verbindungen. Rassismus, Antisemitismus, Klassenunterdrückung. © Orlanda Frauenverlag GmbH, Berlin 1992.

Eckhard Bahr. 1960 in Dresden geboren.
Interview mit einem Skin, in: Verfluchte Gewalt. Dokumentierte Geschichten. © Evangelische Verlagsanstalt GmbH, Leipzig 1992.

Maria G. Baier D'Orazio. Zur Zeit als freiwillige Entwicklungshelferin in Lateinamerika.
Die Antwort der Masken, in: Gabriela Mönnig (Hg.), Schwarzafrika der Frauen. Reise & Kultur. © Verlag Frauenoffensive, München 1988.

Djuna Barnes. 1892 in Cornwall-on-Hudson geboren, 1982 in New York gestorben.
[So amerikanisch], in: Die Frau, die auf Reisen geht, um zu vergessen. Betrachtungen. © Verlag Klaus Wagenbach, Berlin 1992.

Jutta Bauer. 1955 in Hamburg geboren.
[S. 151] In: Life is comic. © Lappan Verlag, Oldenburg 1990.
[S. 169] Zeichnung ist für dieses Buch entstanden. © Jutta Bauer, Hamburg 1993.

Eddie Benton-Banai. Ojibway-Indianer aus St. Paul, Minneapolis, Midewi-win-Priester seines Stammes, einer der Gründer des American Indian Movement.
Als Indianer aufwachsen, in: Harvey Arden / Steve Wall (Hg.), Hüter der Erde. Begegnungen mit Indianern Nordamerikas. © Verlag Frederking & Thaler, München 1992.

Isaiah Berlin. 1909 in Riga geboren.
In: Das krumme Holz der Humanität. © S. Fischer Verlag GmbH, Frank-furt am Main 1992.

Sabine Berloge. 1952 in Sanderbusch geboren.
Aber heute bin ich still. Exil in Deutschland, in: Wolfgang Benz (Hg.), Integration ist machbar! Ausländer in Deutschland. © C. H. Beck, Mün-chen 1993.

Wolfgang Bittner. 1941 in Gleiwitz geboren.
Belagerungszustand, in: Klaus Doderer (Hg.), Ein Stückchen neuer Mensch. Geschichten über mehr Miteinander. © Verlag Cornelia Riedel GmbH, Bad Homburg 1990.

Jens Bjørneboe. 1920 in Kristiansand geboren, 1976 in Veierland gestorben.
Stille, in: Stille. © Trotzdem-Verlag, Grafenau-Döffingen 1993.

Liselotte Blechmann. 1920 in Bonn geboren.
Keiner aus dem Stamm der Antigone, in: Besondere Kennzeichen: keine. Erzählungen. © Bleicher Verlag GmbH u. Co. KG, Gerlingen 1991.

T. Coraghessan Boyle. 1949 in Peekshill / New York geboren.
Alias Katunga Oyo, in: Wassermusik. © Rogner & Bernhard, München 1987.

Brösel. 1950 in Flensburg geboren.
[S. 32] In: WERNER-Normal Ja! Semmel Verlach, Kiel. © Brösel 1987.

Bill Buford. 1954 in Baton Rouge / Louisiana geboren.
Geil auf Gewalt, in: Geil auf Gewalt. Unter Hooligans. © Carl Hanser Verlag GmbH, München Wien 1992.

Mehdi Charef. 1952 in Algerien geboren.
Tee im Harem des Archimedes, in: Tee im Harem des Archimedes. Ro-man. © Beck & Glückler Verlag, Freiburg 1986.

Inge Deutschkron. In Fürstenwalde bei Cottbus geboren.
Der rote Ball, Anfang von ›Ausgeschlagene Erbschaft. Eine Deutsch-stunde‹, in: Andreas Nachama / Julius H. Schoeps (Hg.), Aufbau nach dem Untergang. Deutsch-Jüdische Geschichte nach 1945. © Argon Ver-lag, Berlin 1992.

Şadi Dinççağ. Türkei.
[S. 53] In: Die in der Fremde arbeiten... Zeichnungen und Karikaturen. © edition aragon Verlag Willi Klauke, Moers 1985.

Hilde Domin. 1912 in Köln geboren.
Wen es trifft, in: Gesammelte Gedichte. © S. Fischer Verlag GmbH, Frankfurt am Main 1987.

Andrea Dworkin. 1946 in Camden / New Yersey geboren.
Eis & Feuer, in: Eis & Feuer. Roman. © KleinVerlag, Hamburg 1991.

Lotte Eisner. 1896 in Berlin geboren, 1983 in Paris gestorben.
Ich hatte einst ein schönes Vaterland, in: Ich hatte einst ein schönes Vaterland. Memoiren. © Verlag Das Wunderhorn, Heidelberg 1984.

M. Raif Ersoy. Türkei.
[S. 86] In: Die in der Fremde arbeiten... Zeichnungen und Karikaturen. © edition aragon Verlag Willi Klauke, Moers 1985.

Fahimeh Farsaie. 1952 in Teheran geboren.
So ist das Leben, in: Die gläserne Heimat. Erzählungen. © dipa-Verlag, Frankfurt am Main 1989.

Ludwig Fels. 1946 in Treuchtlingen geboren.
Galizien. Erster Versuch, in: Blaue Allee, versprengte Tataren. Gedichte. © Verlag R. Piper & Co, München Zürich 1988.

Rosa Giske. 1923 in Radom / Polen geboren.
»Ich fühle mich hier nicht zu Hause, leider Gottes«, in: Susann Heenen-Wolff (Hg.), Im Haus des Henkers. Gespräche in Deutschland. [Dvorah Verlag] © Alibaba Verlag GmbH, Frankfurt am Main 1992.

Nadine Gordimer. 1923 in Springs / Südafrika geboren.
Es war einmal, in: Die endgültige Safari. Erzählungen. © S. Fischer Verlag GmbH, Frankfurt am Main 1992.

Billie Goussiou. Griechenland.
[S. 46] In: Die in der Fremde arbeiten... Zeichnungen und Karikaturen. © edition aragon Verlag Willi Klauke, Moers 1985.

Peter Härtling. 1933 in Chemnitz geboren.
[Wenn jeder eine Blume pflanzte], in: Die Gedichte. © Luchterhand Literaturverlag GmbH, Frankfurt am Main 1989.

Gert Heidenreich. 1944 in Eberswalde geboren.
Baumlied, in: Eisenväter. Gedichte. © Verlag R. Piper & Co, München Zürich 1987.

Karl-Heinz Heinemann. 1947 in Bad Sachsa geboren.
»Ihr wollt nicht wissen, was wir sind – also wundert Euch nicht, wie wir sind«, in: Karl-Heinz Heinemann / Wilfried Schubarth (Hg.), Der antifaschistische Staat entläßt seine Kinder. Jugend und Rechtsextremismus in Ostdeutschland. © PapyRossa Verlags GmbH & Co. KG, Köln 1992.

Edgar Hilsenrath. 1926 in Leipzig geboren.
Das Märchen vom letzten Gedanken, in: Das Märchen vom letzten Gedanken. Roman. © Verlag R. Piper & Co, München Zürich 1989.

Gert Hofmann. 1932 in Limbach-Oberfrohna (Sachsen) geboren.
Empfindungen auf dem Lande, in: Tolstois Kopf. Erzählungen. © Carl Hanser Verlag, München Wien 1991.

Walter Hörmann. 1929 in Rosenheim geboren.
Nur Massel. Ein Stück Sprachforschung, in: Joachim Krings (Hg.), Oberbayern. Regional- und Freizeitführer. © VSA-Verlag, Hamburg 1992.

Norbert Hormuth. 1936 in Heidelberg geboren.
»Ja, bitte.« Ein Frühstück voller Mißverständnisse, in: Norbert Hormuth / Manfred Bobke (Hg.), Japan. Ein Reisebuch. © VSA-Verlag, Hamburg 1992.

Ernst Kahl. 1949 in Rio de Janeiro geboren.
[S. 180/181] In: Kahlschläge. Cartoons, Strips und Hully Gully. © Verlag am Galgenberg, Hamburg 1991.
[S. 350] In: Kleine Schule des geraden Sehens. © Verlag am Galgenberg, Hamburg 1986.

Adel Karasholi. 1936 in Damaskus geboren.
Einer schwieg nicht, in: Wenn Damaskus nicht wäre. © A 1 Informationen Verlags GmbH, München 1992.

Erdoğan Karayel. Türkei.
[S. 71] In: Die in der Fremde arbeiten… Zeichnungen und Karikaturen. © edition aragon Verlag Willi Klauke, Moers 1985.

Klaus Kordon. 1943 in Berlin geboren.
Im Gefängnis, in: Alicia geht in die Stadt. Geschichten vom Überleben. © Erika Klopp Verlag GmbH, Berlin–München 1992.

Sebastian Krüger. 1963 geboren.
[S. 292] In: S. Krüger / Kassandra, Alles wird gut! © Semmel Verlach, Kiel 1992 und © S. Krüger / Kassandra c/o Becker-Derouet, Hamburg 1992.

Meyer Levin. 1905 geboren, 1981 gestorben.
Die Geschichte der Eva Korngold, in: Die Geschichte der Eva Korngold. Nach Aufzeichnungen von Ida Löw. Mit einem Nachwort von Andrzej Szczypiorski. © Verlag Antje Kunstmann, München 1990.

Charlotte von Mahlsdorf. 1928 in Mahlsdorf geboren.
Ich bin meine eigene Frau, in: Peter Süß (Hg.), Ich bin meine eigene Frau. Ein Leben. © Edition diá, St. Gallen / Berlin / São Paulo 1992.

Giorgio Manganelli. 1922 in Mailand geboren.
Hündchen und Kinder, in: Freibeuter, Heft 26. © Verlag Klaus Wagenbach, Berlin 1985.

Hans Manz. 1931 in Wila bei Zürich geboren.
In: Die Welt der Wörter. Sprachbuch für Kinder und Neugierige. © Beltz Verlag, Weinheim und Basel 1991.

Til Mette. 1956 in Bielefeld geboren.
[S. 132] In: Wie meinst du das, die Chips sind alle? © Lappan Verlag, Oldenburg 1991.

[Til Mette]
[S. 144] Zeichnung ist bisher noch nicht veröffentlicht. © Til Mette 1993.

Waltraud Anna Mitgutsch. 1948 in Oberösterreich geboren.
In fremden Städten, in: In fremden Städten. Roman. Luchterhand Literaturverlag GmbH, Hamburg. © Waltraud Anna Mitgutsch 1992.

Christine Nöstlinger. 1936 in Wien geboren.
Auszählreime, in: H.-J. Gelberg (Hg.), Augenaufmachen. 7. Jahrbuch der Kinderliteratur. © Beltz Verlag, Weinheim und Basel 1984.

Chima Oji. 1947 in Nigeria geboren.
Wintermärchen und Deutsche Weihnacht, in: Unter die Deutschen gefallen. Erfahrungen eines Afrikaners. © Peter Hammer Verlag, Wuppertal 1992.

Amos Oz. 1939 in Jerusalem geboren.
Frieden und Liebe und Kompromiß, © Börsenverein des Deutschen Buchhandels e. V., Frankfurt am Main 1992.

Aysel Özakin. 1942 in Urfa / Türkei geboren.
Was kommt nach Hamburg?, in: Deine Stimme gehört dir. Erzählungen. © Luchterhand Literaturverlag, Hamburg 1992.

Peggy Parnass. In Hamburg geboren.
Onkel Rudi, in: Süchtig nach Leben. Essays. © Konkret Literaturverlag, Hamburg 1990.

André Poloczek. 1959 in Wuppertal geboren.
[S. 92] Zeichnung ist für dieses Buch entstanden. © Semmel Verlach, Kiel 1993.
[S. 259] Zeichnung ist für dieses Buch entstanden. © Semmel Verlach, Kiel 1993.

Udo Oskar Rabsch. 1944 in Preschnitz geboren.
»Nie mehr Deutschland!«, in: Ulrich Sonnemann (Hg.), Nation. © konkursbuch Verlag Claudia Gehrke, Tübingen 1992.

Cecil Rajendra. 1947 in Penang / Malaysia geboren.
Tourist, mach kein Bild von mir, in: Zerbrochene Träume. Gedichte. © Horlemann Verlag, Bad Honnef 1992.

Josef Reding. 1929 in Castrop-Rauxel geboren.
Wächter der Verfassung, in: Nennt mich nicht Nigger. © Georg Bitter Verlag, Recklinghausen 1957.

Henry Ries. 1917 in Berlin geboren.
Sie sind Menschen wie du und ich. Basta, in: Abschied meiner Generation. © Argon Verlag GmbH, Berlin 1992.

Gerhard Roth. 1942 in Graz geboren.

Die Juden müssen Straßen waschen, in: [Die Archive des Schweigens] Die Geschichte der Dunkelheit. Ein Bericht. © S. Fischer Verlag GmbH, Frankfurt am Main 1991.

Parviz Sadighi. 1955 in Täbris / Nord-Iran geboren.

0387415, in: Die Kinder des Windes. Gedichte. © Dölling und Gallitz Verlag GmbH, Hamburg 1992.

Michael Sallmann. 1953 in Thalheim im Erzgebirge geboren.

Ein Ausländerproblem, in: Nichts Besonderes. Gedichte und Texte. © Dirk Nishen. Verlag in Kreuzberg, Berlin 1983.

Brigitte Schär. 1958 in Meilen am Zürichsee geboren.

Der Hirte, in: Auf dem hohen Seil. Geschichten. © eFeF Verlag, Zürich 1991.

Regina Scheer. 1950 in Berlin geboren.

AHAWAH. Das vergessene Haus, in: AHAWAH. Das vergessene Haus. Spurensuche in der Berliner Auguststraße. © Aufbau Verlag, Berlin und Weimar 1992.

Katharina Schubert. 1948 in Potsdam geboren.

Die Fluchthelfer vom Forsthaus, in: Fluchtweg Eifel. Eine Erzählung. © Gertraud Middelhauve Verlag GmbH & Co. KG, Köln und Zürich 1992.

Klaus Staeck. 1938 in Pulsnitz bei Dresden geboren.

[S. 238] Originalgrafik, Serie A, Nr. 90234: Fremdenhaß. © Edition Staeck, Heidelberg 1991.

Christoph Steckelbruch. 1962 in Mönchengladbach / Rheydt geboren.

[S. 112 / 113] In: Einfach zu schön. © Semmel Verlach, Kiel 1993.

Yoko Tawada. 1960 in Tokio geboren.

Xander, in: Das Bad. Roman. © konkursbuch Verlag Claudia Gehrke, Tübingen 1991.

Alev Tekinay. 1951 in Izmir geboren.

Die Deutschprüfung, in: Die Deutschprüfung. Erzählungen. © Brandes & Apsel Verlag GmbH, Frankfurt am Main 1989.

Najem Wali. 1956 im Süden des Irak geboren.

Hier in dieser fremden Stadt, in: Hier in dieser fremden Stadt. Erzählungen. © Verlag am Galgenberg, Hamburg 1990.

J. Monika Walther. 1945 in Leipzig geboren.

Der siebte Kontinent, in: In der Traumwäscherei ist Arbeit. Gedichte. © tende, Dülmen-Hiddingsel 1990.

Stefan Wewerka. 1928 in Magdeburg geboren.

[S. 318] Zeichnung ist für dieses Buch entstanden. © Alexander Verlag, Berlin 1993.

[Stefan Wewerka]

[S. 340–343] In jedem Herzen ist Platz für Millionen anderer Herzen. © Alexander Verlag, Berlin 1989.

Sevim Yüzgülen. 1982 in der Türkei geboren. Gleich nach der Geburt Übersiedlung nach Deutschland.

Fliegengeschichte, in: Artur Förg, Siegfried Heppner, Angela Schmidt (Hg.), Hier war ich ein Niemand... vielleicht nur ein Regentropfen, der auf die Erde gefallen ist. © Schüren Presseverlag GmbH, Marburg 1992.

Carl Zuckmayer. 1896 in Nackenheim geboren, 1977 in Saas-Fee gestorben.

In: Als wär's ein Stück von mir. © S. Fischer Verlag GmbH, Frankfurt am Main 1966.

Die beteiligten Verlage

A 1 Verlag, München
Achterbahn Verlag, Kiel
Alexander Verlag, Berlin
Alibaba Verlag, Frankfurt am Main
anabas Verlag, Gießen
Argon Verlag, Berlin
Aufbau Verlag, Berlin und Weimar
Verlag der Autoren, Frankfurt am Main
BdWi Verlag, Marburg
C. H. Beck Verlag, München
Beck & Glückler Verlag, Freiburg im Breisgau
Beltz & Gelberg Verlag, Weinheim an der Bergstraße
Georg Bitter Verlag, Recklinghausen
Bleicher Verlag, Gerlingen
Brandes & Apsel Verlag, Frankfurt am Main
Büchergilde Gutenberg, Frankfurt am Main
Campus Verlag, Frankfurt am Main
Hans Christians Verlag, Hamburg
Därr Reisebuch Verlag, Hohenthann
dipa Verlag, Frankfurt am Main
Dölling und Gallitz Verlag, Hamburg
Dvorah Verlag, Frankfurt am Main
edition aragon Verlag Willi Klauke, Moers
edition diá, Berlin
eFeF Verlag, Dortmund
Elefanten Press, Berlin
Evangelische Verlagsanstalt, Leipzig
S. Fischer Verlag, Frankfurt am Main
Fischer Taschenbuch Verlag, Frankfurt am Main
FLV-Frauenliteratur Vertrieb, Wiesbaden
Frauenoffensive Verlag, München
Frederking & Thaler Verlag, München
Verlag am Galgenberg, Hamburg
O. Gracklauer Verlag und Bibliogr. Agentur, Berlin
Peter Hammer Verlag, Wuppertal
Carl Hanser Verlag, München
Rudolf Haufe Verlag, Freiburg im Breisgau
Edition Hentrich Druck & Verlag, Berlin
Hinstorff Verlag, Rostock
Jürgen Horlemann Verlag, Bad Honnef
Integral Verlag, Wessobrunn
Junius Verlag, Hamburg
Kiepenheuer & Witsch Verlag, Köln

KleinVerlag, Hamburg
Erika Klopp Verlag, München
Konkret Literaturverlag, Hamburg
konkursbuch Verlag, Tübingen
Wolfgang Krüger Verlag, Frankfurt am Main
Antje Kunstmann Verlag, München
Lappan Verlag, Oldenburg
Listen, Zeitschrift für Leserinnen und Leser, Frankfurt am Main
Luchterhand Literaturverlag, Hamburg
Middelhauve Verlag, Köln
Dirk Nishen Verlag, Berlin
Ökonzept Verlag, Düsseldorf
Orlanda Frauenverlag, Berlin
Palette Verlag, Bamberg
PapyRossa Verlag, Köln
Picus Verlag, Wien
R. Piper Verlag, München
Prestel Verlag, München
Prolit Verlagsauslieferung, Fernwald
Psychiatrie Verlag, Bonn
Quadriga Verlag, Weinheim
Philipp Reclam jun. Verlag, Ditzingen
Reclam Verlag, Leipzig
Verlag Cornelia Riedel, Bad Homburg
Rogner & Bernhard Verlag, Hamburg
Rotation Verlag und Vertrieb, Berlin

Rotbuch Verlag, Berlin
Lambert Schneider Verlag, Gerlingen
Schönbach Verlag, Hannover
Schroedel Schulbuchverlag, Hannover
Schüren Presseverlag, Marburg
Semmel Verlach, Kiel
Sova Verlagsauslieferung, Frankfurt am Main
Steidl Verlag, Göttingen
Rudolf Steiner Verlag, Dornach
Stendel Verlag, Waiblingen
Südwest Verlagsgruppe, München
Sybex Verlag, Düsseldorf
tende Verlag, Dülmen-Hiddingsel
TR-Verlagsunion, München
Trotzdem-Verlag, Grafenau
Anita Tykve Verlag, Sindelfingen
Universum Verlagsanstalt, Wiesbaden
VSA-Verlag, Hamburg
Verlag Klaus Wagenbach, Berlin
Verlag Westfälisches Dampfboot, Münster
Verlag Das Wunderhorn, Heidelberg
Westdeutscher Verlag, Wiesbaden
Wissenschaftliche Buchgesellschaft, Darmstadt

Gefördert vom Börsenverein des Deutschen Buchhandels e. V., Frankfurt am Main